U0126330

國學入門

龔鵬程 著

臺灣學生書局印行

《國學入門》自序

龔鵬程

我寫這本書，有些緣故。

一是近年北京、南京、武漢、人民諸大學紛紛開辦國學院、國學研究所、國學班、國學營；社會上各類國學講習機構與活動，更是不計其數，而其實皆無教材。唯翻印八十年前梁啟超、錢穆，或三十年前臺灣杜松柏、朱維煥諸先生之作以應時需而已。舊作不廢江河，當然該重印；但無論語言、材料、觀念，現在似乎總應有一本新的作品才好。

其次是我自己對於做學問，有個基本看法，那就是什麼都該由國學傳統中發展出來。故國學非一門專業、一個科目，而是各種學問之土壤。這個道理，本不難懂，也絕不會錯。但只要一說，立刻就會有無數不知學問為何物的妄人來亂嚷嚷，說是故步自封啦、文化保守主義還魂啦、遺老復辟啦、不能與世界接軌啦、西學才能救中國啦等等等。此輩對中國學問根本未嘗究心，固然是不懂的；他們對西方學術之發展，又何嘗有所了解？試問：西方學術之發展，難道不是由其文化學術傳統中生長起來的？難道竟是切斷了來搞，或向中國借來的？

還有些人則不斷質疑：國學範圍如此浩瀚，皓首尚且不能窮經，想把國學都弄通了，再以此為基礎發展出一些東西，怎麼可能？

欸！有什麼不可能呢？不說別人，我自己就淹貫四部、博涉九流、兼綜三教。這些話，聽起來像是自誇自炫，其實一點也不。以我之魯鈍，做到這一步，也不過就花了三幾年工夫。在我大學時期，便已把國學諸領域大抵摸熟了，掌握了中國學問之大綱大本，此後不過漸次精修，並與西學新學相孚會、相激盪、相印發而已。前輩學者，如康有為、劉師培、章太炎、王國維……，誰不是這樣？皆不過二十許歲，於國學皆已通曉，且亦不妨礙其吸收西學。以後因機觸會，賡為發皇，工力之積，固然遠勝少時，但若說國學非皓首不能究知，則天下沒這個道理。

其中關鍵在於：通曉國學，重點在通。淹貫四部三教九流百家，打通文史哲及社會學科，正是通人之業。通人不是什麼都懂，天底下沒這種人，更沒這種需要。通人只是通達博雅，故在知識與心態上可以通貫地去掌握事理。做學問，精力和時間，大家都是一樣的，天資尤其相去不遠，可是入門路頭不同。為通博之學者，略沈潛，即能致廣大而極精微，成為通人。走專家狹士一路者，則終究只能成為專家狹士。專家狹士，對於自己花了那麼多氣力才終於在某個領域裡稍微有了點知識，既自卑又自負，根本不相信有什麼通人竟能在極短的時間裡通貫他們那些專業。夏蟲不足以語冰，那也是沒辦法的事。

不幸近百年來之學風，趨新騖外，國學頗遭鄙棄；為學又貴專業，而不知天地之大美、學術之全體大用。以致一種寬易博大的治學之道，反而甚為寂寥。偶欲從事者，亦以為必是荊棘榛莽之絕學，非有絕大願力，不敢問津。

其實此道甚為平易，聖賢教人，本來如此，今人自己犯糊塗罷了。我偶得師友護惜，於此稍有所見，自然就常想略述心得，接引同道，共窺國學之堂奧。十六七年前，與林安梧等人遊貴州龍場驛，訪陽明書院時，安梧即勸我好好聚生徒、講國學，傳此一路治學方法。

然傳道之機緣一時尚未具備，倒是獲得了創辦南華、佛光兩所大學之機會。當時集資募化的星雲法師，與我本不相識，或問其為何請我來辦？老和尚總是說：「仰慕，他是個國學大師啊！」其實那時我也才三十多歲。長者厚意，聞之不無感奮，於是略依通識博雅之義，以為規擘。制禮作樂，講習人文；並根於國學，發展出許多新學科。一時震動，以為能稍復古代書院之舊。社會觀聽，不無興發，教育部亦迭有獎勵。可見這個路子，在現代教育體系中仍然是能發展的，如何發展的制度規劃，亦經試驗而頗見實績。在未來教育史上，當可有一席之地，較昔年北大清華之國學門更值得研究。因其規模意量皆較宏闊，制度性之建構也多得多。

只不過，世緣變滅，人事不恆，我既卸任，其風或漸消歇。凡事之因人因勢者，大都如此，本無足怪。但亦可看出這種制度性體制化的國學建構方向，似易實難。今人所辦國學院，規模雖遠不能跟我當年的建制相比，但也是難的；即或辦成，亦未必久長。反不若仍如孔子般，隨機講學，輔以著述，也許還能形成較大的影響。

甲申以來，遊居大陸，頗肆講席。在北大及珠海聯合國際學院所講，已輯為《中國傳統文化十五講》。在首都師大所講，則寫成了這本《國學入門》。當時是首師大開設了一個實驗班，命我為新生講說國學的入門之道，共十講。後來在武漢大學，也講了四講。今年在北京師範大學，我又開了個新國學講座，凡六講。三者併起來，略有損益，做為「門徑篇」。再加上一些評述民國初年國學家及國學教育的文章，做為「登堂篇」，合起來就成了此書。

因此，綜合地說，寫這本書，一方面是應時代之需，一方面是消個人之業。國學是我的緣，也是我的業。是我的力，一切力量的來源；也是我的願，願昌明其學於天下。作此小書，略述門徑，雖不足以宏闡整體國學之綱維與精神，起碼為之盡了點心力，我自己是很欣慰的。

本書既然原是講稿，便希望它真正達到接引的功能。門徑篇凡十四章，分四個部分：㈠前三章，談國學的名義、材料與方法。㈡四、五、六章，講基本語文能力如何訓練，介紹文字聲韻訓詁的知識與觀念。㈢七、八、九、十章，說經史子集四部概況，及運用其文獻之方法。㈣十一、十二、十三章，論儒道釋三教之歷史、內涵及研究法。十四章是補充之餘論，亦是總說，談治國學者的精神意態。

各章講說，自然都只能針對各別領域，例如儒、道、釋，或經、史、子、集；各章又各有主題，看來不甚統屬。但我切望讀者能通貫地看，時時想到我前面說的：治國學須有通識，亦在養成通識、成就通人。知識總是分門別類的，但讀書的卻是個人。人的知、情、意，必然整合為一體。其知性知覺知識，來源雖繁，門類雖別，亦仍是內在整合於人的。讀書人焉能捨己徇物，依從外在知識分類而忘了自己呢？

學者又當知：博學之道，重在精神心態，不是知識上的不斷相加。致知求學，亦非要做個技術性的學術工人。否則東談一點西說一點，獵時名而昧大道，豈不哀哉？

以上十四章，介紹基本材料、知識與方法，是拆開來說。一項一項、一類一類。「登堂篇」倒過來，藉評述民國初葉國學運動之人物與教育，來看其中蘊涵之各種問題。康有為、梁啟超、章太炎、王國維、胡適、馬一浮、陳寅恪諸人，或講說國學，或開列相關書目，都聲譽宏著，影響深遠，是研習國學者重要的導師。但這些導師，這個如此說，那個如彼說，其持之有故之故，言之成理或不成理之理，到底何在，則不能不再略做些分疏、略有些辨正。通過這些討論，治國學者方能算是登堂了，可以窺見堂奧。此後漸修，不難入室，得睹宮室之美矣。

本書為初學者說法，因此寫得較為簡飭，許多問題僅是略陳線索，未予展開。讀者若欲進階，則每一篇我都有相關之專論或專著可供參考，可以自行找來看。當然，為學貴自得，師傅領進門，修行在各人，孟子曰：「子歸自求之，有餘師矣」。諸君未來進境，豈我所能測度？我的這些言說，聊當津筏可也！

丙戌歲杪，寫於燕京小西天隱居處

國學入門

目　次

乙、登堂篇

甲、門逕篇

第一章　名　義

一、國學的興起與消亡

國學這個詞，指的是中國傳統的學問。但這個詞本身卻恰好不是傳統的東西，而是清朝末年才出現的新事物。

當時講國學，有兩個脈絡。一條脈絡發自廟堂，一條生於草莽。

（一）

發自廟堂的，是因清光緒末年開始推動新式教育體制，廢科舉、立學堂。而這整個改革活動與其說是政府戮力革新以救亡圖存，不如說是社會總體思想的傾向使然。故影響中國達千年以上的科舉制度，及與之相關聯的教育體系，才能一夕崩潰，幡然故途。但亦因如此，新式學堂打一開始就顯示了它的反傳統性。要教習西學，以富國強兵。學堂的教學內容，乃因而皆以西學為主。光緒二十九（1903）年學部所擬《奏定學堂章程》就提到當時社會上已彌漫著廢經滅古的言論：「無識之徒喜新滅古，樂放縱而惡閑檢，唯恐經書一日不廢」。針對這種風氣，政府覺得應該在新式教育中仍保留中國學問的地位，希望學生仍要讀經。

這就是當時講國學的第一條脈絡。想在西學衝擊之下，讀點經書「以免拋棄中學根底」（《章程・學務綱要》）。

此時雖未提出國學一詞，但謂：「中小學堂宜注重讀經以存聖教。」把經學當成是立國之根本。認為若大家都不讀經，都不曉得這個根本，「中國必不可能立國矣」（〈綱要〉）。顯然是把經學視為中國根本之學了。

到光緒三十四年，四川中書科董清駿便提議設立國學研究所，「以保存國學，冀一線之延，為將來發達之種子。庶幾有光大之一日也」（收入：四川提學使方旭致敘永廳勸學所劄）。

廟堂之議論與政策如此，草莽之士的見解又如何呢？

（二）

1902 年梁啟超首先介紹了日本的國粹主義，他致書康有為說：「日本當明治初元，亦以破壞為事。至近年然後保存國粹之義起」。接著他又寫了〈日本國粹主義與歐化主義之消長〉一文。介紹了國粹主義者：「謂保存本國固有之精神，不肯與他國強同。如就國家而論，必言天皇萬世一系；就社會論，必言和服倭屋不可廢，男女不可平權等類」（《讀書彙編・第五期》）。隨後，黃節亦在《政議通報》發表了〈國粹保護主義〉。除了介紹，也有批評，認為日本的國粹主義是封閉保守的，只知「我國所有之謂國粹」，不知吸收外國文化為我所用也是國粹。故他所說的國粹保存主義，乃是開放性的取精用宏，有萃取集粹之意，曰：「本我國之所有而適宜者焉，固國粹也。取外國之宜於我國而吾師以行焉者，亦國粹也」。

黃節這種意見，可以代表當時革命黨人的國學觀。因為革命黨人黃節、鄧實、章太炎、劉師培等人於 1905 年在上海成立的國學保存會，就同時發行著《國粹學報》。可是其提倡國學，並不盡同於清政府是想藉提倡國學以減少、降低，甚或平抑歐化之衝擊。因此當時許寧微就在《國粹學報》上發表了一篇〈論國粹無阻於歐化〉的文章，認為歐化不能貌襲或橘逾淮而為枳式的，只有把自己田畝耕墾好了，外來的種子才能在這塊土地上結出好果子來。

革命黨人國學觀之不同於清廷者，不只於是。清廷的國學觀，用張之洞的話來說，重點在國不在學：「保國、保種、保教，合為一心，是謂同心。保種必先保教，保教必先保國」。因為：「國不威則教不循，國不盛則種不尊，保國之外，安有所謂保教保種之術哉？」（〈勸學篇〉）。可見保教之目的在於保國。革命黨人也主張保國，但這個國的含義卻與之不同。在他們看來，國應該是與君要分開的。所以國學應當是一個國家的立國精神：「國粹者，一國精神所寄也。其謂學，本之歷史。因乎政俗，齊乎人心之所同，而實為立國之根本源泉也」（同上。許寧微文）。故這個國學並不是君學。

依他們看，中國自秦漢以降，都只是君學，國學已亡，故國亦不國。所以黃節說：「秦皇漢武之立學也，吾以見專制之劇焉。專制之統一，而不國、而不學，殆數千年」（《國學真論·國粹學報》，1907 年 2 期）。凡以為忠君即是愛國、以為功名利祿即是國學，不知考郡國之利病，哀生民之憔悴著，都是君學、偽儒，都不是國學。換言之，革命黨人之國學觀，是具有反君主專制之強烈批判意識的。

正因為如此，故其所謂國學，內涵也就不再指經學。經學是儒家一家之學，且是漢代帝王獨尊儒術後才形成了那麼崇高的地位。革命黨人要推翻君主專制，自亦不再宗經；其所欲取法者，乃是秦漢專制王權尚未建立以前，九流十家爭鳴的那種學問。

此即稱為復興古學。鄧實〈古學復興論〉說：「吾國周秦之際，實為學術極盛之時代，百家諸子爭以學術鳴。」道光咸同以後諸子學漸盛之風氣，在他看，就反映了國人已由君學回歸國學且與西學逐漸合流的趨向：「諸子學而與西來之學，其相因緣而並興。」

古學的內涵，便因此是指諸子學，儒家則只是諸子學中之一支。

復興古學之另一意念，則是把這種風氣或趨向比擬於歐洲的「文藝復興」。鄧實把周秦諸子比擬為希臘七哲，把秦始皇焚書比為土耳其焚毀羅馬圖籍，把漢武帝罷黜百家比為歐洲封建神學之束縛。而說：「十五世紀為歐洲古學復興之世，而二十世紀，則為亞洲古學復興之世。」歐洲文藝復興時，不但由學說上追蹤古希臘羅馬，也收集整理流散亡佚之古籍，鄧實他們也在國學保存會底下設有藏書樓，收蒐叢殘，然後刊刻出版，因此影響宏遠。

國學保存會此等「以復古為解放」的行動，顯示了草莽的國學觀。國學，在其語脈中又名國粹、古學。具體內容則是具批判精神、反封建君主專制的諸子學。革命黨人以此振起民氣、激揚國魂，最終戰勝了朝廷，啟建民國。

（三）

但國學運動並未因此而告終。一方面，沿續國學保存會這種思路的，仍在繼續發展，例如 1912 年高旭、高燮、柳亞子、李叔同、胡樸安等人就又成立了國學商兌會。商兌什麼呢？原來在晚清復興古學階段，重點在於復興。因此輯佚鉤沉，要把九流十家久遭沈埋的學說與著作通通找出來復興一番。可是老東西漸漸鉤稽出來以後，就逐漸產生了選擇的問題。到底九流十家，儒道墨法名兵農陰陽，什麼才是今日中國應該倚以為國魂的？什麼才是現在我們所需要的？這就不能不有抉擇，不能不好好商兌商兌了。這種國學商兌之風，不僅表現於國學商兌會這一個團體，事實上也是民國初年很廣泛的一種思路。例如有一陣大興墨子熱，覺得墨子比孔子更符合現代之需，便是此風之影響。

另一方面，古學復興運動中激進的一面也在深化。例如當時說中國幾千年來都是君學、都是偽學，都應打倒；或把孔學儒學跟專制統治掛鉤，一併批判，就逐漸帶生了對儒學與傳統的整體拒斥態度，出現了整體性反傳統的浪潮。國學商兌會所編《國學叢選》第一集收有高旭〈答周仲穆書〉就說：「孔學實為專制之學，孔子一生教人唯尊君而已，」主張廢孔用墨。且說「鄙人十年前所抱宗旨即如是，至今未變。近見蔡孑民先生亦有此觀念。」可見五四運動所倡行的那種反傳統思潮，要打倒孔家店等等，與古學復興運動確實有其內在的淵源。

但五四運動是極複雜的。從某方面說，它反傳統，要迎接德先生與賽先生，肇啟了全盤西化之說，要向西方去尋找真理，令國人對舊學棄若敝屣。但像胡適這些人自己評價五四時，卻未必如此看，反而說五四是中國的第一次文藝復興。胡適英文專著 *The Chinese Renaisance*（《中國文藝復興》）即指出：「中國第一次文藝復興是禪宗之出現；第二次是宋代新儒學取代了中世紀宗教；第三次是明清戲曲與章回小說興起，對愛情與人間生活樂趣坦然頌揚；第四次是清代樸學反抗理學，在文獻上帶來重視證據的新方法；第五次就是五四」。

由「文藝復興」這個角度看，五四運動所帶給文化界學術界的，就不是對中國學術文化的揚棄，而相反地是要發揚。如何發揚呢？延續第四次文藝復興之方法，即清儒在文獻上帶來的新證據之方法，結合西方的科學方法，來對中國學術文化傳統仔細清理一番。

此說後來凝結為一句口號叫做：「以科學方法整理國故」。什麼叫國故呢？那就是中國從前的歷史文化傳統。著名的國學家章太炎曾寫過一部《國故論衡》，表明了此時學人之基本想法，乃是要對國故好好討論並衡定其價值。1925 年清華設立研究院時，在章程中規定：「先設國學一科，其內容約為中國語言、歷史、文學、哲學等。」研究院主任吳宓又補充曰：「茲所謂國學者，乃指中國學術文化之全體而言」。此與稍早胡適起草的北大《國學季刊・發刊詞》把國學、國故定義為：「研究中國過去歷史文化的學問」相似，都是以文化史為國故國學之具體內容的。無怪乎東南大學《史地學報》在介紹北大國學所時會說：「在今日情形之下，吾人謂北大國學研究所為國史研究之中心，殆無不可也」。

在這個意義上，我們才能瞭解胡適所開列的「國學最低限度書目」為何會把《三俠五義》《九命奇冤》等都列入其中。它們既非經學，亦非諸子學，只因國學在此時已是「研究中國過去歷史文化的學問」（《國學季刊·發刊詞》），故才得以廁身其中。

當時除北大、燕大、清華、廈門大學等校普遍設立國學研究所外，中學也設有國學科目。錢穆的《國學概論》就是他在無錫教中學時所編之講義，可見一時蔚然成風之國學研治風氣。

（四）

但把國學視為整體歷史文化研究，範圍畢竟太大了，陳獨秀就批評：「國學本是含混糊塗不成一個名詞。當今所謂國學大家，胡適之所長是哲學史；章太炎所長是歷史和文字聲韻學；羅叔蘊所長是金石考古學；王靜安所長是文學。除了這些學問之外，我們實在不明白什麼是國學」。顧頡剛則解釋說國學的範圍太大，是因中國各學科都不發達，所以研究國學的人什麼都要研究。倘若「中國各方面都有人去研究了，那麼我們的範圍就可縮小，我們就可純粹研究狹義的歷史」。

這些批評表示當時已有一種西方現代學科分化的觀念。依這個觀念看，國學也者，主要是史學，但又往往包涉太廣，因此範圍遼闊、義界不明。把這個觀念明確發揮出來，且奠為制度，形成國學之變革者，則是傅斯年。

「整理國故」一詞最早的使用可能就是傅斯年，但自 1922 年起就因「見到中國之大興國學」，便生了「絕國故」之念。這當然只是因心理上反對浮囂，可是心理產生行動，在他辦中研院史語所時，便明建旗鼓反對國學國故，謂國學之內容「不外文學聲韻之考訂歷史事實之考證，前者即所謂語言學，後者即所謂史學。此外如中國專有之材料，亦皆有專科治之」（與朱家驊函。又參見〈歷史語言研究所工作之旨趣〉一文）。也就是說國學應該拆解開來，論文學的歸入文學；論歷史的歸入史學科系；論政治、經濟、社會科技什麼的也各應放入專門的學科中去研究。國學的那個國字，本來是有保國、保種、保教之神聖意涵，也消解了，只是指中國的材料罷了。治地質學的人，大可以拿著中國地質資料去研究，說這就是中國地質學。但中國地質學，與歐洲地質學並無本質之不同，仍是地質學之一環，只是材料主要用中國的罷了。地質學如此，中國經濟學、中國政治學等又何獨不然？於是一個普遍的學術分科的體系，就把原先基於與歐西學問相對比而形成的國學概念徹底拆卸了。國學也迅即在隨後的學術分科中被拆開，歸入各個科系。1949 年，中共取得政權後，沿襲了這種觀念且擴大了學術分科，且分得極為瑣細。例如文史哲不但分了家，文學中還要分古代、近代、現代、當代等。那種綜合的、統包的大國學概念，遂在中國絕了蹤跡，距其興起不過五十年左右。

一線之延，是在臺灣。臺灣的大學分科，一樣沒有國學的地位，但臺灣的中文系，情況卻與大陸頗不相類。它並不是文學系。雖然名稱仍喚作中國文學系，但文學二字採古義廣義解釋，可以是文字、可以是文學、也可以是文化，猶如《論語》中說孔子門人中有文學一科，指的是對古代文獻文化的瞭解那樣。學生修課，則兼辭章、義理、考據。研究生寫論文，亦不限主題，舉凡中國文化事物，幾乎都可研究。因而中文系實質上就仍是國學系。學風的兩大來源，一為北大之整理國故派，一為傳承自清儒語文考證之章（太炎）黃（侃）學派。到八十年代中期以後，因種種原因，這樣的學風傳承才出現轉折，國學氣味漸漓。

可是隨之大陸卻開始復興了國學熱，逐漸開辦了不分文史哲的實驗班，恢復國學研究所與國學刊物，甚或開辦了國學院。國學浪潮重起波濤，而距其倡議之始，則已百餘年了。百餘年來，國學、國粹、古學、國故、經學、文學、史學，名義與內涵變動不居，觀察者宜由歷史中見其變遷之軌轍焉。

二、國學復興的意義

國學之提倡，自初起時便有反對者。例如 1907 年在巴黎創刊的《新世紀》，就說：「數千年老大帝國之國粹，猶數百年陳屍枯骨之骨髓，雖欲保存，無奈其臭味污穢，令人掩鼻作嘔何？」這類論調，晚清已然如此，「五四運動」之後當然更不會少。在主張中國應該走全世界普遍都走之現代化道路的人看來，國學與保守、反今、反西、反科學乃是同義詞。凡一方有人要保存國粹，一方就有人痛批五千年來老大帝國只有國渣沒有國粹，全是醬缸文化、吃人的文化、封建禮教之文化，不如趁早丟開了的好。

這種思想在清末民初蔚為主流，一直發展到文化大革命，巴不得革故鼎新，把所有中國的語言、文字、文學、文化都廢了，全改用西洋的。近來始逐漸覺悟此法殊不可行，文化的全球化，反而顯現了在地文化的價值不容芟棄。

而我國的國學運動，雖然由欲矯崇慕西學之弊而生，但它也不是保守性反對吸引西學的性質，最多它只是弱勢的保存而已，非積極的排外。國學保存會甚至還要提出「國粹無阻於歐化」的講法來自圓其說，便可見情勢之一斑。與日本之國粹主義相較，日本在政治上尊奉天皇制，抵拒民主；精神上發展出神道教與君國一體之軍國主義；又主張男女不可平權，都顯示日本的國粹主義還比我們更激烈反西。我們的態度乃是多元化開放的。當年提倡國學或被稱為國學大師的，多有西學背景。如清華國學院的梁啟超、王國維譯有洋書不少；趙元任、陳寅恪留學西方；吳宓還是英文系教授；北大的胡適既說要整理國故，又說要努力西化。就是《學衡》一派也是深通西學的。

再與伊斯蘭世界相較。奧圖曼帝國於十九世紀中葉就開始進行現代化改革，帝國的體制逐漸轉型為現代國家，但也激生了泛伊斯蘭主義之對抗。到了二十世紀七十年代，伊斯蘭原教旨主義更是遍及西亞、北非、南亞、中亞，主張回歸傳統，振興伊斯蘭教原來之精神，才能解決他們面臨之困局。認為伊斯蘭教之教義應再度成為所有伊斯蘭人民之世界觀，因為它淵源是神聖的，本於真主之啟示；它又有恆久的適用性，其內容涵蓋社會與人生各領域，具有廣泛的包容性。故如今應依《古蘭經》所昭示的道理，做為生活的道路，重建伊斯蘭文明。

這種原教旨主義，看起來很像我們的興復古學運動，但它們有幾點不一樣：一是伊斯蘭原教旨主義本質是宗教的，復興古學或保存國學卻是學術的。康有為所提倡的孔教運動，一直沒發展起來。二是伊斯蘭原教旨主義是政教合一的，謂「宗教興則民族興」以及「宗教政治化，政治宗教化」，我們學術與政治卻只是相關，不是合一的了。國學運動後期之整理國故階段，政治性尤低。三是伊斯蘭原教旨主義是宗教運動，我們卻是國族運動。前者是在宗教底下框著許多民族與國家，後者重在追求國家民族之復興強盛。四是伊斯蘭原教旨主義具有反世俗的精神，國學運動雖有把國族神聖化的精神傾向，但基本上仍是世俗性的。

相較之下，國學運動在激烈的西化浪潮中其實起著提醒之功與平衡之力。使中國舊學未隨狂潮波流卷襲而去，但又不至於走入日本國粹主義或伊斯蘭原教旨主義那樣較極端的路子，仍是值得稱道的。它具體興復了某些「絕學」，帶動了民初學術之發展，其功績亦頗足稱道。事實上，現今重新檢討民國以來之學術，在學習西方方面，其實無多新猷可述，一些主要的學者及學術貢獻，倒都還是國學運動這一脈絡下的產物，這也就足以發人深省了。

但國學運動亦有其問題。一是由晚清以降之國學運動，固有各時期之差異，然皆是一種國族主義下之國學論述。學字上面那個國字，就充分顯示著這一點。興國學，旨在救國，欲以振國魂而保族命也。即使是五四運動之後的整理國故，號稱科學方法，用意仍在於改革積弊，以圖強國，這是國學運動的精神血脈所在。

但如此論國學，恰好大違中國學問的根本精神。中國學術，從來就強調為己之學。不但孔子說：「古之學者為己，今之學者為人」，道家莊子也說要「獨與天地精神往來」，而嘲笑那「智效一官，行比一鄉，德合一君，而徵一國者」是不能逍遙的小麻雀。什麼是為己之學？就是讀書做學問不是為了父母、為了鄰里、為了國家、為了任何其他人其他事，只是為了讓自己明善知理，成就為人，或為我之求知而求知。這與國家主義底下的學術觀，要求讀書報國、科教興國等等是迴然異趣的。

晚清以來，國家主義之教育觀學術觀大盛，令人或已視此為理所當然之理，殊不知其間大有分際。昔顧炎武《日知錄》有云：「有亡國，有亡天下，易姓改號，謂之亡國。仁義充塞，而率獸食人，人將相食，謂之亡天下。故知保天下，然後知保其國。保國者，其君其臣其肉食者謀之。保天下者，匹夫之賤，與有責焉」（卷十七・正始條）。天下是文化的概念，國家是政權的概念，讀書為學是以天下興亡為己任，而非以國家興亡為己任。國家興亡，國民也無法負責，那是主政者的責任。故莊子云獨與天地精神往來，孔子云君子窮則獨善其身，達則兼善天下，成己之學，正是天下之學。此與國家主義下以學術為富國強兵之工具或手段者，恰好相反。在國族主義底下，國家其實又吃掉了家族、鄉里、社團等共同體與人的聯結，使個人直接與國家聯繫起來。因此，「君史」固然沒有了，國卻代替了君，「民史」仍舊是不可見的。

其次是由講經學到講史學，由講國學到講國故，國學成了「遺產」成了「故」，講國學只是存古。這裏面就表現出一種斷裂的歷史觀，國學也成了與現在異質對立之物了。章太炎說：「說經者所以存古，非以是適今也」（〈與人論樸學書〉），林紓說：「樸承乏大學文科講習，猶兢兢然日取左國莊騷史漢八家之文，條分縷析與國子言之，明知其不適於用，然亦可以存國故耳」（《畏廬續集・文科大辭典序》），都是這種觀念。

他們不曉得歷史遺跡雖是過去之物，但人面對歷史的經驗，卻永遠是現存的、直接的。故客觀過往的歷史物事，一旦涉及對歷史的理解活動，便一定是人與歷史互動互融，客觀進入主觀之中，主觀涵容於客觀之內，即傳統即現在。所以，歷史不只是已完成之物，歷史的意義以及它到底是什麼，都有待人投入，與之交談，才能彰明。藉著這樣的彰明，歷史又對新時代的人產生作用，推動著新時代的發展，因而國學絕非故物、絕非亡者之遺產。其命維新，正待人之鑽研參贊呢。

九十年代以後，新國學運動之興起，似乎即表示了新時代參贊鑽研之機。這時新國學運動發展之脈絡又與以前不同了。一方面是經過從五四運動到文革激烈反傳統思潮之後，冷靜下來反省，不免要重新尋找那久已失落的民族文化傳統，修補文革所造成的裂痕。這無論從感情上或理智上說，都是應時當機之舉。故由傷痕文學，一步步發展到文化熱，再到國學研究，發現我們對中國傳統業已睽隔太久了，所以需要補課、需要重新理解國學。

再從大環境看，全球化趨勢中，中國經濟逐漸崛起，也需要尋找自己的文化身份，確定自己的文化角色。因此回頭試圖瞭解國學，亦符合人情之需要。

若更由教育的角度看，則亦不妨說此番國學熱乃是西式專業化教育之反省。自引進西式現代化教育之後，中國的教育就在向專業分科的方向走，到五十年代效法蘇聯而達高峰。迄今大學教育基本上仍是專業分科的體制。文理工農先分，文中再分人文與社會科學，再分人文為文史哲等。文中再分文學與文獻，文學繼分古今，已而古分若干段，今又分若干段；史分中外古今，亦各分若干段；如是等等，切割細瑣已極。自謂專業，便於一門深入。這種西方分類思惟下的產物，不利於中國學問之講習，是必然的。就像中醫看重其整體性，西醫看重其分解。割裂而言學，在中國古人便認為會不見全體大用，不足為訓。可是在整個現代教育體制中，不分就無法歸類、無從研究。國學之終遭拆解，消溶於各專業科系中者，正以此故。

但專業化既久，其病亦愈明顯。西方反省現代化的思潮，於四十年代以後，就不斷批判現代大學教育體制已經造成了專業性的分割。不同制式專業領域出身的人，例如學人文和學理工的人宛如活在兩個世界，根本無法講通；各專業所形成的壁壘與鴻溝，也彼此無力跨越。因此七十年代開始提倡科際整合，八十年代開始提倡通識教育，希望能濟專業之窮。大陸受教育改革之風的影響，也開始提倡素質教育，希望能給學生在尚未專業化之前，先打下較廣博的文化教養基礎。這當然仍是不完全的改革，未動搖專業教育體系，只是以通識教養為其基礎，稍救其弊罷了。

此外就是重提國學。因為其他領域要不要專業，難以論斷；國學卻是講中國傳統學問的，中國傳統學問割裂為文史哲等，經數十年之實驗，顯然並不成功，所以該重新將專業壁壘打通了來教來學。這就是許多學校紛紛開辦打通文史哲之實驗班的原因。

換言之，九十年代以後，新一波的國學運動，至少有對五四新文化運動之反思、對文革之反思、對專業化之反思、對未來民族文化身份認同之思考等諸因素促其興起，非可泛泛視之為保守主義復辟也。

從做學問的角度說，中國學問也確實自有特點，應該闡揚。

錢鍾書先生就曾比較中外詩篇說：「西洋詩的音調像樂隊合奏，而中國詩的音調比較淡薄，只像吹著蘆管」「我們最豪放的狂歌，比了你們的還是斯文。中國詩人狂得不過有凌風出塵的仙意，你們的詩人狂起來可不得了，有拔木轉石的獸力和驚天動地的神威。中國詩絕不是貴國威德門（whitman）所謂野蠻犬吠，而是文明人話，並且是談話，不是演講，像良心的聲音，又靜又細」「中國社交詩特別多，宗教詩幾乎沒有」「中國詩用提問語氣做結束的，比我知道的西洋任何一國詩來得多」（〈談中國詩〉，收入《寫在人生邊上的邊上》），這是中外詩作上的一些差別。

在文學批評方面，同樣有點兒不同，錢先生說：「把文章通盤的人化或生命化（animism），就是中國文評的特點，如《文心雕龍》云作文須『以情志為神明，事義為骨髓、詞采為肌膚，宮商為聲氣』，或什麼氣、骨、力、魄、神、脈、文心、句眼、肌理等等用來評論文章的術語，都顯示著這樣的特點。西方沒有這樣的評論方式，故不會說文章可分陰柔陽剛，也不視文如人，想像著文章本身就像人一般，有起氣骨神脈種種生命機能和構造。再者，西洋人就是講到氣，也只是指氣壓，而非氣息」（〈中國固有的文學批評的一個特點〉，同上）。

在中國文史哲等其他各領域，大概都可以找到若干錢先生所舉的這類事例，足以說明中國的文化表現、思惟模式、批評術語，均有不類於其他文明之處。西洋人的學問，自成體系，自成格局，中國亦然。既是如此，研治國學，便是對學術忠誠的一種表現，針對中國學問的特性來予以開發，乃是新時期學人應盡的義務。

第二章　材　料

一、文獻及其保存

國學之材料，古稱文獻。孔子曾說：「殷禮能言之，宋不足徵也。夏禮吾能言之，杞不足徵也。」為何杞宋不足徵？就因文獻不足。若有充分的文獻，孔子認為夏商等古代之史實也仍是可以徵考的。這就是文獻的重要性。古代史事，已隨風而逝，誰也見不著去年的雪。到底去年是否曾下過雪，便只好憑文獻去判斷。若無文獻，則雖亦可憑著我們的記憶或訪問當時老人而做推測。但那也只能說說近幾年的事，若要追究百年千年以前下過雪沒有或其他什麼事，便無能為力了。是故考史者，均非考那歷史實存之事，只是徵文考獻，以仿佛昔年曾有之事罷了。

文，指典籍。獻，指賢人。欲考舊事，不徵信於典籍，就須詢諸賢達長者，故文與獻合言。後世保留這種用法的還不少，例如明代焦竑《國朝獻徵錄》一百二十卷，內容是當代人物傳，獻字顯然就是指耆老賢達。清代李桓《國朝耆獻類徵》七二〇卷，情況也是如此。但大部分說文獻的，都漸集中指文字資料，因此這個詞意就發生了變化，主要是指文字，而且不是一般的文字資料，乃是指重要典籍，例如元馬端臨首先以文獻一詞為書名，編《文獻通考》。這文獻二字，便只指文字資料，不涉及耆老；而又非泛稱所有文字資料，而是各朝各代的重要典章，故《四庫全書》將它列入政書類。其他人用此詞，未必如此，但大體也是指有用的文字資料。

時至今日，文獻之含義又逐漸擴大了，因為金石竹帛乃至地下出土文物，用於考史之作用大增，遠非文獻一詞所能涵括。因此我們綜合文、獻及一切可以考古知往的材料而說，就仍老老實實稱它為我們研究國學時之材料。

凡此等材料，古代皆保存於史官。《周禮・天官》：「大宰之職，掌建邦之六典」，春官又說：「小史掌邦國之志」，孫詒讓注：「小史掌邦國之志，蓋所藏者多當代典籍，外史掌四方之志及三皇五帝之書，則兼藏古書。又御史為柱下史，天府掌王朝之守藏，二官並亦掌藏書」。這種政府藏書的傳統，歷代都延續弗衰。

周秦政府藏書之處，曰金匱、石室、柱下。漢有石渠閣、天祿閣，又稱秘府。東漢更有蘭臺、東觀等地。廣泛收集圖籍並加以整理，依劉歆《七略》所錄，當時政府所收圖書一萬三千卷以上。東漢光武帝建都洛陽時，藏書的車子就多達二千餘輛，可見收貯之多。魏晉以後，雖因戰亂頻仍，文獻毀損嚴重，但政府稍得寧定，亦仍以聚書為事。因此到了唐初修《隋書・經籍志》時就有了三萬七千餘卷。宋人修《新唐書・藝文志》時，則增至八萬卷左右。北宋用這批書集編了《太平御覽》等，將書藏在秘閣、崇文院等處。北宋被金攻破後，這批書押運到北方，南宋政府另行收集，又聚了六萬卷左右。元滅南宋時將書運到大都，交秘書監收掌，另國史院、宏文院、集賢殿也各有藏書。明興，於北京紫禁城內設文淵閣，正統年間，楊士奇編的《文淵閣書目》就約略反映了當時皇家藏書的狀況。但此猶不包括南京國子監和北京翰林院等處的藏品。清朝在明朝的基礎上擴大徵集，除選編為《四庫全書》外，一般書貯翰林院，善本藏昭仁殿，稱為天祿琳琅，編有書目。另在武英殿、昭仁殿、國子監也有藏書。這是皇家收藏之大略，也是主要的國學文獻。

然而天下之大，文獻無窮，皇室豈能收羅淨盡？許多圖籍史料散在民間，靠的就是私人的收藏。墨子時已說：「今天下之士君子之書不可勝載，子墨子南游使衛，關中載書甚多」（〈貴議篇〉），可見春秋戰國以後，學不在官府，民間的藏書就很不少了。秦朝焚書，意在復古，想令天下人仍然以吏為師，可是事實上也無法完全禁焚民間之藏書。漢興以後，政府的圖書，主要就是由民間徵集而來。劉向、劉歆父子校勘整理古籍時說的中書，就是指宮中原本收藏的本子；外書，便是由民間收來的版本。另外提到「臣向書」「臣參書」「射生校尉立書」等，則是私家的藏本。漢晉間，這些私家收藏也是很可觀的，《晉書・范平傳》說苑尉藏有書七千餘卷，遠近來讀書者恒有百餘人，尉為辦衣食。則竟是座私人圖書館。到唐代，韓愈說李泌家富藏書：「鄴候家多書，插架三萬軸」；吳兢則自己有目錄，號《西齋書目》。宋元以下，那就更多了。清朝修四庫時，主要也是由民間徵集。

文獻資料除了靠史官的傳統、政府之收集、民間的保存外，地下埋藏也占了一大部分。我國歷代刀兵水火，文籍損毀至為嚴重，幸而有一部分因陪葬於陵墓或其他因素得以埋藏保留。例如 1996 年長沙市中心走馬樓工地出土竹簡、木牘、封檢等，內容有戶籍、名刺、信函、帳簿等，總數約一百五十萬字，超過整個《三國志》的字數。1930 年以來，在甘肅發現的居延漢簡，陸續獲得三萬枚，敦煌漢簡也達兩萬七千枚以上，對漢代西北地方之屯戍活動、歷史興衰、民族關係、交通、經濟等，也都有極重要的研究價值。敦煌石窟所藏經卷、圖像資料，尤為巨觀，更不用說數以萬計的墓誌了。這些文物資料，性質多樣、內容豐富，足以補充史傳文獻之不足，特別是對重建中國古代人之生活史社會史，作用勝於傳世材料，皆研究國學者所宜取資者也。

二、文獻的整理

文獻資料，在收存者手上，大抵會有不同程度的整理。秦漢以前，整理之情況不明，但以河南安陽殷墟甲骨的挖掘來看，那些甲骨可能就是有意存放的。《禮記·曲禮》說：「龜策敝則埋之」，鄭玄注：「不欲人褻之也」，正與挖掘所見相符，因此埋葬甲骨可能就是一種制度。依此推測，其他簡冊資料之收藏、檔案之保存或銷毀，大概也有一套制度，只是現今不知其詳罷了。

秦焚書以後，漢代廣收佚籍：至成帝時，詔光祿大夫劉向校經傳及諸子詩賦、步兵校尉任宏校兵書、太史令尹鹹校數術、侍醫李柱國校方技。「每一書已，向輒條其篇目、撮其旨意，錄而奏之」（《漢書·藝文志》）。這次整理工作，史書上寫來只有這幾句話，其實是規模龐大、任務艱巨的事，先後長達二十餘年。劉向沒完成的，則由其子劉歆完成之，一共校訂完成了一萬三千多卷。

這是目前所知第一次大規模整理圖籍。其方法，一是校勘，即所謂太史令尹鹹校數術、侍醫李柱國校方技之類。利用不同的本子相互比對，讎校異同。二是：「修其篇目」，也就是整理出目錄。三是：「撮其旨要，錄而奏之」，把各書之大意，摘要寫出，成為提要。除此之外，劉向他們還做輯佚的工作，把早先已經散佚的資料，通過收集整理，使之成為較完備的圖書，例如《戰國策》，其實就是利用戰國所傳各個遊說縱橫之士的相關資料集編而成的。

劉向等人這樣的整理工作，後來就成為文獻整理的基本模式，歷代依循著不斷做下去。規模大小不一，工作精粗有別，但大體相似。像許多朝代都設有校書郎等官，其職務就是去宮中校書。只要時世承平不亂，校定圖書就會一直做下去，成為政府例行的業務。

漢代以後，「魏氏代漢，采掇遺亡，藏在秘書中外三閣。魏秘書郎鄭默始制《中經》」（《隋書·經籍志》）。晉·秘書監荀勗又依據《中經》，編了《中經新薄》。分為四部。

這裏要稍微解釋一下。劉向劉歆父子校定圖籍的具體成果是《別錄》。因它採用七部分類法，所以又稱《七略》。略，在古代有流類之意，指書可分為這七大類。荀勗的工作，據《晉書》本傳記載，乃是：「依劉向《別錄》整理記籍」，可見也是採劉向之成法的。但在分類上，他改七分法為四分法，分成甲乙丙丁四部。這便是我國圖書四部分類的起源。甲乙丙丁後來具體指經史子集，因此人們若說「乙部之學」就是指史學了。我國圖書分類，在清末改採西洋分類法以前，以四分法和七分法為兩大宗，四分法又比七分法更為普遍，都是受荀勗影響的。

東晉李充整理圖書，作《四部目錄》，南齊王亮等編《四部目錄》便都是如此。隋時為觀文殿，東屋藏甲乙，西屋藏丙丁。北宋崇文院建史館書庫，凡四庫，分貯四部，亦皆如是。可見四部分類已基本定型。

隋代整理文獻的成績主要見於《隋書·經籍志》，凡著錄四部書 3127 部、36708 卷，乃隋代收羅校寫之成果。唐代的文獻，見於兩唐《經籍志》者，更達 79221 卷。北宋時，編《崇文總目》、南宋時又編了《中興館閣書目》及續書目。明代，正統年間楊士奇編《文淵閣書目》只錄 7297 部，則似不足以反映皇家整體藏書量，因為據《明史·藝文志》說宣宗時秘閣貯書就約二萬餘部，近百萬卷，故知當時整理，尚未完竣。

編目，只是圖書整理的一個方面，近乎商家的盤點。與編目配合的校對、提要，甚或把不同的本子刪併，整理出一個足本，也只是對原有文獻的處理。可是歷代政府之文籍整理並不止於此。除了整理舊材料之外，往往還要從舊材料裏生出新文獻。

比如魏朝就出現了《皇覽》這樣的類書，把許多書上的文句，分類抄摘，排撰成一部新的書。百衲成衣、積腋成裘，它和西方的百科全書相似，都是包羅萬象且分門別類的。但百科全書不是抄集而成，只是綜合歸納的詞條，類書卻是收錄原書，編輯成新的工具書。

《皇覽》有四十幾部，八百多萬字，篇幅巨大。嗣後政府所編，也一樣規模巨侈。唐代有《北堂書鈔》一百六十卷、《藝文類聚》一百卷、《初學記》三十卷等，可以見一代文獻之盛。宋初也仿其例，編了《太平廣記》五百卷、《太平御覽》一千卷、《冊府元龜》一千卷等。明代編《永樂大興》更可觀，共二萬二千八百七十七卷，有三億七千萬字，是古今最大的類書。可惜庚子事變時，遭了焚掠，現在殘存於海內外者僅八〇八卷，不及全書的百分之四。清初所修《古今圖書集成》一萬卷，則是《永樂大典》被焚後現存最大的類書。另有《佩文韻府》四四四卷、《駢字類編》二百四十卷等，也都是政府修纂的。

類書因為是分類摘抄，因此其功用特別便於查找資料，要查什麼，一索即得。相關主題的詩文、典故、史地、制度，應有盡有，十分便利。其次是這些類書往往也有助於寫文章、考出典、摛詞藻。例如《佩文韻府》秋字底下收了二七八個詞語，而且每個詞語都注明了例句與出處，對於注釋古詩詞或自己創作時要押韻，都極有幫助。類書又因收羅甄錄的範圍廣泛，故其所錄文字有助於考訂校勘古書。一部份古書後來已亡佚，也可由類書中輯存出來。像《太平廣記》所引小說五百種，大半失傳。《太平御覽》引書一六六九種，十之八九也都失傳了。魯迅做《古小說鉤沉》時，就從這些類書裏輯出了不少古小說。二十四史中，《舊五代史》也早已失傳了，現在的本子，是清朝邵晉涵從《永樂大典》《冊府元龜》裏輯出來重編而成的。凡此等等，可見皇室以抄錄輯編大型類書的方式來整理文獻，作用殊為不小。

類書之外，尚有叢書。但類書主要是政府編纂，叢書卻多由民間輯刊，它與類書不同。類書乃分類摘錄，叢書則是分類存書，大體是把整本收入一大類叢書中，不像類書一段一段地選錄。如《古今說海》《百陵學山》收的都是些雜著，《昭代叢書》收的都是清人著作。不過，叢書之分類其實甚雜，有以一個時代為類的，只收那個時代人的書；有以地域為類的，只收那個地方人的著作；又或以人為類，某人刊刻的書合起來就叫某某叢書；又或輯刊了一大堆書，合起來加個總稱，叢書內部不一定有什麼關係，真正以性質分類者較少。

最著名的叢書，當然是《四庫全書》。但以政府之力，集編叢書，來源卻甚早。如唐宋明朝編《道藏》就是道教類的大叢書。清朝除了修《四庫》外，亦編有《天祿琳琅叢書》《武英殿聚珍版書》《欽定古香齋袖珍十種》等。民間出版社或私人藏書家集編的叢書就更多了。由於叢書內容複雜，包羅巨富，到底什麼書收在什麼叢書裏，一般不易明瞭，讀者如想運用，可查《叢書子目錄類編》。

三、文獻之學

綜合上述文獻保存與整理之狀況來看，我國在先秦時代，政府之檔案文書、帝繫世本、列國史記、諸侯譜錄、乃至稗官野史，便已極為豐富，保存與管理亦具傳統。漢朝整理文獻之基本規模與方法亦已粲然大備。其後出現四部分類，六朝時期佛教道教書目也開始集編。唐代則大規模修類書、編叢書。宋元明清，文獻愈盛。

面對這麼多的文獻和資料，初涉國學藩籬者輒有望洋之歎，覺得典籍浩如煙海，不免令人望之生畏，廢然止步。

但這恐怕是心理障礙使然。看見資料太多，就覺得算了吧，反正讀不完，乃是怠惰者的藉口。假若我們到一處糖果鋪，看見滿屋子果食，都是沒吃過的，我們會因此而說「算了吧，還是別吃了」嗎？對一名有求知欲、有好奇感的人來說，資料豐富，正有使其見獵心喜，如入寶山之感。資料之多，確實也讓人采挹不盡，玩索無窮。

其次，是探寶山、挖礦藏，亦須有工具有方法，才不致望洋興嘆。整理文獻的基本方法是什麼呢？

歷史上，因整理文獻而形成了一些經驗，這些經驗就是我們的指南。前文於此，已略有所述，以下再分別言之：

（一）目錄

目錄之學，起於劉向。其內容就是上文提到的：「條其篇目、撮其旨意」。也就是編定目次和撰寫提要。目次，指篇章次第。古籍整理時，因為有散佚、有脫落、有錯簡、有重複、有歧異，故確定篇卷多寡與先後秩序，非常重要。另外就是分類，看書屬於哪一類，將之編入哪一類目錄中去。所以編目既指大分類，也指書中各篇的次第。

大分類以四分法和七分法為主。七分法出於劉向，他把歷代文獻分成六藝略（易、書、詩、禮、樂、春秋、論語、孝經、小學）；諸子略（儒家、道家、陰陽家、法家、名家、墨家、縱橫家、雜家、農家、小說家）；詩賦略（屈賦之屬、陸賦之屬、荀賦之屬、雜賦、歌詩）；兵書略（兵權謀、兵形勢、兵陰陽、兵技巧）；數術略（天文曆譜、五行蓍龜、雜占、刑法）；方技略（醫經、醫方、房中、神仙）。六類之前另有一個輯略，算是總論，因此實際上乃是六分。

後來劉宋的時代王儉《七志》分為經典志（六藝、小學、史記、雜傳）；諸子志；文翰志；軍書志；陰陽志；藝術志（諸方技）；圖譜志（地域及圖）；道經；佛經。這是七分法再附加佛道二錄、實為九類。梁阮孝緒《七錄》則分為經典錄、紀傳錄、子兵錄、術伎錄、佛法錄、仙道錄、共七部。

四部分類，今存最早的完成目錄是梁元帝蕭繹《金樓子・著書篇》，仍保持著甲乙丙丁四部的面目，至《隋書・經籍志》就已是經史子集了。其分類為：

經：易、書、詩、禮、樂、春秋、孝經、論語、緯書、小學。

史：正史、古史、雜史、霸史、起居注、舊事、職官、儀注、刑法、雜傳、地理、譜系、薄錄。

子：儒、道、名、法、墨、縱橫、雜、農、小說、兵、天文、歷數、五行、醫方。

集：楚辭、別集、總集。

子部是由七略的諸子略、兵書略、數術略、方技略合併而成，史部則是獨立出來的。晉荀勗《中經新簿》把史記、舊事、雜事等列為丙部，實質上近於後來的史部。到東晉李充又把它提升為乙部，可見史部不但已由經部的「春秋類」中獨立出來，而且地位越來越高。

由這個比較，就足以證明目錄之學不只可以查考書及其篇次而已。分類本身就是重要的思惟方法，所謂「方以類聚，物以群分」。對於同類或異類的判斷，乃是「別同類」的工作。若同類，就可以推類。同一類的書，其性質宗旨必相近。所以，利用目錄便可以發現學術上的流別，這一類與那一類，猶如水之分流，可以區別開來。又可以發現學術的源流。同一類書，性質既近，彼此間就可能有淵源影響之關係。兩者綜合起來，古人即稱為：「辨章學術，考鏡源流」。此即目錄學之重大功能。

凡熟於目錄者，不僅可由目錄檢索到需用的書籍資料，因類求書；更善於利用不同的目錄間的比對，觀察學術的流變。像上文所說，從七略到四部，不只是分類不同，具體內容上也就可以看到史部如何獨立，由附庸蔚為大國。就是《七略》到《七志》《七錄》，顯然也增加了佛教道教的大量圖籍。再者，丁部本是指《七錄》中的詩賦略，後來卻改稱為集部。集這個名稱，古代就沒有，乃是魏晉南北朝的新生事物與新興現象，故清章學誠《文史通義·文集篇》說：「集之興也，其當文章升降之交。……文集之名，實昉于晉代。……集部著錄，實昉于蕭梁，而古學源流至此為一變，亦其時勢為之也。」由目錄可以觀學術之流變，大抵如是。

例如劉向把詩賦略分成詩與賦兩大類，賦中又分三小類：一源於屈原，一源於陸賈，一源於荀子。這分類本身就顯示了學術史的觀點，如若鋪展開來，就是很好的賦史論述。近代魯迅作《中國小說史略》基本上就是用這套方法，其書第一篇叫「史家對於小說之著錄及論述」，第二篇「今人所見漢人小說」，是對歷代小說目錄的整理與說明。其後把明代小說分為講史、神魔小說、人情小說；把清代小說分為擬晉唐小說及其支流、諷刺小說、人情小說、才學小說、狹邪小說、譴責小說、俠義小說等，均是以目錄分類為基礎，再附上說明，故實質上與古人之目錄無異。

因為目錄學並不只有篇目次第及分類，還需對各書「撮其旨意」，予以提要說明。以《四庫全書總目》來看，它就包括書名、篇卷、時代、作者、內容提要各部分，一一敘明之，其內容就等於是一篇濃縮的研究報告。把整個提要讀完，不僅對各書之來龍去脈、內容梗概可有瞭解，於古今學術之淵源流別亦可了然於胸，此即目錄之大用也。

（二）版本

版本，指雕版印刷的本子，後用以泛稱書籍的各種本子，包括抄本、石刻、電子版等。一份文本，在傳抄及刊刻的過程中，難免會有不同，各種版本間相互比較，說明其源流、關係、異同，就叫版本學。

古代未有雕版印刷以前，文件刻寫於甲骨、金石、簡牘、絹帛、紙張上。有了雕版之後，寫刻在絹、紙、石上依然很不少，寫的叫寫本或抄本，刻的叫刻本。刻本分時代，如宋刻、元刻、明刻；又分地域，如閩刻、蜀刻；也分出資者，如官刻、坊刻、家刻。若以先後分，則有初刻、重刻、覆刻，或初印、複印、重修之不同。以印刷方式分，有木刻、活字、石印、珂羅版印、套印之異。以墨色分，又有藍印、朱印、墨印。以版式看，有黑口、白口。由行款說，更有十行本、八行本；還有大字本、小字本。刻本上面若有題跋、有批校，便是題跋本、批校本。這些都是由形式上分的，若由價值上說，則版本有好壞，好的可稱為善本。所謂善本，可能指它刻印特別精，錯誤既少，印刷又好。也可能指它稀罕，甚或竟是孤本。還有可能是它有著名學者批校過，為之增價。當然也有人以早期的本子為善本。特別珍視宋版、元版。一頁宋版可以值若干黃金。但從做學問的角度，版本往往是後出轉精的。例如史書，清武英殿刻《二十四史》勝於明版，民國時商務印書館的百衲本《二十四史》又勝於武英殿版，其他今人校訂重刊的古籍，往往也遠勝舊版。故治學而論版本，著眼點應不同於玩賞文物。

因不同版本之差異甚大，故版本學十分重要，以《水滸傳》為例。人民文學出版社就印過三種版本：1952 年的，七十一回，結尾是「梁山泊英雄排座次」；1954 年的，一百二十回，結尾是「徽宗夢遊梁山泊」；1975 年的，一百回，比 1954 年的版少了第九十至一百十回，即少了征田虎、征王慶的故事。除這幾個本子外，其實還有一種《第五才子書施耐庵水滸傳》七十回，結尾是「梁山泊英雄排座次」。同樣，崇禎本《新刻繡像批評金瓶梅》和《新刻金瓶梅詞話》打一開頭就不一樣。第一回，崇禎本作「西門慶熱結十兄弟，武二郎冷遇親哥嫂」，詞話本是「景陽崗武松打虎，潘金蓮嫌夫賣風月」，內容也大半不同。第八十回，詞話本是：「吳月娘大鬧碧霞宮，宋公明義釋清風寨」，崇禎本把清風寨的故事全刪了，所以第二句也改成：普靜師化緣雪澗洞。《紅樓夢》更是版本問題複雜，一般都說原作僅八十回，程偉元高鶚的刻本補了後四十回，實則前面八十回各本便多差異。庚辰本第六十三回講寶玉命芳官改男裝，且取名耶律雄奴那一千多字，在程甲本中就沒有。程甲本與程乙本也不同。如冷子興演說榮國府一段，程甲本說甯國公生了四個兒子，程乙本改為兩個。諸如此類，若不弄清各版本之源流差異，很多事便無法討論。

四、校讎

不同的版本，既然差異頗大，自然需要對勘，確定差異、判別是非，這就是校讎。兩人各持一本，如讎人相對，以校定是非，故稱校讎，又名校勘。

版本間的差異，有時在篇卷多寡、次第先後，有時在文句上。篇帙多少和次第先後容易察覺，文字不同，就得仔細核對。像《水經注》裏提到「水流松果之上」，崇禎本有譚元春的評點。他覺得水流松果之上這個意象很美，所以就對這一句連打了幾個圈，表示激賞。殊不知此非水流松果之上，而是水流松果之山。《水經注》是講山川地理的書，松果山是個地名，見《山海經》。明代刻本刻錯了，大文評家譚元春才會鬧出這個笑話。上與山，形近，故易訛誤。此類訛誤，常要仔細校勘才能發現。

常見的訛誤，除形近而訛外，有些是脫，漏掉了字句；有些是衍，多出了一些文句；還有些是錯倒了；有些又是錯亂了。脫又稱奪，古人抄書或刻書，有時抄漏了刻漏了字甚或跳行，乃常有之事。古時用竹簡，一條條簡片用牛皮繩串編起來，有時也會編錯了秩序。年深歲久，繩子脫落。或如孔子讀書讀得太用功，「韋編三絕」，竹簡就會散落。重編者偶一失察，便會發生「錯簡」的現象，這都是文件有待校勘的原因。清代大考據家惠棟《松屋隨筆》卷二論仁說：「《春秋元命苞》曰：人者情志，好生愛人，故其為人以其人，立字二為仁。仁人言不專于己，念施與也」。他引的這段古書。宋版《太平御覽》曾經引錄過，文句卻是：「《春秋元命苞》曰『仁者情志，好生愛人。故其為仁以人其立字二為仁。注：二人，言不專於己，念施與也』」。惠棟把本文和注弄混了，又把仁訛為人，還脫了個人字，人其倒為其人。為何短短幾句話，會有那麼多錯誤？其實這是任何人都難免的，一時眼花，讀起來又文從字順，更不易發現。

要校勘，當然得找許多本子來對勘，尤其要找個善本。這稱為他校法。但沒有其他版本便無法校對嗎？那也不盡然，依每本書的性質、文句的文例、作者行文的習慣、韻文押韻的規則、文章的體式等，仍然可以判斷哪脫、哪衍、哪錯、哪倒，此稱為本校。又稱為理校，即依文理事理而校對之意。

五、輯佚

剛才我們舉了個例子，說用《太平御覽》可用來校對惠棟引用《春秋元命苞》的錯誤。這就是類書的功能之一。因它多摘錄收存古書，故可用以對校。此外它所引用的古書，若已亡佚，更可用來輯佚。

就像二十五史中，《舊五代史》本來已經亡佚了，清邵晉涵從《永樂大典》等書中重新輯出。那樣輯佚的工作，從古就有，也不限於由類書中找材料。例如宋黃伯思自唐代馬總《意林》、李善《文選注》中輯出《相鶴經》；王應麟自各書中輯出鄭玄易經注、尚書注，又輯三家詩，都是顯著的例子。到了清朝修《四庫》，更是大規模輯佚，光是由《永樂大典》中輯出的，就多達二百八十五種，四千九百四十六卷，存目一百二十七種。有許多都是極重要的典籍。乾隆以後此風未衰，重要成果有馬國翰《玉函山房輯佚書》六百一十種、黃奭《黃氏逸書考》三百四十一種、王仁俊《玉函山房輯佚書續編》二六九種、嚴可均《全上古秦漢三國六朝文》七四六卷等。

尋找佚書的方法，是由古注、類書及其他古書中去找。現在出土文物越來越多，許多久已亡佚的古籍均得以重見天日，為之整理，亦可視為輯佚工作之延伸，再就是由海外尋訪。

因為許多資料流失海外，中土已不見存，或已殘缺，海外資料足供參證。民國初年羅振玉所輯《敦煌石室遺書》十三種、《鳴沙石室佚書》二十三種、《鳴沙石室古籍叢殘》三十種、《貞松堂藏西陲秘笈叢殘》三十五種，均屬於由出土文物輯佚之例。清末黎昌庶編《古逸叢書》二十六種、續編四十七種、三編四十三種，則屬於由海外輯存者。現在這類工作，仍未窮盡，仍待訪查采拾。民國以來許多學者，均善於運用此類方法，尋找新材料，如孫楷第去日本東京查小說資料，鄭振鐸去巴黎，董康去查日本內閣文庫等都是。治敦煌學者更需結合二者。故輯佚之業，猶大有可為，唯在人善於運用其法耳。

六、辨偽

文獻資料相傳既久，版本錯訛，有時誤題作者之名、有時一書拆成兩書，胡亂加了個書題；有時坊肆刻書不規矩，割去序跋、冒充古本；有時候拼湊好幾本書，造為新編；有時摘取片斷、改換名目；有時加添部分，自矜全本。這些都成為偽，就是真中有些不真實不準確的意思。辨偽就是要把偽的東西找出來。

古人也不乏造偽的。例如漢代徵求佚書，張霸就把《尚書》原來的篇章拆散，又博采古書上記載的事，編造成一百零二篇本的《尚書》，比當時所傳《尚書》二十九篇多得多，送到朝廷去請賞，結果被劉向識破了。這就是辨偽。漢代收求遺書時，此類事甚多，號稱什麼地方什麼人得到了一個古本，大家都先要打個問號，考驗辨偽一番。東晉釋道安對於西域傳來的佛經，也同樣持有疑問，因此《綜理眾經目錄》便有《疑經錄》一篇。梁僧祐也有《出藏記集·新集疑經偽撰雜錄》，在目錄中明確區別出偽作來。至唐，僧人不只辨佛經之偽，還辨道經，撰《辨道經真偽表》，批評當時道教徒為了與佛教競爭而偽作了許多經典：「增加卷目、添足篇章、依傍佛經、蓋頭換尾」。

宋元以後，此一方法愈趨成熟，其成果日益顯著，不但直接影響清代乾嘉考據學的興起，對民國期間古史辨運動亦有重大促進之功。經考證，認為是偽書者，可詳張心澂《偽書通考》。

辨偽的目的是為了求真，事實上等於重繪學術史地圖。因為假若證明我們所依據來用以建立古史圖像的材料不實在，我們所相信的那個歷史自然就要瓦解或重構了。此即辨偽之重要意義。故宋人講理學講心性，喜歡引用《尚書》裏「人心唯危，道心唯微，唯精唯一，允執厥中」；清人要反宋學，就去論證那句話根本就出於偽古文尚書。材料的考證，關係學術的變遷，往往如此。

但辨偽也是需要謹慎的工作，歷史知識本來就建立在殘缺不完整的材料上，我們對古籍真偽的判斷，只能以目前能見的資料、目前所擁有的歷史知識來做，因此某些書偽不偽，其實也只是我們目前以為如此，真相或許恰好不然。如《孫子兵法》，相傳是春秋末期孫武所作。孫武是幫助吳王闔閭打敗過楚國的名將，時代與孔子相仿，如果這本書是孫武所著，那豈不比《論語》之問世還要早？可是孔門後學所編之《論語》，文字簡樸，仍大體保留著語錄形式，顯然比較簡古，不似《孫子》篇體完整、文采豐贍。故歷來均以為此書乃後人整理而成，殊非原貌，也就是偽書之一種。另有許多考證，謂該書乃孫臏所作，非孫武之文。在清末民初，辨古史者幾乎都同意了這個論斷。不料 1972 年山東臨沂銀雀山出土了兩部兵法，一為孫子兵法二百餘簡；一為孫臏兵法三十篇，是過去大家都沒見過的。這樣的事例，就提醒了我們：材料之收集永無窮盡、對歷史之認識隨時更新，我們面對材料時，要更虛心、更謹慎。

第三章　方　法

一、由資料到系統性思惟

（一）熏習

治國學，首先要熟悉材料。但這所謂的熟悉，並不是具體地找什麼課題的資料，而是如家人一般。其熟悉，來自每天生活上的各種接觸，逐漸養成了心理及感情上的理解。治學猶如生活，讀書仿佛交友，首先也就需要培養這種熟稔親切之感。不能如現今研究生那樣，光顧著做報告寫論文，只找固定方向、固定範圍，乃至特定題目的材料。

這就叫隨時熏習。熏，是如露重濕衣、香氣襲人。人在蘭麝之室呆久了，自然遍體生香。習，是幼鳥鼓動著翅膀不斷練習著飛，久之亦成自然，振翅即起，不待思惟。隨時，則是說此種熏習要不擇時地，隨處、隨機為之，什麼材料都看看、都摸摸、都問問。

古人常稱羨那些書香門第或有家學淵源的人。什麼是家學淵源呢？並不是家中父兄真有秘傳，或曾經教了他讀什麼書、幫他上過什麼課，而是在生長環境中有機會隨時熏習，因而獲得了許多具體性的瞭解。這些瞭解往往也會構成他們解決個別問題的支援意識（subsidiary awareness）。

所謂具體性的瞭解，不同於抽象性的瞭解。如火之熱、如冰之寒，只要碰著了就懂得，不待知識之說明、概念之辨析、理論之闡述，此即稱為具體性的瞭解。許多學者，因缺乏此類具體性瞭解，故論古人古事及古代思想，總是概念太多而常識太少，說解萬端，卻如隔靴撓癢。

至於支援意識，是說我們在進行一切知識活動時，自然會需要有一堆不可明言的知識成分在支撐著我們。例如椅子壞了，要用釘子釘牢。拿鐵錘敲釘子時，我們的注意力集中在鎯頭與釘子的撞擊上，這稱為焦點意識（coalawareness）。但控制著我們揮錘的角度、力度、手掌的移動、掌中之感覺的，卻是我們無法明言的支援意識。是它協助、支撐乃至引導著那個揮錘的動作。它不直接呈現在當下的行為或認知活動中，可是它才是影響行為的作用性力量。這種支援意識又並非專為釘釘子而設，它融貫在我們的意識中，碰著需要時，便相應生起。故事實上乃是我們身體以及一切相關知覺、感情與意識理性之綜合作用。一個人，在處理一件事、認知一個道理時不妥善，大抵不是因它焦點意識不佳，而常是因他缺乏豐富的支援意識。

龐大豐富的支援意識，來自長期熏習涵茹，古人稱之為學養，如養花與育嬰一般，須要時間，故又曰熟習。如水漸積、如瓜漸熟，生命與學問是一齊成長的。

我願特別強調這一點。今人治學，只是知識或材料上的計較，焦點意識高度集中，以知解、概念、理論，鉤稽材料、拼湊排比之，便可弋科名、博學位、評職稱。學問不是涵茹養成的，遂亦使生命與知識隔為兩事，致知活動被孤立起來，與整體生命意識了不相干。因而紙上固然說得井井有條，其人之性氣心光卻常令人不敢恭維。此乃近時學界之大弊，非古人治學之道也。

近日言治學方法者，亦只知如何收集資料、如何排比檢核、如何做卡片、製圖表，如何利用工具書、資料庫，如何套理論、析概念，如何安章節、做調查。此皆「有為法」，且為第二義，割裂生命以為學，其弊滋甚。故我首揭此好學樂習之義，希望從學者能在熏習涵茹之中，養成內丹。

（二）離章辨句

熏習不只指讀書。隨侍長者、飽飫勝論，或旅遊、摩挲古跡文物、寫字操琴等等，也都是熏習之法，而當然讀書仍是主要的。

中國人讀書，講究諷誦。亦即不僅是閱讀，更須體會文章字句中蘊含的聲情。起承轉合，抑揚頓挫，韻律之鏗鏘、文氣之卷舒，都應在諷誦中體會出來。

其次是讀書須辨章句。《禮記·學記》說學生入大學後一年，應考核他是否能「離經辨志」，鄭玄註：「離經，斷句絕也。辨志，謂別其心意所趨向」。指讀書時能否妥善分章斷句，了解作者章句之意旨。這分章斷句，不就是現在文章分段、分行及標點符號嗎？何難之有哉？為何說得如斯鄭重？

一來古書沒有現在的標點分段，須要自己去圈點斷句。就算有新式標點本排印本，古籍中未標點重排者仍然甚多。我們未來治學，勢必也要大量閱讀古籍原本，故離章辨句之基本功夫不能不具備。二則看已點校過的書，和自己圈點諷誦是兩回事。對熟習文章肌理、語氣輕重、文意曲折之效果，不可同日而語。三是現代標點本不盡可依賴，不僅錯誤時見，且新式標點看起來便利，但古人之所以未發明此一便利之工具，卻有其道理。因為新式標點有時反而會狹隘了，或誤導了我們對文意的瞭解。錢鍾書就說過：「新式西洋標點往往不適合我們的舊詩詞。標點增加文句的清楚，可是也會使流動的變成凍凝、連貫的變成破碎。一個錯綜複雜的心理表現，每為標點所逼，戴上簡單的面具。標點所能給予詩文的清楚，常是一種卑鄙貧薄的清楚（beleidigeade klarheit）」（《論中國詩》）。只要仔細點讀過中國古書的人，都可找出好些例子來印證他的話，因此此處也就不用再舉例了。

讀古書須辨章句，還有一個理由，在於中國語文之語法結構迥異西方。我們的詞語沒有格、式、時態等形態變化，表達語法功能的，主要靠語序。語序又不是前後字詞排列的問題，而是字詞間語意組合的關係問題。例如古代一人賴在友人家吃住不走，友人欲催他走，留一字條謂：「下雨，天留客；天留，我不留」，該友人卻讀為：「下雨天，留客天，留我不？留！」。又傳說翁同龢書法佳妙，人欲求其字不得，乃日在其家門口小便。翁氏甚怒，寫了張字條帖到牆上說：「此處不可小便」。那人大喜，撕了下來，回去重新裱褙，掛在書齋中道：「小處不可隨便」。這類笑談，講的就是語序的問題。

後者是字詞位置移易，詞意就產生了變化。我國一些回文詩及相關文字遊戲，如茶杯上刻「可以清心」，顛來倒去，怎麼念都可以，就屬於此類。前者則是語序維持不變，但字句之語法功能改變了。怎麼改變的？斷句不同就變了。這就叫以意聯結的語序關係，意斷則句絕。

例如《論語》中描述馬廄失火了，孔子聽到消息，只問：「傷人乎？」不問馬。這是形容孔子重視人而不在乎財物之損失。可是也有人以為孔子不應不惜物。故這應只是輕重有先後罷了。句子應讀成：「子問：傷人乎否？問馬」，亦即先問人再問馬。這兩種讀法，代表了兩種理解。古書之不可能有統一的標點，也不應只有一種標點，正肇因於漢語本身所具有的這個特色中。

這是辨句。離章方面，中國文獻以不分章分段為常態，但那是形式上如此，讀時自成段落，與文句沒有句號頓號，而讀時須讀出句頓是一樣的。漢儒解經稱為「章句」，就是分章講說的。南北朝以後則有章門科段，分章、分段、分科，如皇侃《論語義疏》云：「學而為第一篇別目，中間講說多分科段……」《左傳序》疏云：「此序大略十有一段明義……」，都是如此。分章分段之不同，也代表著理解的差異。最著名的例子，就是《中庸》《大學》。它們原先在《禮記》中只是一篇，宋儒摘出，視為獨立一書，為之分章，意義便與其在《禮記》中迥然不同。而宋明理學家對其義理掌握之歧異，也都表現在不同的分章上。

諷誦與句讀，均是基本功。誦不必都要能背，但典籍必須至少基本精熟，句讀也須擇二三典籍通讀點斷過。臺灣過去凡中文博士均須點讀完畢《十三經注疏》及段玉裁注《說文解字》等，於今雖未必須要如此，但選擇一部分圈點仍是必要的。

（三）知類通達

誦讀圈識之後，便可再做些整齊文獻的工作。

怎麼做呢？古人整理文獻時如何做，我們也就如何做。例如替每本讀過的書做目錄。除章篇目次之外，可做分段細目及索引。整本書中，引過的書、提及的人物事地、討論到的事類，均可一一簽識出來，編成目錄，以備查考。其次是做提要摘要，再則是分類輯錄，都是可行的讀書之法。

且此類讀書法也不僅是讀，也是著述之「述」。古人傳世纂述，不少即是此類讀書方法之產物。如《說文解字》的次序，本來是始一終亥，共分五百四十部，每一部的字是以義類連貫的，自成體例，所以要查某一個字並不容易。後人就把《說文》的字重新用筆劃數或新的部首分類法做成目錄，如《說文檢字》《說文易檢》之類，查字就方便了。又有人從聲韻的角度把《說文》的字重組，如朱駿聲《說文通訓定聲》之類，不唯嘉惠士林，本身也有很高的學術價值。這其實就是目錄索引之學的神明變化。同理還有顧炎武《日知錄》、趙翼《二十二史劄記》一類書，乃是平日讀閱時將同類事一一摘記。再予以條例組織，便可以見諸書異同及古今變遷了。這樣的書，已不止是述，可稱得上是著作了。但方法卻亦無多巧妙，甚為平實。

目錄之學，除可再變化為索引、為類記外，還可以發展為圖表。圖表之體，本是史官整理古史時常用之法，觀《史記》十表可見。後世名作，如顧棟高《春秋大事表》、黃本驥《歷代職官表》等都是採用此法的，綱舉目張，既便於自己瞭解古人古事錯綜複雜的關係，也有益於後人。

再就是由一書之類記，發展為一類書一類事之輯錄。如余蕭客《古經解鉤沉》、任大椿《小學鉤沉》、沈壽祺《三家詩遺詩考》等。魯迅作《古小說鉤沉》也屬這類工作，是輯同類之相關者。當然，輯錄亦可以補舊有著作之不足。如諸史藝文志，後人均有補作，亦有補兵志、食貨志、疆域志，或補年表的。凡此輯錄緝補，看來甚難，為之則易。不外乎選定了某一類資料，在讀書時留意收集、整齊排比之而已，近乎章學誠所謂「史纂」。但功不唐捐，往往有益人我，故亦為通人所不廢。

同樣的工作，還有比較。同類書，常可以比較，例如《史記》《漢書》都有對漢代的記載，因此便足以比較，宋倪思乃因此作《班馬異同》。新舊《唐書》互有異同，趙紹祖乃作《新舊唐書互證》，後來岑仲勉又以《通鑑》所載唐代史事跟兩唐書互勘，撰成《通鑑比事質疑》。這樣的比較，可以無窮無盡地做下去。例如一本書的箋注，可以輯錄在一塊兒，成為集注、集釋、集解、集校，也可以比較各家注釋之殊歧。同一件事，各家記錄不一，即可輯為合論，也可比較異同。版本之殊、文辭之別、觀點之異、優劣之判，不唯可增見聞，亦可養成思辨之力。

因為隨時熏習既是因機因時因地，便以泛覽為主，要讓人仿佛泡浸在學海中那樣。但為學亦不能毫無焦點意識。把心力集中到某一類書或某一本書，就是令心氣歸攝於某一處，不至於太過浮散。

可是這種收攝又不是把心氣凝定於一處，乃是收於一而又通於類的。也就是說雖專力於某一本書，但須就此一書以通於那一類書。故是藉著專精來通覽通貫。

其法是因類求書。知某書本在某類，便藉以推考某類與其他類之關係為何，某書在此類中地位如何。如《漢書・藝文志》分兵書為兵權謀、兵形勢、兵陰陽、兵技巧。某書若在兵陰陽類，必有與兵權謀兵技巧不同之處。但它與數術類中之陰陽刑德卻又可能有關係。雖有關係，又重在以陰陽論用兵，故與數術家仍有分別，屬於兩類。這是由《七略》說。阮氏《七錄》則把兵書、陰陽、方技分為三類，可見此三者關係複雜。凡軍兵數術陰陽之書，均須注意這錯綜複雜的關係。此即所謂「知類」。

知類之另一法，不是就目錄之已分類者去求索，以探流別，而是以類求書。例如就某一時代、某一地域、某一人、某一類人、某文類、某一問題去找那一類書來參稽比對著讀，此即所謂連類及之。

古時教大學生，要求肄業三年要能知類通達，〈學記〉曰：「古之學者，比物融類」，荀子〈勸學〉亦云：「倫類不通，不足謂善學」。類是指物以類聚、事以群分，別同異而定宗旨，是為知類。為學，先要能運用此種思惟，分而析之；然後又再要連類通達，融而貫之，才能讓思惟逐漸系統化。

二、由方法到方法意識

（一）方法與工具

治國學者之病，通常不是讀書太少、腹笥太儉，而是書卷太多，撐腸柱肚。材料積累太多，不知如何剪裁調理，以致雞鴨魚蟹堆垛几案，卻無烹飪手段，教人如何下嚥？因此批評冬烘老學究的人，總會覺得他們光會積聚資料，惜無方法。又或因此而詬病中國傳統，謂中國人向來就不講方法，只知讀書找材料；就是考證也很零碎，缺乏西方那種理論系統。邇來研究生談起方法便欲取經於西方，正是此一想法之表現。

其實文獻學本身就是一套方法。如上所述，利用目錄知識，足以辨章學術、考鏡源流，更可以把東一本西一本的書籍，整理成一個知識體系，把資料變成系統性的思惟。因此，整理文獻，本身既體現著方法運用的效能，在進行此一工作時，亦可培養系統性思惟。那些摸了許多材料，卻無法形成其知識體系的人，事實上也就是昧於整理文獻之法的人。他們不是擁有許多資料讀了許多書、只是不諳方法，而是根本就不能掌握資料！那些去西方取經，想藉助於西方的系統、方法、理論來調理舊有資料的人，則是想以烤牛排的方法來庖制粉蒸排骨，方法不是依據材料本身的性質形成的，當然不會成功，既顯得理論硬套，又往往糟蹋了材料。

再進一層說。方法之形成，必有一方法意識。猶如我見一蟹，要拿石子砸它、用酒泡它、煮湯沃它、或升火烤它？採取什麼方法對付它之前，須有一思惟：是準備打死它、抓來養，或弄來吃？吃又要怎麼吃？生食、熟食、半生半熟、自食、合食、與他物搭配、或單食……等等。這個思惟形成了我的方法意識，於是才去找能達成我預期目的方法。方法是做的問題，方法意識則涉及做的目的，以及準備做成個什麼樣。由這個方法意識之萌發，進而誘導我們找到方法來達成目的。

因此，我們不能只去學一種方法。學那些方法而不追究其方法意識，是毫無意義的。拿著別人的方法來用，以為方法只是單純的工具，自己又根本沒有方法意識，更是可笑。看見別人拿石頭砸蟹，也就跟著砸，不知道此外尚有其他想法；而就是砸蟹，也未必非用石子不可。

此皆近世學風之弊也。工具論思惟甚囂塵上，把方法工具化，工具客觀化。彷彿方法是人人均可用也通用的工具，且只要人人不自己亂出主意，根據這套客觀之方法工具，就可以達成同樣的結果。因此方法是科學的。它本身就代表了理性、客觀及科學。利用此方法達成的結論，亦因此而保障了它的科學性。

此真大謬不然。不說別的，就如前文介紹的文獻整理之法，編目、做提要、辨偽、輯佚、找善本、校勘等，乍看之下，似乎是做學問讀書必循之途。我們在介紹時也努力令讀者產生此一印象。可是這些整理文獻之法，實況卻不如是，乃是為整理文獻而設計出來的。

文獻為何需要整理呢？因為它有散亂、有缺佚、有訛偽，故須整理之，以恢復舊觀。對了！這就是它的方法和意識。所有文獻學方法均發軔於此一意識。因此我們才會去拾遺補缺，考訂作者、作時、原本、原貌究竟如何。凡非原作的，統統稱為偽書。把書還原了，原作的狀況弄清楚了。接著我們才能把書本子裏記載的事情還原，逐漸重建古史。

在擁有這種方法意識的人看來，這才是正確認識歷史唯一且不可或缺的方法。可是，假如方法意識變了，以上這些方法可能就完全用不著了。

舉例來說。一首詩，到底是不是某人作的，原本如何、後人如何改動、原作寫於何時等問題，依探尋歷史原貌者之見，乃是十分重要的，所謂的學術，就是要解決這些問題。但某些學派，如新批評（new criticism）便覺得原貌根本不重要，因為我們讀詩時常常不曉得作者是誰，一樣能產生審美的愉悅。且審美活動不是指向歷史而是活於當下的，形成於我們閱讀的那一刻。這時，美的感受來自作品文辭所給予我們，而非遙遠不可知的歷史事件。通常讀者對那些歷史事件或身世難明的作者，也缺乏認識。讀詩的目的，更不是要重建歷史。故此學派甚至會說：「作者已死」，無須理會。對他們來說，辨偽輯佚版本校勘考訂，只是訴諸歷史的謬誤，非適用之方法。適用之方法，乃是對文辭美的分析。

若依讀者反應論者之見，則對作品進行分析，卻又是無甚意義的。此派認為作品不是孤立地表達意義，其意義是在讀者閱讀時形成的，所以仁者見仁、智者見知。故其方法，既不在確定作品之原貌，探尋原作為誰、原意又為何，亦不在作品本身，而是要觀察讀者如何與作品形成互助。

由此可見：方法是根據你想幹什麼而發展來的。想炒菜的人，絕不會用十字鎬，只能用鍋鏟；想鋤地的人，也不會用個湯勺。什麼方法有效，應看是在什麼場合，在什麼方法意識的導引之下去運作。

同時，我們也會發現：方法並不是客觀的工具。以上用鋤頭鍋勺等作比方，只是方便借喻。其實治學之方法殊不等於鋤頭鍋鏟，因為每一種方法均關聯著一整套想法。對作品是什麼、人與作品的關係為何、文學研究之目的何在等，彼此都見解不一，所以才會有截然不同的方法。故方法絕不是孤立客觀的，方法即是思惟。

（二）方法與思惟

方法即是思惟，證例太明顯了，可惜許多人偏要忘卻它。實則相信知識本屬於經驗的，發展了實驗的方法；相信只是依據理性的，發展了推理術。可是推理術在亞里斯多德那兒，只提到範疇和邏輯，其邏輯是公理、推論、證明三段式的。到培根寫《新工具》提倡歸納法，就是要溝通經驗與理性兩路，找出從實驗發現公理之方法。笛卡兒、洛克、萊布尼茲反對歸納法，認為由經驗無法獲得真理，所以發展建設立先驗假說再演繹的方法。孔德則主張無論知識之來源是推理或試驗，都必須與現象一致，所以加上了實證方法。我們近代胡適所提倡的科學方法，所謂「大膽假設，小心求證」，就是假設演繹加上實證法的結果。

這是西方方法論的概括描述，但此方法發展史何嘗不是思想史呢？今人把歸納法、演繹法、推論法、證明法完全簡單化、通俗化，一下說演繹，一下說歸納，渾不知其方法有特定之哲學立場，事實上是對西方思想史之無知。不知方法與其思想乃是一體不可分割的。亞里斯多德的哲學，就是他的形式邏輯；培根的哲學，就是他的《新工具》；黑格爾的哲學，就是他的辯證法。

在中國，不甚談形式邏輯，因為思惟本來就不一樣。我們的致知活動，原不限於推理與經驗二途。例如《大學》說的「格物致知」，知既不同於西方所說的知識，致之之法亦非推理與經驗。格物之物，又不是概念，也不僅指外物。因此，若以邏輯、歸納、演繹、實證來說格物致知，均屬方法之誤用，毫不相干。乃是對此思想本身就不能掌握。從前熊十力曾質問馮友蘭：「你說良知是個假定，良知怎麼能是假定？良知是呈現！」涉及的就是這個問題。

亞里斯多德的推理又建立在矛盾律、排中律、同一律上。A 只是 A，為同一律。A 與非 A 相反相背為矛盾律。A 與非 A 中間沒有其他，為排中律。可是中國人之思惟卻是強調中的。「允執厥中」「中庸」「致中和」的中，並不是折衷和稀泥各打五十大板的中，而是既 A 又非 A 的中。《管子・白心篇》：「為善乎？毋提提。為不善乎？將陷於刑。若左若右，正中而已」。善與不善，是矛盾的。但人若為善，將被提揚而陷於名利；人若不善，又將陷於罪刑。所以人應取乎中道。《莊子・養生主》說：「為善毋近名？為惡毋近刑？緣督以為經」也是此意。然而善與不善既是矛盾，豈能有中？故此「中」是不居善亦不居不善的中，即非 A 又非非 A。同理，佛經中屢見這樣的句式：「我說佛法，即非佛法，故是佛法」。若依亞里斯多德之說，是佛法即非非佛法，兩者矛盾。但佛經卻是 A 即非 A，打破了矛盾律。可見東西方思惟本身就頗有差異，因此而表現在推理上亦頗異其趣。

由於方法是思惟，故我們不能把方法孤立客觀地看，應知一種方法即代表一種思惟體系或學說，方法與方法間不同，常是思惟體系的差異，因此不能隨便接合拼組。對方法本身、方法如何使用、方法之效能、方法與研究物件之關係，均須有方法論的考量。

（三）方法與方法論

方法與方法論是兩個層次的事。方法指我們運用什麼辦法去解決問題，方法論則是對我們運用方法這件事的後設思考。

前文已說過，方法是在方法意識底下催生出來的，形成的某種方法，往往有它一整套思惟體系哲學思想為其支撐，因此方法與方法之間雖未必可以溝合會通，卻足資比較。可以觀察它們各自生發於何種問題意識，具存於何種方法論之思考中。對於他想解決的問題，是否有其他之思路，可以提供不同之方法？此方法與彼方法，在處理問題時，優勝之處、未及之處各何在？各法之適用度與限制又各如何？討論這些，就是方法論了。

大部分研究者都是由老師或學派那兒學到了一些方法，做出了點成績，於是便奉其法為金科玉律，不知由方法論角度對其方法做一檢討，遂致膠柱鼓瑟，抱殘守缺。

例如治國學者最常見的毛病，就是奉清儒考據之法為圭臬，要由語言文字去窮經學之奧。這是衍乾嘉學者所說：「訓詁明而後義理明」之緒，其基本設想是原子論式的。認為由字構成句，再由句構成篇，因此須明白字義才能明句義。進而掌握篇義。但是，我們對句子或文章的理解真是這樣的嗎？有時我們對某一個字並不瞭解、不認得，可是由文章上下文意脈絡，仍可以確定那一句是在說什麼，甚或可以猜著那個不認得的字是什麼意思。為什麼？這就是語境脈絡之作用。換言之，對事物之認識，也許並不是由部分到全體，可能正好相反，是由全體來理解部分的。一字一詞究竟什麼意思，常得看它放在什麼脈絡中。由這個角度說，那就是訓詁明而後義理明，乃是義理明然後訓詁明的。古人注釋，先掌握義理綱維，再據以訓詁字義者，比比皆是，如《莊子·齊物論》：「滑疑之耀，聖人之所圖也，為是不用而寓諸庸」。滑疑之耀，是圓滑多智的樣子。這種圓滑的樣子，會是莊子所讚賞的聖人所圖謀的嗎？注解者都認為不會，因此「圖」都被解釋為「不圖」或「圖域之」，也就是把智謀域限住。為何如此訓詁字義？不就是本於我們對莊子義理已先有了整體的掌握嗎？完形心理學反對原子論式心理學時，曾主張部分之和不等於整體、全體先於部分。其說未必是。但現今若仍主張訓詁明而後義理明，便須由方法論層次對其方法再進行後設思考，回應挑戰。

清人論訓詁，又主張因聲求義，王念孫《廣雅疏證・自序》：「訓詁之旨，本於聲音。」此法利用古音知識，尋找假借字，可突破歷來只從字形字義上進行訓詁之局限，確實是十分有效的方法。但此法本身也有局限性，它把訓詁只局限於語言性的瞭解，忽略了訓詁還常要考慮歷史性和心理性的層面，故其適用度仍是有限的。

晚清以來，又有種人文地理學式的研究，如梁啟超《地理與文明的關係》《近代學風之地理分布》，劉師培《南北學派不同論》《南北文學不同論》，陳寅恪《天師道與濱海地域之關係》等都採此方法，根據地域風土特性來說明該地所具有之文化傳統。

以地域特性論述文學之方法，雖然已廣為人所採用，但如何說明一個區域的地理範圍同時也即是一個文化或文學範圍，並不容易。理論的說明者往往從以下幾個角度立論。一是由人與自然的結合關係上說。即一群生長在自然地理區域中的人，與該地自然景觀的關係。如說「北方之地，土厚水深，民生其間，多尚實際；南方之地，水勢浩洋，民生其際，多尚虛無」。地理景觀直接影響人的性格，當然也就影響了該地居民的文化創造，「民崇實際，故所著之文，不外記事析理二端。民尚虛無，故所作之文，咸為言志抒情之體」。此外，各地自有方言土語，語言的隔閡，也自然形成了一個個不同的文化區域，「聲音既殊，故南方之文亦與北方迥別」

（劉師培，《南北學派不同論》）。

以上這種論證，早見於《漢書·地理志》，是最常見的論證方式。但地理自然景觀只能大略示指它與人的關係。事實上同一個地域中的人，性格差異也很大，南方自有尚實際者，北方亦有好玄虛者。而且文化是否直接關係於地理，也不無疑問，因為文化會傳播、能流動，是眾所周知之事。發生於海濱的文化，傳播入沙漠高山平原地區，一點也不稀奇。文化之生存假若並不仰賴地理條件，何以其發生就一定與地理有關？而凡以地理自然景觀及物質條件來論述文學之風格與傳統，皆必須強調地理的偏殊性，並藉此說明其地文學之偏殊性。但這種論述非常危險，因為它必須技術性地忽略人性共相及其在文學中之表現。同時，我們也常忘了：正是基於共同的人性及文學審美之類似，我們才能瞭解並欣賞不同地域的人所寫出來帶有特殊地域風味的文學作品。所以，所謂地理之偏殊，可能反而是吸引我們，而非區隔我們的質素。而強調某地如何偏殊不同，反倒可能只是代表了希望為他人所注意、接納之行動，未必在事實上存在這樣的偏殊差異。

人與自然的親和關係，倘不足以證成區域文化傳統之異，則論者或由人與人的自然關係上立論。同一地域中人的同鄉關係及異代同鄉關係，可能是構成一地文化傳統的重要因素。鄉黨之間，親戚族屬彼此影響；或壤地相接，聞風興起；鄉賢對同鄉後輩的啟迪示範，都可以形成文化傳統，出現一個特殊的雷同狀態。這個道理不難明白，例證也隨處可見。汪辟疆推江西之詩風，淵源於陶潛，即基於這一理論。但是蘇軾是蜀人，其詩文皆與蜀地文學前輩無甚關係。蜀地雖出現他這樣的大文豪，該地卻沒有聞風繼起、紹述其風格，如江西人之學黃山谷者。因此這種人的關係，未必便能構成地域文學傳統。而且本鄉先賢對鄉後輩沒有什麼影響，卻影響了其他地區的情況亦甚普遍。這顯示了文學上風格的選擇與形成，主要是一種文化價值的認定與追求，與地域並無絕對關係。本鄉先輩及大師，固然最可能直接影響一地之文風，然文化價值的追尋，實難以地域限之。

（四）法與活法

以上強調法即思惟，希望論法者能有方法論的思考。具有明晰的方法意識，目的不外乎提醒方法的探尋者：是人用法，而非法縛人。用法者當知法意，使法為活法，才不會死在句下。

以拳為喻。每套拳法，在它的動作招式中，必貫穿著一個拳理，其拳法乃是依此拳意而創。故習拳者不必盡習其招式套路，只消掌握其拳意，即可知其拳腳。東坡有詩云：「我雖然不善書，曉書莫若我，若能通其意，常謂不學可」。第一句是自謙，後面講的卻是至理名言。拳法、書法如此，其他亦莫不皆然。我們讀書人，有時不免羨慕別人天資高，像東坡那樣，什麼都能精通、什麼都一觸就會；或如黃宗羲所形容的那些才士：「五行一覽，半面十年，漁獵所及，便企專門」（南雷文定，前集卷三，《魏子西基志》），讀書如不費力，略一涉獵，就比得上老專家。但事實上，天資固然不同，但亦相去不會太遠。其所以懸絕者，在於讀書得不得法。得法，也不是指真有什麼秘法訣竅，而是指能否知法意。若能通其意，常謂不學可，確實是不須花太多氣力就可以掌握那一門學問之精要，勝似苦練苦讀苦幹若干寒暑者。我自己，與此便深有體會。

我治學，不名一家，氾濫於三教九流，於經史子集咸有著述，且旁及西方古今學術。這固然是困勉力學所成，花的精神不比任何人少。但一人之精力畢竟有限，在每一個領域都不可能如專業耆宿那般寢饋功深，是必然的。可是我涉足任何領域，略漁獵，便不僅能有專家的水平，甚且常可指出老專家們的盲點誤區。許多人因此甚不服氣，覺得我狂妄，我也因此到處得罪人。其實這跟我狂不狂沒關係，原因只在讀書得法。而得法與否，其實亦沒什麼神妙，不過如上文所說而已，人人都可自度金針。可惜，每舉此以教人，人多不悟，斯則可惋歎者也！

教書如教拳，教人練一套拳，並不太難。反覆教習，糾正姿勢，自然熟練其招數套路。學生隨套式演練比劃一番，亦可以有模有樣，煞有介事。一般所謂教與學，不過如此。此何難之有哉？但談到治學方法，卻不是這個層次的問題。比如習拳，誰會去追問這一招那一式，為何是這樣？這一套拳又是怎麼創出來的？照著拳套，一式式演下去，當然不難，但若猝然應敵，何時宜用「黑虎偷心」，何處須使「白鶴亮翅」，便費斟酌了。

這才是治學方法之難以言傳處。現在一般談治學方法者，不過是挐著語意、邏輯、版本、校勘、歸納、分析、比較、量化等，講些套式罷了。這算什麼治學方法呢？學生學了這些，不過如練拳的人學了幾個套子，表演表演還可以；一旦應敵，弓也不弓、馬也不馬，手忙腳亂，哪想得起什麼「高探馬」「攬雀尾」？如果更問他演繹法與歸納法是怎麼來的？他為什麼相信歸納法及史料考證在文史研究上是必須而且有效的，則大半瞠目結舌，未曾想過。勉強要答，也只能說是書上如此說、老師如此教、大家流行著這麼做而已。

但治學方法不是只去教人學一些套式，乃是要教人創拳之法。乃是要人去思索太極拳為何不同於八卦拳，它們依據何種原理，而被創造成如此兩種拳。更重要的，對我來說，它們提供了什麼，使我能夠發展出屬於自己的這一套拳。

如不嫌我擬喻不倫，這樣的譬況不妨再繼續下去。事實上，一般所謂學習，都是拿自己的生命去就那一個個套子。所以，你入了劈卦門，就得學猴拳，而且只知道猴拳，以為所謂拳術就是大聖劈卦，以為劈掛門的武術可以應付一切攻擊。大家似乎並沒有想到，自己這樣的身材、性向，對武術的看法，是否合適去學猴拳。而如果猴拳可以對付一切攻擊，那為啥又還有其他各種拳？

這就是說，當初創立這套拳的人，是依著他對自己身材、能力的衡量，以及他所特別關切的一些問題設計，才建立的一組答案。學拳的人，不是呆呆地機械式地去演練一套拳，而是要在掌握其拳理中，發現搏擊的道理，並依自己的需要，發展出自己的拳式來。

這個道理，說來簡單，然學界中人至死不悟者，豈不正是在於此乎？學界亦有學派，每派也都有它們的套子。講結構功能理論的社會學家，分析什麼東西，都是那一套。依賴理論來了，乍見新鮮，定睛看去，仍是套套。我們的學者，根本不考慮自己的文化背景、社會狀況，各人出國去拜在各派拳師門下，學那一套拳，學了回來便大演特練，自鳴得意，批評別人的拳根本不叫拳，因為不符合他自己這一派人對拳術的基本認定與特殊關懷。

此「捨己徇人」之為學途徑也。滔滔學壇，莫非此風，吾獨期期以為不可。後學俊彥，儻亦能於此悟入乎？

第四章　語　言

一、音的演變

一般都把中國地區語言劃歸為漢藏語系。在這個語系底下再分侗臺、苗傜、安南、藏緬諸小系。有人認為漢語、緬甸語、藏語中有非常多相似的語根，因此它們可能來自一個已不存在的古老語言：漢藏語原型（Proto Sino-Tibetan）。

從語音形式看，漢語的詞，有單音節的，如天、地、山、水；也有多音節的，如觀世音、王八蛋、社稷、君子。但多音節的詞，其實仍是單音節詞的綴組，其詞單獨仍可成立，故多音節的複合詞，僅是單詞在使用上的輔助或變化。正因為如此，語言學界普遍認為：整個漢語，乃是一個與其他語系極為不同的單音節語言體系。

漢語一字一音，但這個音又可細分為聲和韻兩部分，或稱聲母和韻母。另外，漢藏語系語言還有個特色，就是都有聲調。因此，聲、韻、調便是漢語的組成部分，不過並不是每個字都有這三部分，像友字缺聲母、事字缺韻母，只有聲調和韻裡的主要元音是不可少的。

凡聲母相同的，稱為雙聲。凡韻母相同的，稱為疊韻。如嬋娟為疊韻、參差是雙聲。聲母韻母怎麼樣看它們是相同的呢？這就要對聲母韻母做些分析了。

對聲母的分析，唐朝和尚守溫曾歸納為三十字母，宋代擴充為三十六字母，如下表。牙、舌、唇、齒、喉，指發音部位。另外，聲還可分清濁指輕重。輕清濁重，事實上是說聲帶顫不顫動。又清指不送氣，濁指送氣。又，聲調陰為清、陽為濁。

牙　　音	見	溪	羣	疑	
舌頭音	端	透	定	泥	
舌上音	知	徹	澄	娘	
重脣音	幫	滂	並	明	
輕脣音	非	敷	奉	微	
齒頭音	精	清	從	心	斜
正齒音	照	穿	牀	審	禪
喉　　音	影	曉	匣	喻	
半舌音	來				
半齒音	日				

對韻的分析，則一般分為韻頭、韻腹、韻尾。韻頭是介音、韻腹是主要元音、韻尾是收音。古人編韻書時，韻腹和韻尾相同的就編在同一韻部中，例如先、天、千、烟、年、賢、玄、淵……等都歸入《平水韻》的平聲先韻。《平水韻》是宋金時期的韻書，反映的是南宋的分韻狀況，更早則有唐代的《切韻》與北宋的《廣韻》。再早些，比如上古音韻，就沒有現成的書可用了，須靠音韻學家推測。如王力認為上古聲母有三十二個，古韻有三十部。

不同時代的韻書，反映了不同時代的語音現象。這就顯示了語音是有演變的。例如《詩經·邶風·谷風》：「凡民有喪，匍匐救之」。《禮記·檀弓》引作「扶服」，扶是輕唇音，匍是重唇音，古人讀起來一樣，所以才可以通假。再結合其他許多例子看，可以確知古人是把所有輕唇音都讀成重唇，也就是古代並無輕唇音。現在閩南語分（ㄈㄣ）讀成ㄅㄨㄣ，飛（ㄈㄟ）念成ㄅㄨㄟ，便是其遺跡。至於豬（ㄓㄨ）唸成ㄉㄧ，則是古無舌上音的緣故。舌上音的知、徹、澄、娘各母，只讀成端、透、定、泥。

聲調部分，古今變化更大。上古只有平入兩大類，其後各自分化，就形成了四個聲調：平、上、去、入。元代以後，北方官話消失了入聲，入聲字併入其他三聲。只有一些方音，如客家語、閩南語、廣州話中才保存著。

不過，語音雖然已經改變，韻書卻也造成了讀書人的語音凝固現象，如《平水韻》乃宋金間的韻書，講四聲平仄。元代以後，語音已變，但所有作詩的人，直到現在仍採用它做為押韻的憑據。清代一些工具書，如《經籍纂詁》《助字辨略》也是依平水韻來編排的。倒是作曲的人，因以元曲為典範之故，用的是元代周德清的《中原音韻》，而非《平水韻》。

二、詞的特點

單音詞的特點，是簡無可簡，結構上已不可再分。一個詞指一件事、一個概念、一個動作、一項基本性狀。而詞音與其所指之間，則亦非毫無關聯的任意編派。

古代的語音現象，如今當然已無法復原了，但部分語音現象仍可於文字中尋其遺跡，因為文字本來就有部分記錄語音的功能。歷來均說中國文字為象形，殊不知漢字十之七八是形聲，形聲的音符部分就是表音的。轉注、假借，在漢語及漢字中亦屢見不鮮。而兩者也都與音有關。假借是同音字相替代，轉注是有聲音關係的同義字。同音字可以替代、有聲音關係的字可以同義互訓，正表示古人認為聲音與意義是有關聯的。某事某物之所以喚為某某，非任意為之，聲與義相關，故同音者義近，可以替代或互相解釋。

同理，形聲字的聲符除了表音之外，亦有表義的功能。這個道理，清代王念孫、段玉裁等人均曾予以闡發，認為形聲必兼或多兼會意，如支聲詞有分支義，肢、枝、歧都是；少聲詞有微小義，杪、秒、眇、妙都是；囪聲詞有中空義，窗、蔥、聰都是；侖聲詞有條理義，綸、論、倫、輪都是；交聲詞有糾纏義，絞、狡、餃、校、跤、咬都是；奇聲詞有偏斜義，倚、寄、畸、騎都是；皮聲詞有分析或偏頗義，披、破、簸、頗、跛、坡都是。古代詞書，如劉熙《釋名》；或近人著作，如章太炎《文始》、高本漢《漢語詞族》，也都循此原則去因聲求義。

因聲求義之方法也可以找出漢語的同源詞。例如枯、涸、竭、渴、槁，聲音和意義都相近，即是同源詞。此類詞不見得字形相近，而純是聲音的關係。如背、北、負、倍，均有相反義；逼、迫、薄，均有靠近義；冒、蒙、冥、盲、霧、瞀、夢、眠，均有迷濛不清義；陟、登、騰、乘、升、蹬，均有升高義；無、莫、靡、亡、昧、罔、蔑、勿、毋、不、否、弗，均有否定義等等。這些詞，更明確體現了音與義之間的關係。

單音詞，一詞一義，且詞之音義如此密切相關，這些都是漢語的特點。然而，漢語另一些特點，恰好是與它們相反的。比如，一詞多義。

單音詞是最簡化的詞形，一詞一義。但詞義因人類文明發展越來越繁、指涉越來越多，勢必越來越擴大，這時單詞便不敷使用了。除非不斷增造新詞，像印歐語系那樣，詞典越編越厚、收詞越來越多。可是，漢語語音的音節單位是有限的，單詞並不能像英語那樣增造新詞。此時就會出現派生詞（如有虞、有夏、勃然、莞爾）、複合詞（如壁虎、土虱），不再只用單詞。因一詞一義的單詞，會隨機與另一個單詞組合而再變出另一個詞及另一個意思來。所以也不需另造新的單詞。

另一個讓單詞不增加而又能適應指義需要的辦法，就是讓單詞可以指不同的義，一詞多義。這看起來與單詞原來確指一事一義相反，但詞義的來源若在音聲，則聲變有限，義指無方，一聲之中本來也就蘊涵多種意謂。如後來常見的釋義法：「易，一名而含三義，所謂易也、變易也、不易也」（《易緯·乾鑿度》）「詩有三訓，承也、志也、持也」（《毛詩正義·詩譜序》）「深察王號之大義，其中有五科：皇科、方科、匡科、黃科、往科。合此五科以一言，謂之王」（《春秋繁露·深察名號篇》），都是以一音之周流說義蘊之多方。可見單詞多義，有其必然性在。中國人也善於掌握這個原理，好好地發揮了一番。

如何發揮呢？一詞多義雖然是各民族語言的普遍現象，可是漢語單音詞的多義狀況最特別。本義、引申、假借，可以多義流轉到匪夷所思的地步。如繩，是繩索，是繩墨、糾彈、正直，也是懲辦

（繩之以法）。引，是開弓、拉長、引導，也是拿取。首是人頭、首領、發端、首要、朝向，也是自首。歸是回家、出嫁、匯聚、歸屬、依附、自首、稱許、趨向、委任、歸還、終於，也是死亡。凡此等等。詞義非常廣延靈活。

其中更為特別的是「正反合義」和「詞性不定」。

一詞多義中，往往包括了完全相反的兩種意思，謂之正反合意。如花落，是指花的生命結束了；大樓落成，卻是說樓剛剛建好。故《楚辭》所謂：「餐秋菊之落英」，可能指的就是始英而非殘卉。落，兼開始與結束兩義，相反相成。同樣的，如亂，治也。亂與治恰好含意相反。一個亂字即兼治亂兩義。面，既是面對面又是相背，如面縛就是指反背而縛。薄，既是少，又是多，如薄海騰歡之薄。逆，既是違背又是迎接。息，既是氣息又是停止休息，既是增長（如利息）又是減少。隱，大也。廢，大也。歸，往也。戾，善也。危，正也。誕，信也。虔，殺也。嗇，貪也。讓，詰也。寥，深也。困，逃也。亢，遮也。眇，遠也。……。這些都是正反合義。乖，既是乖張也是乖巧。易，既是變易又是不易。其他語文中非無此類語例，然遠遠不如漢語普遍。傳統訓詁學上所謂「反訓」，所指即為此一現象。蓋為常態，並非特例。

詞性不定，則是因一詞多義，繩指繩索時是名詞，指繩人以法時就成了動詞，很難定稱某詞的詞性如何。本來，跨詞性的詞，各種語言中也都有，如英語的 fire 是名詞火，也可以是動詞點火。Home 是名詞家、動詞回家、形容詞家鄉的，也可以是副詞在家。但漢語情況特殊。印歐語言，可以依詞性不同分為八類：名詞、動詞、形容詞、副詞、介詞、連接詞、嘆詞、冠詞。漢語則自《馬氏文通》模仿印歐語也分詞為九類（加了一類印歐語所無的「助詞」）以來，爭議不斷，大部分語言學家都主張漢語之詞性難定或可以活用。「春風風人」，上風為名詞，下風為動詞，風又為風化之風、風教之風、風詩之風、風動之風、風土之風、風諫之風，義不定，詞性也就不定，很難把詞分類。

一詞多義、正反合義、詞性不定，都是其他語言也有，但漢語特別普遍的現象，可稱為漢語之特色。助詞則更是特色了，因為印歐語就沒有助詞。

清末馬建忠編《馬氏文通》時，發現漢語沒有冠詞，而助詞（如的、呢、嗎、也、乎、焉、哉）卻很多，所以特立了助詞一類。謂此乃「華文所獨」。漢語中為何會獨有這類詞呢？在甲骨文時代，助詞並不發達，周秦兩漢才逐漸形成的「虛詞」系統，計有三十幾個虛詞。虛詞是與實詞相對而說的。詞分虛實，這就是漢語的特點，其他語言並不這樣分。而正是在虛實相對的情況下，虛詞系統越來越完備、虛詞越來越多，許多實詞虛化成為虛詞，如也、聿、其、豈、因、而、然、亦、且、勿、弗不等本來都是實詞，後來才用為虛詞。虛詞體系越龐大，助字當然也就越來越增加了。其重要性也越來越獲重視，《文心雕龍》就說：「至於夫、惟、蓋、故者，發端之首唱。之、而、於、以者，乃劄句之舊體。乎、哉、矣、也，亦送末之常科」。認為這些虛詞：「巧者回運、彌縫文體，將令數句之外，得一字之助矣」。對於傳達語氣、神情，虛詞助語確實功效甚大，漢語特別發展這方面，正可看出運用這套語言的中國人，其思惟特性何在。

三、句的形態

以上說的都是漢語基本單位（詞）的特點。合數詞以構句，則形成另一些語法上的特點。

世上語言，可略分為四種語法結構：孤立語、粘著語、屈折語、複綜語。其不同可以看底下的例子：

漢　語	俄　語
我讀書	Я читаю книгу
你讀書	Ты читаешъ книгу
他讀書	Он читаег книгу
我們讀書	Мы читаем книгу
你們讀書	Вы читаеге книгу
他們讀書	Они читают книгу

這六句話裡，漢語的「讀」和「書」沒有任何變化。俄語的動詞 читатъ 隨著主語的人稱和數的不同而有不同的形式，而 книга 也必須是賓格的形式 книгу。類似主語與謂語，形容詞修飾語與中心語的組合要求有嚴格的一致關係，動詞對它所支配的賓語也有特定的要求。詞在組合中這般多樣的詞形變化，在漢語中是沒有的。因為漢語和俄語正好代表兩種不同的結構類型。語言學中把類似俄語那樣有豐富的詞形變化的語言叫做屈折語，而把缺少詞形變化的語言叫做孤立語。漢語即是孤立語的代表。

孤立語的主要特點是不重視詞形變化，但是詞的次序很嚴格，不能隨便更動。上述的六個漢語句子，每一個詞在句中的位置都是固定的。虛詞的作用很重要，詞與詞之間的語法關係，除了詞序，很多都是由虛詞來表達的。比方「父親的書」，「父親」和「書」之間的領屬關係是通過虛詞「的」表示的。這種關係在俄語裡就須用變格來表示：「книга отца」中的 отца 是 отец（父親）的屬格。漢語、彝語、壯語、苗語等都屬於孤立語這一類型。

屈折語的「屈折」是指詞內部的語音形式的變化，所以又叫做內部屈折。屈折語的主要特點是：有豐富的詞形變化，詞與詞之間的關係主要靠這種詞形變化來表示，因而詞序沒有孤立語那麼重要。像俄語的「Я читаю книгу」這個句子中的三個詞，由於不同的詞形變化都已具體地表明了每個詞的身分，因而改變一下詞的次序，比方說成「Я книгу читаю」，或者去掉 Я，說成「Читаю книгу」或者「Книгу читаю」，都不會影響句子的意思。俄語、德語、法語、英語，都是這種屈折語類型。

粘著語的主要特點則是沒有內部屈折，每一個變詞語素祇表示一種語法意義，而每種語法意義也總是由一個變詞語素表示。因此，一個詞如果要表示三種語法意義就需要有三個變詞語素。土耳其語、芬蘭語、日語、韓語就是粘著語類型。

複綜語可以說是一種特殊類型的粘著語。在複綜語裡，一個詞往往由好些個語素編插粘合而成，有的語素不到一個音節。由於在詞裡面插入了表示多種意思的各種語素，一個詞往往構成一個句子。這種結構類型多見於美洲印地安人的語言。

從孤立語和屈折語的比較來看，最大的差別在屈折語的形態變化多。其變化有以下各項：

㈠性。俄語和德語的名詞與形容詞都有性的語法範疇，分陽性、中性和陰性三種，不同性的詞有不同的變格方式。法語名詞也有性的範疇，但只分陰性和陽性。「性」是一個語法的概念，它和生物學的性的概念未必一致。例如德語的「das Weib」（婦女），「das Mädchen」（少女）在語法上是中性。其他各表事物的名詞也分成各種性，例如太陽在法語裡是陽性，在德語裡是陰性，在俄語裡是中性等等。這種分性的觀念，牆壁、門、窗、桌、椅都有性別，中國人常感莫名其妙，且常會與生物學的性別相混淆。

㈡數。指單數和複數。如英語的名詞、俄語的名詞和形容詞都有單數和複數的變化。在中國，若講到狗時，說「狗們」，則會笑死人。我國只有景頗語、佤語的人稱代詞有單數、雙數和複數的區別。

㈢格。格表示名詞、代詞在句中和其他詞的關係。俄語的名詞、代詞的格有六種形式（名詞單複數各有六個格的變化，故有十二種變化），修飾它們的形容詞、數詞也有相應的格的變化。名詞、代詞作主語時用主格的形式，作及物動詞的直接賓語時用賓格的形式，作間接賓語時用與格的形式，表領屬關係時用屬格的形式。英語的名詞只有通格和所有格兩個格，芬蘭語則有二十幾個格。中國人學外語，對這些格的變化，常感到一個頭兩個大。

㈣式。表示行為動作進行的方式。英語動詞有普通式、進行式和完成式。「be＋動詞的現在分詞」表示進行式，「have＋動詞的過去分詞」表示完成式。

㈤時。表示行為動作發生的時間。以說話的時刻為準，分為現在、過去、未來。如英語「I write」（我寫，現在時），「I wrote」（過去時），「I shall write」（將來時）。英語語法中通常說的「現在進行時」，實際上包括時和式兩個方面：現在時，進行體；「過去完成時」則是：過去時，完成體。法語語法中通常說的「複合時」，也是包括兩個方面的，如「越過去時」（plus-que-parfait）實際包括過去時和完成體兩個方面。

㈥人稱。不少語言的動詞隨著主語的人稱不同而有不同的形式。俄語、法語都有三種人稱。英語動詞只在現在時單數的時候有第三人稱。漢語不只無此變化，連我你他有時都很模糊，上海話說「儂」，有時指你、有時指我，即為一例。

㈦態。態表示動作和主體的關係。一般分為主動態和被動態兩種。主動態表示主體是動作的發出者，被動態表示主體是動作的承受者。

以上這些語法的形態變化（性、數、格、式、時、態、人稱），漢語幾乎全都沒有；某些語法功能，則是用助詞來代替。例如「我吃了」表完成式，「我吃著」表進行式。其他形式上的表現只有語序。詞與詞綴合成句，由語序關係確定其含意。一些回文詩等游戲語的故事，都可以顯示漢語中句子的意義，是靠不同的讀法、或對語序不同的處理而定的。

不只此也。漢語一些結合字句的詞語，如前置詞、接續詞、關係代名詞也都不予重視；在組成一句話時，主語、述語、賓語、形容詞、副詞也都可以顛倒或省略；主語亦不具備印歐語式的主語功能；句子更可以沒有主語；主語與動詞謂語之間的關係又非常鬆散，不存在必然的「施事加行為狀態」及「被表述者（主語）和表述成分（表語）」等關係。這些，也都是它迥異於其他語言的地方。

由於印歐系語言單詞本身有豐富的形態表現，體現豐富的語法意義，因此早在亞里斯多德討論靜詞和動詞時，就有了「格」形式的概念和「數」形式的概念。他把動詞和靜詞的所有「間接形式」（形態變化）都納入「格」的語法範疇中，還指出靜詞的「性」的區別。其後語法學之研究亦歷久不衰。印度則在公元前四世紀就有系統的《梵語語法》。可是，漢語的語法形態變化甚簡，只要明白了詞，又明白了詞序，句子自然就能通曉，不須做句法的形態結構分析。因此，從古至清末，中國只用訓詁之學去釋詞、用句讀之學去講明語序就夠了，根本沒有印歐語系中那樣的語法學。

由此差異，亦可發現印歐語言顯示了較強的形式邏輯性，句子的謂語必然是由限定動詞來充當的。這個限定動詞又在人稱和數上與主語保持一致關係。句子中如果出現其他動詞，那一定採用非限定形式以示它與謂語動詞的區別。因此，抓住句中的限定動詞，就是抓住句子的骨幹。句中其他成分，均須藉位格或關係詞來顯示它們與謂語動詞的關係。而主謂語之分，又是從形式邏輯來的，以形成一種從屬關係句法。反觀漢語的形式限定很弱，詞序所構成的，乃是意義上的、事理上的邏輯關係，而非形式的（也有人稱為「意向性意涵的邏輯」或「隱含邏輯」）。故非「以形定言」之型態，乃是「意以成言」的。語意之明晰與否，不由形式邏輯上看，而要從詞意的關係上認定。

語言學上稱此為「形態優勢」和「意念優勢」之對比。形態優勢的語言，講究形式邏輯的關係，時態、語態、人稱等均有明確的規定。語句的意思，可由結構形態上分析而得，故句意較為固定。意念優勢的語言，是意念（詞）的直接連接，不必仗賴形式上的鏈接，所以形約而義豐。對詞意本身的掌握越準確越深刻，句意也就發生了變化。有些人因此認為漢語不如印歐語明確、具形式邏輯性、含混、語意游移；以致用此語言所表達之思想也無明白的推理程序，顯得囫圇、簡單。有些人則推崇漢語拋棄了一切無用的語法形式，直接表達純粹的思想，把所有語法功能全部賦予了意念運作，也就是思惟，僅以虛詞和語序來聯結意義。若把思惟或概念外化為語言的過程稱為「投射」，則漢語是直接投射式的，英語等則須經詞的形態變化、結構成形等程式整合手續，所以是間接投射的。相較之下，漢語自有簡約直截的優點。

「形式邏輯／意義關係」、「形態優勢／意念優勢」、「間接投射／直接投射」、「以形定言／意以成言」等區分之外，印歐語與漢語還可以「動詞為主／名詞為主」來區分。漢語是以名詞為主的語言，動詞遠不如在形態語中那麼重要，注重名詞的基本義類，然後利用句讀短語組構語句。印歐語法則注重動詞的形態變化。上古漢語動詞還比較多，占百分之七十一，名詞占百分之二十。現代漢語動詞則已降到百分之二十六，名詞高達百分之四十九。可見整個漢語史有朝形態簡化、動詞作用弱化、名詞作用強化的趨向。

四、語言與思惟

意念優勢的語言，本來就以詞為主，而不以語法為重。它在一些缺乏語法形態變化的地方，要完成其語法功能，也仍然要靠詞。如前文說過的「我吃」、「我吃了」、「我吃著」那樣，詞本身無形態變化，但助詞可以完成時態表示的功能。數也一樣，數在漢語中也是以詞及詞彙表示的，如人們，加助詞以示複數；五匹馬，加數詞量詞以示複數；異議，以詞義融合表示複數；若干時日，利用表示複數的詞彙；重重關卡，以疊字示複；年久月深，以成語示複。這些都是運用詞彙手段（lexical means）的辦法。這種辦法極為靈活，因為詞與詞是可以隨機綴組的，因此它是個開放系統。語境不同，便可綴組不同的詞。其手段包括利用副詞、助詞（如竟、竟然、就、就像、真、想、多想、多麼、也許等）；連詞（如若、假使、倘如、即使、本來、原本等）；助動詞（如應、應該、理應、似乎、本可、會等）。

以詞彙手段濟語法功能之窮，當然更強化了漢語「以意為綱」的特點。屈折語中語法形態上的轉折，變成了漢語式的意念轉折。善於聽受漢語的人，也就不必去分析什麼句法的結構，只須注意其遣詞命語即可。

注意遣詞命語，除了要留心其語法功能的詞彙手段外，當然還要斟酌玩味其所遣之詞。漢語的詞彙，本身也是頗有特點的。古人所謂：「言為心聲」或「心生言立」。特殊的語彙，乃是內心世界之觀念叢，本此而展開對外在世界的命名或描述。那些實體詞（名詞），主要是用來命名的，山川花鳥草木竹石。那些描述語，如「有白馬，白馬非馬」、「山外青山樓外樓」則是以話題型式建立的句子。

這些句子，可能仍由實體詞構成，如「春風桃李一杯酒，江湖夜雨十年燈」、「古道西風瘦馬，小橋流水平沙」。句子都是話題型式而非命題型式。主謂結構不明顯。當然，句子也可能利用虛詞組成，如「時方隨日化，身已要人扶」，虛詞的作用不在表達語法範疇，而在顯示思路轉折，但詞無固定詞性，功能上的意義也不定。同樣地，實體名詞在句中一樣可以具有語法功能，一個句子沒有虛詞、沒有動詞助詞，照樣可以理解（但若習慣了印歐語及其思惟形態，對漢語語意，可就拿揑不準了。民國以來，學者不乏此種毛病）。

這特殊的詞語狀況，結合其語法特性，就構成了漢語獨特的型態。此一型態，與思惟之關係，最明顯的，是句子短。即使是長句，也往往可析成若干短句，句中以意聯結，意斷則句絕。因此「離章辨句」非常重要，古代大學，要求學子入學一年後須有離章辨句之能力，即緣於此。不同的斷句法代表對語意之掌握有所不同，因此這是以語意為主的句子。語意之單位是詞，一詞一意，故一詞為一句的情況極多，至為簡約。短句在思惟上代表簡捷、直接。中國人常常也有把一些複雜的事相或概念，濃縮為三、四個字的習慣，《三字經》及大量成語即為明證，思想是極縮約的。《詩品》稱陶淵明「文體省淨，殆無長語」，大約即是中國人對言詞運用的極則。此亦代表了思想上的要求，所謂「言簡意賅」或「文約意豐」，都是指這個特長。

短句精簡的特色，因摒棄了機械式的關係結構，可能會使中國人不善於推理思惟。漢語的概念直接投射型態，也可能使它較擅長直覺。但推理思惟是否一定只能是透過形式邏輯式的方式？以意定形，在不同語序中體會不同詞意的變化、比較其差異，同樣是一種推理思惟，只不過它與印歐語系語言所顯示的或所優長的狀況不同罷了。

何況，漢語的語法形式匱乏，使得一個語句到底是什麼意思、一個詞語在語序組合中到底恰當否，都只能就實際的語詞中去認清楚它的意義而定。這樣的語言，語義的掌握就更為重要，「語言學」勢必成為「釋義學」。古代形容聖人，都強調其聰智；聖與聽本來也就是同一個詞。聰是耳朵聽的能力，故聖人之聖，從耳，從口。聽得懂話，才能掌握意義。孔子自謂：「六十而耳順」，境界尚在五十而知天命之上。註云：「耳順者，聲入心通」。發言者心生言立，聽聞者聲入心通，兩心相印，才能形成一次透徹深刻的意義傳達。此種理解與傳達之關係，比諸形式推理，更需要體會、詮釋的工夫，亦非形式推理所能奏功。此則非只懂印歐語、只曉得形式推理者所能知矣。

若語句之重點不在形而在意，句子的重點也就不在句而在詞。這種情形有點兒像古代的音樂。琴瑟鐘鼓，都與漢語一樣，不重曲式變化，只由一個音一個音綴合；聽音樂時，雖尋聲而赴節，但重點在於品味那一個個的音。好的音樂，「曲滄音稀聲不多」，並無繁複的曲式變化，卻可由其簡素樸直的聲音中透顯無窮韻味，令人玩繹不盡，故又稱為「大音希聲」。能聽得懂的，稱為知音。知音殆如「知言」，亦聖人也。

由語言到音樂，聲音的表達及其作用在上古的重要性，是無庸再強調的，每個人都知道：語言先於文字、語言也是人禽之分的關鍵。但語言不是工具，它是人類心靈狀態在聲音上的表現。不同的民族、不同的心靈狀態，即有不同的語言、不同的表現方式。因此，了解我們自己的語言，才能明白我們的文化。

第五章　文　字

一、真正的文字

西方文化主要以口語傳達。雖有文字，僅為語言之輔翼，以備遺忘。因拼音文字符號系統實際上並不能擺脫語言獨立存在。它是記錄語言、表現語言，由語言誕生的一個仿擬語言系統。故時至於今，庫瑪斯（See F. Coulmas）仍認為根本不存在文字學（Grammatology）這樣一個學科；索緒爾（Ferdinand de Saussure）的符號學也不討論文字，只把語言視為所有符號的結構原型。他們這些態度，正顯示了歐西畢竟仍是個以語言為中心的文明。而這樣的文明，跟中國可說是迥然不同。

中國的語文關係，與歐西不同，肇因於文字本來就不一樣。中國非拼音文字，這是大家都知道的特點。其次，是我國文字創造極早。在《荀子》《韓非》《呂氏春秋》等書中都說是倉頡所造，而倉頡是黃帝時的史官。後來的典籍更把倉頡稱為「史皇」，如《淮南子》；也有人以倉頡為古帝王，如《春秋元命苞》之類緯書。以現今考古資料來看，屬仰韶文化前期的半坡遺址、臨潼姜寨遺址，或大汶口文化都有不少陶文。若以此為漢字出現之徵，則其時間大約在公元前三千至四千年間，恰與倉頡作字的傳說時間相符。縱或不然，河南偃師二里頭文化所發現刻契，年代也在距今四千年左右，漢字之創制及系統化時間至遲不會晚於這個年代了。比古蘇美文字、埃及文字、克里特文字都要早。

這些歷史比較悠久的文字，無一例外，都不是拼音式的。過去，歐西中心主義者常以此論證原始文字均是圖書象形式的，其後才逐漸「進步」到拼音。殊不知此乃文字系統能否獨立之關鍵。

文字若在極早時期就已創造出來，那時，語言系統尚未完善，也仍在發展中，故語言與文字可以有一種較平衡的動態關係，文字系統乃得以日趨完備。像中國，至距今三千六百年之商朝，便已是「惟殷先人有冊有典」（《書·多士》）了。今所發現之甲骨文，單字已達三千五百以上，「六書」皆備，可見系統已甚粲然。唯甲骨文仍不足以反映當時整個文字系統。因為甲骨文主要是用以貞卜，功能有限，紀載亦有限。若為其典策所載，文字當又更完備於現今所見之甲骨文。反之，若文字創造較晚，在語言系統已較完備之後，文字便只能以語言為結構原型，做為語言紀錄或輔助。歐洲自希臘以降，均是如此；印度文明也是如此。

世界上，那些早先創造文字的文明，如古埃及、古美索不達米亞，都滅亡了，僅存的是中國。而且美索不達米亞地區及埃及均亡於希臘人拉丁人及閃族人。因此看起來好像世界上主要文明後來均改用拼音，只中國是例外，其實哪是這樣呢？希臘人、拉丁人、閃族人，滅了這些古文明，然後說文字是由圖畫象形逐步「進化」為拼音，不又是豈有此理嗎？

也就是說，漢字是歷史最悠久，也是最典型的文字系統。即使在歐西，人們只要發現語言系統有所不足時，所能設想建立的真正文字系統，仍要以漢字為基本思考模型。

例如笛卡爾便曾說：「字母的不協調組合，常令讀書聽來刺耳。……在我們語言中聽來愉悅者，德國人或覺粗俗，不能忍受」、「語言運用於不同民族時，你們無法避免此種不便」。因此他才想到書寫，云：「若出版一本涉及所有語言的大辭典，並給每個詞確定一個對應於意義而非對應於音節的符號。比如用同一個符號表示 aimer、amare、φιλεϛ ν（三個詞都表示「愛」），則有這本辭典且懂得語法者，只要查找到這個文字符號，譯讀成自己的語言便可解決問題了」。

他這個想法，在中國乃是人盡周知之理：因各地方言互殊，無法溝通，故文字之用興焉。而各地語言雖異，但只要看文字，大家就都是懂的，也都可以用自己的方音土語去讀同一個文本。

但在歐西，早期大家可沒有想到這一層，因為其傳統中並無表音之外的另一種對應於意義、而非對應於音節的符號。至笛卡爾、基歇爾（Athanase Kircher）、威爾金斯（John Wilkins）、萊布尼茲等人，才因中西交通而認識到漢字，因而構思一種叫做「關於文字和普遍語言、萬能溝通手段、運用思想符號」的哲學計劃，簡稱「通用字符」。所謂普遍、萬能的溝通符號，是說只有文字才能跨越語言鴻溝，成為普遍的通用溝通符號。而他們能設想到要建立這個新的、且在其歷史中未曾被想過的新哲學語言模式，乃是取法於漢字。萊布尼茲即認為漢字與發音分離，使它適合於哲學研究。而且漢字與埃及文還不一樣，漢字有更多理性的考慮，意義還須取決於數、秩序與關係，不只是符號與某種物體相似的筆劃而已。故埃及的、通俗的、感性的隱喻性文字，與中國的、哲學的、理性的文字應分開來看待（參德希達《論文字學》，第一部分第三章一節）。

萊布尼茲等人所設想的通用字符（非表音文字），當然不就是漢字；他們認為漢字完全與聲音分離，是「聾人創造的語言」，也不盡符事實；為了反抗歐西中心主義或邏各斯中心主義，而代之以「漢字偏見」，亦無必要。但總體上說，漢字並不只是一個國家、一個漢族的文字。且不說它曾在東亞形成這一個龐大的「漢字文化圈」，漢字實際才是真正的文字系統。現在講語言學的人動輒說：「世上只有兩種文字系統，一是表意文字系統，二為表音文字系統」，索諸爾固然如此說，研究文字學的人也如此說。其實表音「文字」系統，哪能視為真正的文字系統呢？

縱或退一萬步，承認表音文字也仍是一種文字。則所有表音文字為一類型，漢字自為一類型，與其頡頏。故其地位與價值，仍是超越世上任何一國一族之文字的（至於埃及、古西亞之文字，僅是系統發展尚未完備者，在非表音體系中聊備一格可也，與漢字完全無法相提並論）。

二、表意的體系

但表音或非表音這樣的描述，對漢字來說，仍不貼切。因為，所謂非表音文字，不是說文字系統不呈現其聲音。漢字中的形聲字就以聲符來表音，小篆中形聲已占百分之七十八，現代更高達百分之九十，所以俗話說：字若不會唸，「有邊讀邊，沒邊讀中間」，大抵就能讀出來了。這樣的文字，不也表音嗎？這就是這個術語易滋誤會的地方。需知漢字之表音與拼音文字頗有不同：

㈠漢字以表意為主，表音為輔。文字形體直接顯示的信息是語意而非語音，例如英語 Book、俄語 книга，以直接拼讀出意義為「書」這個詞的聲音來做為文字符號；漢字則用皮線穿過竹簡的形態「冊」來表達這個意義。冊字是表意而不表音的。

㈡漢字表音的形聲字，除狀聲字等以外，極少單獨示音，都是形與聲結合。形符固然表意，聲符在表聲之外同樣也表意。清朝人講文字聲韻學，所強調的「因聲求義」原則，即本於漢字這一性質。只不過，形符所表示的，是意義的類別；聲符所表示的是意義的特點。例如帶木形的都屬樹木這一類，帶水形的都屬於川河這一類；可是構、溝均從冓得聲，指的就是木類與水類中，具交合這一特點之物。故構屋須交合木材、溝渠須縱橫交錯、二人言語交合曰講、婚姻交合曰媾、兩人相遇曰遘。冓音就是表明這個意義特點的。其表音者，畢竟仍在表意。

㈢純從語音上說，漢字屬於「音節——語素文字」，一個漢字基本上只記一個音節，一個音節又往往只代表一個語素。如「人」這個字記錄了「ㄖㄣˊ」這個音節，這個音節即代表人這個語素。英文字母所代表的則是音位，如 thing（東西）這個詞，th、i、ng 分別代表 θ、i、ŋ 三位音位，故 thing 就是三個音位接合的詞。

㈣形體方面，拼音文字，只能在一條線上，靠前後字母的排列去區別不同的字，所以是一種線性排列的型態。漢字則是兩維度的排列，上下左右數量的變動，就會構造出不同的字。如日、昌、晶，是數量相加；杲、杳、加、另，棗、棘，本、末，是位置不同；比、从，是方向不同。

也因為漢字在形體上可以如此變動，因此它的形體要件可以極少。早期漢字尚是「隨體詰曲」，筆形不太固定，難以統計；漢代施行隸書後，整個漢字體系，其實就只有六種筆畫組成。哪六種呢？橫、豎、撇、捺、折、點。古人常說只要練好「永字八法」就能寫好一切字，講的就是這種基本筆畫。但八法係為書法而設，故強調挑與趯，其實真正綜合起來，只有上述六種。以這麼簡易的形體組成部件，就可以組構如此龐大的文字體系，其他文字是沒有的。原因非常簡單。其他文字要紀錄語音，語音中，唇、齒、喉、舌音，乘以塞、塞擦、鼻、邊音，再加上清音、濁音、送氣、不送氣之分，其數必在數十個以上。且不說別國，僅是漢語，若要用拼音表達，字母也得用上幾十個，何況那些音位複雜的語言？過去許多人搞不清狀況，老是抱怨中國字太多太繁，羨慕「人家英文，廿六個字母就搞定了」。不曉得哪廿六個字母是字的組成部件，就如筆畫是漢字的組成部分一樣，英文須以廿六個字母去組構基本文字體系，漢字僅須六筆，孰多孰少？

漢字構造上，還有一個歸部首的原則。許慎把九千三百五十三個漢字歸入五四〇部底下；現代字典收字可達五萬以上，但部首更簡，大概併成二二三部首左右。一個部首，既是對字做形體上的歸類，也是意義的歸類，例如人部、口部、竹部，由形見義，據義歸部，整個系統綱舉目張，便可以以簡馭繁。

繁，是相對於筆畫之簡、義之簡而說的，整個漢字體系也充滿了簡約的特質。以極少的筆畫、極簡的義類，以簡馭繁的結果，迄今也不過造出五萬左右個字，這還不夠簡嗎？

「什麼？五萬還叫簡？《康熙字典》收字四萬九千，多如繁星，認不勝認，豈能謂簡？」、「老兄，英語如牛津字典之類，收詞動輒在四、五十萬以上。漢字與之相比，小巫見大巫矣！」

何以能如此？一者，漢民族夙尚簡約，不可能造出如此繁富的體系來自苦；二、仰賴漢字的造字原則。在原先本無文字時，當然要不斷造新字，以指涉新事物；但「文字孳乳而寖多」以後，便利用假借等法，不再多造新字，而以同音同義字替代。如「其」字，原本是指簸箕，後來借為第三人稱的其；「而」本是指人鬚；「亦」本是指下腋，借得字了，就不必另行再造。還不行，則以原有之字拼組成詞。如電燈，古無此物，現在有了，但並不須另造一字，把電與燈重組即可。這些原則均可節制漢字的數量，使勿膨脹。

這就是說，漢字是一種表意的、簡約的文字體系，而此一體系內部，又有它組構這個體系的原理。這個「原理」，與拼音文字的原理完全不同。拼音文字系統的原理，即是語法的原理，漢字則擁有它自己構建其文字體系本身的原理，這些原理與語言並無關係。

三、構造的原理

漢字的文字構造原理，當然不會是在倉頡那個時代就已設想出來，然後再據以造字。現在所說的象形、指事、會意、形聲、轉注、假借等所謂「六書」，是漢朝人由既成文字上分析歸納而來的。依其分析所見，視為古人造字時實有此六種方法，字形之構造具有此六項原理。古人造字時可並不是先想像象形這一法，然後據以造若干字；又設想了會意、指事等法，再造若干字。故此乃推原溯始之說，並不能直視為原初造字時的實況。但是，文字符號之創造，旨在表意涉事。以某符號指某事，必不會毫無規律；符號本身，也當有其法則。否則一橫一豎，為什麼可以是人所共知共許的符號呢？據此而言，其創制必有其創制之原理。迨其體系既成，更有這一套體系的原理。那些不符這個體制化原理的文字，就會被排除在體系外。漢人編《說文解字》，歸納造字法為「六書」以後，世皆把不符合這些原理者歸入古文、奇文、異體、俗體、謬體、誤文之列，即以此故。因此整個漢字的構建原理，現在用「六書」來代表，其實也沒什麼不可以。

六書，指象形、指事、會意、形聲、轉注、假借。它另有些異稱，如指事也有人稱為象事、形聲也有人稱為象聲之類。排序先後，也有爭論，某些人認為造字時指事先於象形。但我這本書本非文字學史，可暫時不管這些，謹以《說文解字》所述為基礎。

象形，是用筆畫去描刻物象，如日、月、水、火、雨、土、石、山、果、木、竹、米、佳、虫、魚、牛、羊、馬、犬、人、目、耳、口、手、田、井、郭、宮、門、京、弓、矢、刀、工、貝、網、片、帶、衣、皿、壺、肉、豆、酉、冊、聿、卜、兆、回、樂等字，都是象形。

象形字近於文字畫，但它不是畫。因為對「象」有所取意，於形又不盡擬似。日，用眼睛看日，所見只有一輪紅光，可是日字中間卻有一點。那一點，表示紅輪之中是實的。故《說文》云：「日，實也」。月亮中間畫了二點，取象則非一輪滿月，而是月缺之狀。為何只取缺月不取圓月呢？《說文》云：「月，缺也」。這實與缺，就是兩個觀念，是人對日象月象的體會。於日見其實有力量，於月生起盈缺變化之感。故象形者，其實非象其形，乃象其義也。就像人，人可以有許多形，例如可仰臥成一、跪地而跽，但人字只取人站立之形。站著才是個人，其他動物就不甚能「人立」，故此為人之特徵。人若正面站立，堂堂而立，那更就是大了。「天大、地大、人亦大」，雖老子之語，然於造字之際，取義本來就看得出這種思想。

宋代，鄭樵曾說象形有兩類，一是山川、天地、井邑、草木、人物、鳥獸、蟲魚、鬼物、器用、服飾等，均象實物之形；象貌、象數、象位、象氣、象聲、象屬，均象抽象之物，其實，象抽象之物，固然是取義立象，非同描摹刻畫（因為本無具體形狀可以畫）；即使是象實物，如上文所述，仍然是取象而非畫象。許多文字學家不知此理，只從形象上去推考，遂覺象形造字毫無規則，有從前看的、有從後看的、有從側看的、有變橫為直的、有省多為少的。不知象形者本是以義構形，非以形為字（許慎說象形，乃「依類象形」，已分明說了構形是依據義類而來）。

指事，據許慎說，是「視而可識，察而見意。上下是也」。在一橫上畫一點或一筆，以示在上之意；在一橫之下，畫一筆或一點以示在下。這一點或一筆，就是指事的辦法。如刀上加一點為刃，木下加一點為本，人頂上加一長絡則為長，凡此等等，其為以義構形，也是不用再說的。

會意，則實為指事之擴大。因為指事多是在獨體象形文上加一些符號來示意，若加的符號本身是個獨立的文，那就構成了會意字。所謂：「比類合誼，以見指撝」。誼就是義，是義的古字。此云比合或會合兩意以上，即為會意。如人言為信、持戈赴戰為武、日月為明、魚羊為鮮、人牛為件、子女為好、兩手為友、兩貝為朋、心腦相合為思、以手執耳為取、分貝為貧、躬身困居洞穴為窮、困坐一室為囚、女子執帚為婦、室有豕畜為家、以火烹狗的民族為狄……。

形聲，從構字原理上看，與會意完全相同。不同者，在於會合的意符中有一個是兼具聲音性質的。街坊的坊，意思就是一個地方，故合土與方見意，可是方又代表了這個字的音。這即是形聲。方音之字，有坊、訪、芳、彷、枋、舫等等；分音之字，有紛、粉、盆、盼、岔等等；古音之字，有姑、估、固、詁、苦、罟等等，都是形聲。形聲的聲符基本上也都是義符（除了一些狀聲字，如江、河；一些方國特名；一些假借造字，如祿的彔聲是由鹿借來的等），因此形聲字仍是以義構形的，非音標文字。其次，音標文字的字形是隨音讀而變的，如英語裡的副詞 faste，音讀上失去了末尾一個音綴，書寫上便也省去了末尾的 e。漢字則雖古今音已變，字形卻依然維持。如占與帖，都因有相近於占之音，而同用占做為聲符；可是現在占與帖讀音完全不一樣了，字仍然寫作舊式。女與汝、兌與說、舌與恬……都是如此。

轉注，許慎說是：「建類一首，同意相受，考老是也」。歷來解釋有兩類。一以形為類。就是說像考老兩字，字形同類，而又意義可以互通，即為轉注。一說類為聲類，考老二字之聲同類，意又雷同，故可轉相注釋，故為轉注。總之是指聲義或字形上有關聯的同義字。

假借，則是同音字。但音同而意義上無關，純屬借用，所以名為假借。許慎云此乃：「本無其字，依聲託事」。

有些文字學家認為構字的原理其實只有四種，轉注假借並未構出什麼新字形來，用的仍然是原有的字。有些人則認為轉注假借仍可造字，如西字來字，本來沒這些字，假借鳥栖之栖以示日頭西斜的西方之西，又假借麥子是由外地傳來的來以示意。構形方法上雖未增加一法，實際上仍以此達到了創造新字的目的，故仍為造字之法。而許多形構上是形聲的字，可能也是循轉注之法造出的。

也有些人覺得「六書」義類不妥，不如改為三書，把文字分成象形、象意、形聲三類。或又說象形即有兼聲者，如牛、羊字均與牛羊之鳴聲有關，故象形有形兼聲、形兼意，指事亦有兼聲、兼形、兼意之分，形聲則有諧聲、兼意之別。如此，竟可分到十幾類。

這都是文字學家間的爭論，此處無庸細說，只須曉得漢字大體上有這樣構成原理就可以了。這些原理，我講過，並非倉頡造字之初即已有之。且會意與形聲，在古代也較少，周代才大量增加，顯示這些構字原理也有發展的歷史。但無論如何，漢字打從一開始就沒有走上音標符號的路子，而是採「以義構形」的方式逐步發展，則甚為明顯。六書之法，其實均是以義構形這一原理的邏輯推演，故若謂六書之法，即肇端或具存於造字之初，也不為過。

四、發明的歷程

倉頡造字之際，筆畫雖簡，但肇始之功，不容抹煞；開創了漢字未來發展方向的創造性，更是可驚的。《淮南子·本經篇》說他這一創造驚天地動鬼神，竟至「天雨粟、鬼夜哭」，實不誇張。

古波斯神話，謂魔鬼從善良神那裡偷走了楔形文字，並藏了起來，英雄塔赫穆拉特王（意為大狐狸）又由魔鬼那兒再奪出，乃播諸天下。這跟倉頡造字的傳說相比，意蘊境界就差多了。倉頡造字，天雨粟、鬼夜哭，代表這才是人類創制之始。非神賜、非盜獲，一畫鑿破鴻濛，氣象儔乎遠哉！

當然，此等神話傳說，只是就其意義說。文字始造，仍是逐漸發展來的。如何發展呢？鄭樵認為是邏輯推演的。其〈起一成文圖〉說：「衡為丨、從為一、邪一為ノ，反ノ為乀，至乀而窮。折一為┐、反┐為┌、轉┌為└、反└為┘，至┘而窮。折一為┐者側也。有側有正，正折為Λ、轉Λ為V、側V為Λ、反Λ為V，至V而窮。一再折為ㄇ、轉ㄇ為ㄩ、側ㄩ為ㄈ、反ㄈ為ㄋ，至ㄋ而窮。引而繞合之，方則為□、圓則為○，至圓則環轉無異勢，一之道盡矣」。他又主張八卦就是文字之始，因為《易緯乾鑿度》已說八卦就是天地水火等八個字的古文，依這八個基本字就可以把整個文字系統推衍出來了。邇來一些講漢字與易思惟的朋友，頗喜歡闡發此說。

無奈「起一成文」之說過於機械；且僅就字形立說，無當體實；論字形，亦僅就楷書筆畫說，不能解釋上古「隨體詰屈」的字形構造。「八卦字原」說，又多屬附會。震、艮、巽、兌的卦形，無論如何總與雷、風、山、澤幾個字不像；就算像了，如何由八卦推出龐大的漢字系統，仍舊是難以自圓其說的。

另一種發展觀，是歷史的。《易・繫辭》云：「上古結繩而治，後世聖人易之以書契」云云，即屬此。

據《莊子・胠篋》載：「伏犧神農之世，民結繩而用之。」〈繫辭〉本身也說伏犧「作結繩而為網罟，以佃以漁」。故伏犧所畫之卦，彼亦不以為就是文字。而結繩紀事，是以大小及數量來示意的（金文中幾個十的倍數的字，如十作[illegible]，廿作[illegible]，卅作[illegible]，四十作[illegible]，就可能是古代結繩紀事的遺跡），它可能確是文字未形成前主要的示意符號。在各少數民族調查中，我們也可發現此法頗為普遍。

「後世聖人易以書契」，講的就是文字的創造了。契是刻，《釋名》云：「刻識其數也」。原本也與結繩紀數的功能差不多，記一物即用刀在木板上刻一畫。許多民族在文字未造時，也用這個辦法，如《魏書·帝紀·序》云：「不為文字、刻木記契而已」，《隋書·突厥傳》說：「無文字，刻木為契」。但用刀刻契，跟「書寫」這個行為就很接近了，文字便因此逐漸創造了出來。我們看陶文、甲骨文就都仍是書與契並用的。

我比較相信這種歷史的漢字起源說，因此順著此說要再談一下漢字的性質：結繩與契刻，都是記量的符號，它們做為漢字的源頭，正表示漢字形成的原理不應只由象形這方面去認識。

在與西方拼音文字做對比時，論者常謂漢字為象形。而所謂象形，又與圖畫、圖象有關。在講漢字形成史時，亦輒云係由圖畫逐漸演變而來。連段玉裁都說：「象形、象事、象聲，無非象也，故曰古人之像。文字起於象形。日月星辰山龍花虫宗彝藻火粉米黼黻皆象物形，即皆古象形字。古畫圖字與文字非有二事」。近世論文字者，當然更會說漢字是由圖畫→文字畫→文字逐步演進的。談六書，也必以象形居先，認為象形是漢字的根本原理。

象形是漢字構形的基本原理之一，當然不錯。象形由圖畫演變而來，大概也是事實。但象形也者，表明了所象者為形，事與聲如何藉圖畫表示呢？段玉裁只看到「象事、象聲」（這是《漢書·藝文志》對六書中指事與會意的稱呼）的象字，就把它們跟象形視為同類，且跳躍推論道古圖畫即文字，真是大謬不然。不是說指事、會意、形聲皆造字之法嗎？怎麼又變成原先文字只有象形了呢？

許慎論六書，就先指事而後象形。契刻識數、結繩記事，正是指事先於象形之證。考古資料中，有刻識記號者，如半坡、臨潼姜寨、甘肅馬廠等處皆早在新石器時代晚期；而有象形符號者，現今最早只能推到大汶口文化晚期，似乎也顯示象形不見得早於指事。

我倒不是要爭辯象形與指事誰早出現些。而是說：從結繩與刻契，可令我們注意到文字形成的過程其實是多元的。我們相信必有一部分是由圖畫逐漸變成了符號，是視思惟的發展；但另一些是由結繩刻契等數思惟發展而來，要以符號表示物的數量和質性；還有一些則是由語言來的，利用符號來記錄或代表聲音。不同的民族，可能會在某一方面特別著重些，例如埃及文字、納西族東巴文字，以圖畫這一路為主；前文說過的突厥，刻木為契；希臘、閃族等就是以文字記音了。漢字兼綜了這些方面，因此形成了一個涵攝形、音、義的漢字體系。

五、思想的歷史

漢字的形音義是相互穿透、互融互攝的。純象形字，數量極少，僅百來個；純指事、純諧聲亦然。絕大多數都是以象形指事為「初文」，去相互搭配孳乳。字，原本也就有孳乳之意。可是，如此孳乳繁衍，形音義三者卻又並不等重，而是以義為主去融攝形與音。相對於拼音文字來說，實乃一表義文字系統。

表音文字中，語言是心境的符號，文字是這個符號的符號，是中介的中介，因此它間接而外在，不足以真實代表語言及真理。漢字則相反，洪堡特在討論漢字對中國人思惟的影響時曾說：「一般而言，漢字的影響在於把吾人對語音及語音與概念的關聯的注意力轉移。此中，用以取代語言的，並非一具象圖形（如埃及聖書的文字），而是一約定俗成的字符。由於字符的意義必須從其與概念的關係中去尋求，因此吾人的精神必須直接面對著概念」（致雷姆薩先生的信）。印歐民族的文字，僅是語言的機械地表達，不須耗費什麼「精神」。可是漢字不然，每一個字的字形字義及其與聲音的結合，都得花腦筋，以「精神直接面對概念」，直接運用思惟以構造之。因此，整個文字建構的過程，即是一場龐大的思惟活動，精神貫注於其間。洪堡特乃以此，稱漢字是「思想的文字」，並說：「漢字的種種型構中，本即顯示了哲學工夫（Philosophische Arbeit）在其中」。

換言之，漢字非但不是語言的符號，比語言次一級，不能表意；它本身直接關注意義，更令它成為一套思想的文字，思想性極高。

其次，漢語是與印歐語不同的語言。在印歐語中，語音與意義的關係，大抵（依洪堡特的分析）有三類模式：一擬音，亦稱直接模仿或描繪。二、間接模仿，或稱聯覺（Synesthesia）。指語音與該事象無直接關聯，但二者可對吾人之音感器官和心靈產生同樣的感覺；透過這一共同感，語音可以跟事象意義產生間接的聯繫。三是類比。指語音與意義並無直接間接關係，只因概念相近而成語音的相近。印歐語的第一種模式極少，次為第二種，第三種最發達，洪堡特甚至認為其語法形式及語音成素都是依這個模式原則而建立的。索緒爾則強調此一方法是要語言使用者依照一些既成的範例或轉換模型，透過有規則的模仿，由一原初的語詞，按例導生出與該詞相關的另一詞語。

漢語則第一種模式最發達，且以對人感情方面的語音類擬最多。聯覺模式就少了，基本上只用元音，輔音甚罕。第三種模式更薄弱，無印歐語之各種語法形式變化。因此，許多印歐語系的學者，會據此以質疑漢語的表意功能較弱，至少與印歐語比較，屬於相對弱勢。洪堡特則認為漢語缺乏形態變化，反而令中國人把精神集中到概念的實質意義上去，反而形成了另一種長處。

於是，這就要說到漢字了。漢字是與漢語配合的，漢語的優點與長處，漢字都一樣具備著；但所謂漢語表意功能較弱這一「缺點」，漢字卻足以彌補之。文字的意符各部件，可以任意重組，令使用者「依照一些既成的範例或轉換模型（如部首、六書），透過有規則的模仿，由一原初文字，按例導生出與該字相關的另一文字」，形成文字的類比（Analogie der Sehrift）。有了漢字，漢語還需要在語法形式上發展形態變化嗎？

然，於此亦可見漢字在表意功能上比漢語更完整。此外，文字與記憶的關係，亦優於語言。

文字本於書契，原先就是為了記憶，以防止遺忘。〈繫辭〉鄭注：「書之於木，刻其側為契，各持其一，後以相考合」。為了避免約定之事日久彼此記憶有誤，或遭遺忘、或遭背信，所以要刻契為證，日後才好考合。後世房契、地契、契約文書都仍用這個契字，就是此意。文字記錄跟語言相比，其特徵亦在此。中國人常說：「口說無憑」，要求寫下來才好做個憑證。

這個文與言的差異，是極明確的。然而，它是否即是文字的優點呢？在中國人看，當然是啦！那還用說嗎？外邦人見此，則未必云然。西方自柏拉圖《斐德若篇》以來，大抵認為文字代替了人類自然的記憶力，因此，以文字助輔記憶，恰好就意味著人類正在遺忘。而且文字是語言的中介，所以距真理更遠。唯其「不在場」，未聆真理之發聲，才需要透過文字去追擬。一如隔世或異地之人，方只能藉由文字追想實況。故文字的記憶功能，適乃暴露了它的弱點。據此而言，文字對人的影響力若逐漸增強，是不正常不應當的「僭越」，會危害該語言的地位；人若有「文字迷信」，亦屬「對文字——圖畫的反常崇拜」，是偶像崇拜的罪過之一。

為何中西差異如此之大呢？關鍵有二，一是人與真理的關係認知不同。凡語言必有一個說話者，為意義之來源。語言優位的文化，重視人與那個真理本源的關係。用德希達的話來說，語言中心主義者，也是邏各斯中心主義。文字優位的文化，則強調人之用文，人就是意義的本源，文字所顯示的意義，則就是宇宙天地萬物之意義（這個道理，後文會不斷談到）。第二，是中國人對「不朽」的強調。

古埃及人也有不朽的觀念，但他們追求不朽的方式，是把人製成木乃伊。中國人追求不朽、超越時間，卻是靠文字。不在場不但不是缺點，反而是文字足以超越時空隔閡的力證。銘刻代表一種記憶、書寫旨在永恆，故中國人喜歡書於竹帛、鏤諸金石，以垂諸久遠，傳於後世。不像語言那樣，唾欬隨風，縱然語妙於一時，終未能在人或事消逝之後供後代憑考。

這裡才會形成「歷史」的觀念。甲骨文中，史作 、 、

[illegible]，後分化為史吏事三字。以手執筆或執簡冊者為史，史所記之事才是真正存在過的事，正顯示著這樣的觀念。我國歷史書寫最早、歷史觀念最強，亦由於此一原因。反觀印度，佛教興起以前，幾乎沒有確切的歷史可說，也根本不重視歷史記載，與我國恰好相反。

第六章　訓　詁

訓詁，就是解釋，原本指對古人古書之語言文字的解釋，也指廣義的文獻解讀或意義詮釋。

此詞始於漢代《毛詩詁訓傳》。孔穎達疏：「詁訓者，通古今之異辭、辨物之形貌，則解釋之意盡於此」，即是解釋古代之語文和名物制度。漢代經學家主要就是在做此等工作，後來清朝乾嘉者興復漢學，用的也是這套方法及工作內容。清末民初講國學，頗以續乾嘉之緒為說，以乾嘉之學為國學基本法門。這個法門，簡單說就是：文字聲韻訓詁加上文獻考證。不懂這套方法，或不能從事此等工作，可以成為大學者，但很難被稱為國學家。

對此正宗國學方法，我是提倡的。尤其是屆此衰世，士不悅學，提倡此一方法，鼓勵學子由精熟語言文字、典籍文獻，進窺國學堂奧，未始不是好事。

只不過，訓詁之道，乾嘉以後愈趨窄化，漸至流弊叢生，不能不略予說明。

漢學的方法，用錢大昕的話來說，即是：「研精漢儒傳注及《說文》諸書，由聲音文字以求訓詁，由訓詁以求義理」。一般認為這個方法是乾隆時戴震提倡而風行的，後來因得到王念孫王引之父子之推衍而發揚光大。故王引之述其父之教誨時也曾說：「大人曰：詁訓之指存乎聲音，字之聲同聲近者，經傳往往假借。學者以聲求義，破其假借之字而讀以本字，則渙然冰釋」。

但戴震之方法經王念孫段玉裁如此介紹、推闡、發揚之後，卻引導著後學走上一條極窄的路子上去，逐漸發展到民國以來的科學實證主義治學法。近年來對此方法有些反省，才再重新接近戴震的方法。

從前龔自珍〈江子屏所著書序〉曾批評乾嘉學風，謂其僅為道問學，並以此詢之江藩：「敢問道問學優於尊德性乎？」江藩答曰：「否否。是有文無質也，是因迭起而欲偏絕也。聖人之道，有制度名物以為之表，有窮理盡性以為之裏，有詁訓實事以為之跡，有知來藏往以為之神。謂學盡於是，是聖人有博無約，有文章而無性與天道也」。

可見江藩也並不同意做學問僅偏於小學。因此龔自珍說：「有後哲大人起，建萬石之鍾，擊之以大椎，必兩進之，兩退之，南面而揮之，褫之予之。不以文家廢質家，不用質家廢文家」（《全集》，第三輯）。我以下的講法，大抵就是定庵之言的發揮。

一、因言以明道

戴震〈與是仲明論學書〉云：「經之至者，道也。所以明道者，其詞也。所以成詞者，字也。由字以通其詞，由詞以通其道，必有漸。」

乾嘉樸學家主張由字義明經義，其見解大抵均類似於此。例如錢大昕云：「六經聖人之言，因其言以求其義，則必自詁訓始」，見《潛研堂文集》卷廿四〈臧玉琳經義雜識序〉。惠棟謂經之義存乎訓，識字審音，乃知其義。見《漢學師承記》卷二。

古人之義理，存於古書中。古人已杳，其意吾人不可能起九泉之下的幽魂而叩之，故僅能就書中所記述者循跡追躡，「因跡求道」。正如物理學家所談的物理學原理，寫在書本子上，我們一樣得透過他所寫下的字詞來了解。乾嘉樸學家所講的，就是這麼一個理解的程序與方法。

但這樣一個看起來近乎普通常識的觀點，為什麼乾嘉人物要煞有介事地提出來，並大張旗鼓以宣揚之呢？

原因就是：乾嘉樸學家覺得在此之前，宋明理學家等人講義理，並不遵循著這樣的方法，而是：「自晉代尚空虛、宋賢喜頓悟。師心自用，乃以俚俗之言詮說經典」（錢大昕，《經籍纂詁・序》）。

換言之，這是兩種語言觀，一種主張因言求道，道在語言之中。一則認為言與道的關係不是合一的，對道的理解，有時反而要在語言文字之外去探求。所謂「言語道斷」「不落言詮」「意在言外」「目擊道存」「默而識之」「心領神會」等詞語，都是用來指稱這種言道關係和理解狀態的。在宋朝以前，老莊及佛教（特別是禪宗）所採取之語言觀即傾向後者。乾嘉學者覺得宋明理學家也是如此，所以批評晉代雜於老莊的清談、宋代染於禪宗的頓悟，都是離開語言之理解的「師心自用」。

不但如此，他們還認為宋明理學家用他們所處那個時代的語言去解釋古代經典的語言，是更進一步地脫離了語文的理解，造成了理解上的困難。所以他們才主張回歸到經典本身的語文意義中去了解聖人之道。

在這個時候，釋義學就是語文學，正確理解語文就等於正確掌握了經義。故錢大昕才會說：「有文字而後有訓詁，有訓詁而後有義理。詁訓者義理之所由出，非別有義理出乎訓詁之外者也」（同上）。

相對來說，莊子就不是這個立場，如〈齊物論〉云：「道未始有對、言未始有常。為是而有畛也：有左有右、有倫有義、有分有辨。……春秋經世，先王之志，聖人議而不辯。故分也者，有不分也；辨也者，有不辨也。曰：何也？聖人懷之，眾人辯以相示也。故曰辯者有所不見也。夫大道不稱、大辯不言、大仁不仁、大廉不嗛、大勇不忮。道昭而不道、言辯而不及。……故知止其所不知，至矣。孰知不言之辯、不道之道？」

依莊子看，語言的作用在於分辨事物，故有你我、上下、是非、左右等等，物物有理、事事有宜，看起來清楚，實則反而形成了障蔽。所以理解不是要從語言上去理解；恰好相反，知應止於其所不知，不再致力於辨析、說明、討論，而是不言不辯不道。對於先王經世之志，只需「懷之」，不必言之。他稱此為「不道之道」。反之，若道被說明了，那就是道昭；道昭而不道，道反而要被遮蔽或隱匿了。

戴震錢大昕等人恰好相反，主張「昭道」「明道」，並強調要透過語言去確定其倫義、分辨。此剛好與莊子的語言觀是對諍的，他們希望知之，而莊子卻要知止；他們要道昭，莊子卻要不道；他們信賴語言、依靠語言，莊子則不信任語言。因此，兩者所形成的，也是兩種釋義學。倘依莊子之見，乾嘉學者乃是：「若彼知之，乃是離之」，所以應「天降朕以德、示朕以默、躬身求之，乃今以得」（〈在宥篇〉）。

莊子式的語言觀其實自有洞見，戴震之說乃是只知其一不知其二。不過，此處暫且擱下這個問題，單就戴震這一頭講。

二、語言的分析

戴震〈與某書〉曾說：「治經先考字義，次通文理，志在聞道，必空所依傍。……我輩讀書，……宜平心體會經文，有一字非其的解，則於所言之意文字實未之知。其於天下之事也，以己所謂理強斷行之，而事情原委隱曲實未能得，是以大道失而行事乖。」主張由字義明義理，說得是極明確了，但〈與段玉裁書〉又說：

> 僕自十七歲時，有志聞道，謂非求之《六經》孔孟不得，非從事字義制度名物，無由以通其語言。為之三十餘年，灼然知古今治亂之源在是。古人曰理解者，即尋其腠理而析之也。……今人以己之意見不出於私為理，是以意見殺人，咸自信為理矣。此猶舍字義、制度、名物，去語言訓詁，而欲得聖人之道於遺經也。

兩文相比較，批評宋儒之處固然相同，求道之途徑卻有了差異。前面只講治經須考字義文理，要知語言文字。後者所談則將字義、制度、名物三者合起來稱為語言性的了解，故說：「非從事於字義、制度、名物，無由以通其語言」。後者的範圍顯然比前者大得多。

兩者所講的「語言」，也不是同一件事。前者指語言文字，後者指道的表現形式，是古代聖人言道之「言」。事實上也就是文化的表現符號，因此這個符號可以是語言文字，也可以是名物度數、典章制度。

戴震對語言文字當然非常重視，但他也同樣重視這些名物度數與典章制度。他平生最大的計劃乃是作《七經小記》。據段玉裁的摘述，此書中詁訓僅為其中之一，其他如〈學禮篇〉「蓋將取《六經》禮制糾紛不治、言人人殊者，每事為一章發明之。今《文集》開卷〈記冕服〉〈記爵弁服〉〈記朝服〉〈記玄端服〉〈記深衣〉〈記中衣方襦褶之屬〉〈記冕弁冠〉〈記冠衰〉〈記括髮免髽〉〈記絰帶〉〈記繅藉〉〈記捍決〉凡十三篇，是其體例也。」這是討論制度的。論名物度數，則如〈水地記〉，討論水道地理，「使經之言地理者於此稽焉。」又「〈原象〉凡八篇，一二三四四篇，即先生之釋天也；五六七三篇，即〈句股割圜記〉上中下三篇也；其八篇則為矩以準望之詳也。」此即可見戴氏在名物制度方面的用心。

戴震之學，後來卻逐漸簡化或窄化，只集中去了解語言，不甚談名物與制度。而且，由「可操作性」來說，名物度數及典章制度的理解，其實乃是解經者廣泛的文化知識問題，並非一種可以操作的技術。故後來者據其說以推衍，均只說「訓詁明而義理明」。

窄化的趨勢尚不僅止於此，更顯示在語言文字之間。

在戴震的講法中，無論是「所以明道者，其詞也。所以成詞者，字也。由字以通其詞，由詞以其道」「所以明道者，其詞也。所以成詞者，未有能外小學文字者也。由文字以通乎語言」，或

「今之學者，毋論學問文章，先坐不識字」（《章氏遺書》，卷廿二引），講的都是字。「由文字以通乎語言」的「語言」，也不是指語言文字之語言，而是聖人言道之「言」，所以他才會又說：「由語言以通乎古聖賢之心志」。

可是其弟子卻越來越把「語言」只看成是語言文字的語言。以段玉裁來說，他曾說：「治經莫重於得義，得義莫切於得音」（《廣雅疏證·序》），又著有《六書音韻表》，內含「今韻古分十七部表」「古十七部諧聲表」「古十七部合用類分表」等。他在〈與劉端臨書〉第八書中更強調：「於十七部不熟，其小學必不到家，求諸形聲難為功也」。為什麼音韻不熟，小學就必然不到家呢？我國文字，形聲占了七成以上。從段玉裁的觀點看，形聲之字，其義均繫於其聲，說：「凡字之義必得諸字之聲」「從某得聲之字多有某義」「凡從某聲皆有某義」者，在其《說文解字注》中凡八十多處。形聲字若義均由其聲來，則不懂聲韻學，焉能通小學？此所以說：「求諸形聲難為功也」。不唯如此，段玉裁對會意字的處理也是如此。他說《說文》中有很多形聲兼會意或會意兼形聲之字，且數量極多，必須知道聲義相通的道理才能掌握。

古人文字學重會意而不重形聲、重字形字義而不重聲音，段玉裁恰恰相反。不但特重形聲，且拉會意歸於形聲。「聲義同原」遂成為解釋文字孳乳與字義之關鍵觀念。且又不只如此，對聯綿詞的解釋（猶下注：「古有以聲不以義者，如猶豫」之類）、對假借字的解說，也都從聲音上著手。因此張之洞〈說文解字義證序〉說：「竊謂段氏之書，聲義兼明，而尤邃於聲」。

戴震另一弟子王念孫以校釋名家，其道亦以聲音為主。其《廣雅疏證》自序說：「竊以詁訓之旨，本於聲音。故有聲同字異、聲近義同，雖或類聚群分，實亦同條共貫。……今則就古音以求古義，引申觸類，不限形體」，其子王引之述其言又曰：「訓詁之恉，存乎聲音。字之聲同聲近者，經傳往往假借。學者以聲求義，破其假借之字，而讀以本字，則渙然冰釋。」王引之自己為阮元《經籍纂詁》作序，也明揭：「夫訓詁之旨，本於聲音，揆厥所由，實同條貫」。在這種為學宗旨之下，不熟於音韻，其小學當然是不可能到家的。

然而，訓詁，在戴震那裡，何嘗是「訓詁之旨，本於聲音」？戴氏〈題惠定宇先生授經圖〉說得很明白：

> 求之古經而遺文垂絕，今古懸隔也。然後求之故訓。故訓明則古經明，古經明則賢人聖人之理義明，而我心之所同然者乃因之而明。賢人聖人之理義非他，存乎典章制度者是也。松崖先生之為經也，欲學者事於漢經師之故訓，以博稽上古典章制度。由是推求理義，確有據依。彼歧故訓理義二之，是故訓非以明理義，而故訓胡為？理義不存乎典章制度，勢必流入異學曲說而不自知。其亦遠乎先生之教矣。

故訓云云，實就典章制度言之。可是到了段玉裁王念孫手上，不惟典章制度不講，僅求諸聲音文字以為訓詁。而又在語言文字之中，攝文字歸於語言，專就聲音言訓詁之旨。這是雙重的窄化。

經此窄化以後，因古人言道之言以求道的徑路，事實上已經出現了變化。只能考言，而且只能考語言。古今音韻之變、文字孳乳假借之故，瑣瑣不已，成為對語言之專門研究，而道遂終於不能明、不暇明，其術終於只是「小學」。

段玉裁晚年撰〈宋子小學跋〉說：「漢人之小學，一藝也」，又自悔：「喜言訓詁考核，尋其枝葉，略其根本，老大無成，追悔已晚」。這正表示著這個惠棟戴震以來「因言明道」的運動，已走入道的迷失之境地，故令這位語文學大師深感悵嘆了。汪喜荀《且住庵文集》中〈與陳碩甫書〉說：「閣下言……段先生欲由訓詁以通義理，而未有成書。是誠見道之言。今世為段先生之學者，求之一字一句之間，非段先生所以為學，亦非段先生教人之心也」。汪喜荀曾受教於段玉裁，故此語殊非泛泛，正可與段玉裁自述其為學心境語合看。

三、理解的迷失

戴震「因言明道」的方法逐漸變成「小學」，據上文之分析，主要是由於窄化使然。但此所謂窄化，很可能被誤解為只是明道之方法不夠全面，實則亦不僅是如此，它還代表著方向上或性質上的改變。

若借用詮釋學發展的術語來說，欲明古聖人之言，為什麼需要「非從事於字義、制度、名物，無由以通其語」？因為通字義，可以稱為「語言的理解」；通制度與名物，則是為了達成「歷史的理解」。這兩種理解的性質並不相同。前者只從文字語句上去了解，後者卻涉及語境之認識。

以王引之〈經籍纂詁序〉所舉的一些例子來看，他說：「〈小雅・采綠篇〉：『六日不詹』，傳訓詹為至。後人不從。不知詹之為至，載於《爾雅》，乃古之方言，是以《方言》亦云：『楚語謂至為詹也』」。這就是語言的理解，只就言分析。講得也很好。但他忘了：詹為至，既是方言、既是楚語，雅言的〈小雅〉為何卻會刻意用此方言？此即不理會語境之問題，反而構成了歷史性理解的困難。

在解釋學的發展史上，早期文藝復興時期之人文主義，可以追溯至中世紀的「解經七藝」。神學院中，邏輯、語法、修辭三學科乃學生進行意義理解之必修入門學科。而它所能達成的，就是語言的理解。十九世紀狄爾泰等人講歷史理性批判，則企圖超越這個方法，所以又欲使讀者通過對時代做歷史的了解以進入作者所處的時代。戴震所說，由字義、制度、名物以通其語言云云，正兼括語言的理解與歷史的理解兩方面。

可是狄爾泰等人所談的「進入作者所處的時代」，尚含有一種設身處地從心理上進行「移情的理解」之含意。即使是一個邏輯上並不完備的語言形式，若通過讀者對隱含在語言背後的活生生之動機的心理學重構，仍可以把個體意向揭示出來。這種精神意向的重構，本於人與人的理解之間有其共同性。靠著這種「理解的共同性」，解釋者與被解釋對象才能隔著時代而在心理上重新被體驗，狄爾泰說道：「每個詞語、每個句子、每個姿勢或禮儀、每件藝術品、每個歷史行動，都是可理解的。因為用它們來表達的人，和理解它們的人之間，有著共同性。個體總是在一個共同性的氣氛裡有所體驗、有所思想和行動。只有在那裡他才有所理解」（見《歷史的型式和意義》）。用中國一句老話來說，這叫做：「他人有心，余忖度之」。藉著同理心去體會，所以說是一種移情的理解。而他人之心，余可忖度而得，則是由於我們相信心是有共同性的。

戴震的方法學，當然不即等於狄爾泰，但他有沒有這個面向呢？有的。他說：「治經先考字義，次通文理。……我輩讀書……宜平心體會經文，有一字非其的解，則於所言之意必差，而道從此失。……宋以來儒者，以己之見，硬坐為古聖人立言之意」，雖然仍從文字上論理解，但已提到「平心體會」，不要「以己之見硬坐為古聖人立言之意」。在〈題惠定宇先生授經圖〉一文中則更進而談到：「故訓明則古經明，古經明則賢人聖人之理義明，而我心之所同然者乃因之而明」。由明故訓明古經而明聖人之理義的同時，我心與聖人之心，亦因其為同一種心，而亦獲得彰明。這時，理解雖不由吾人之用心忖度而來，但理解所獲致者卻為一「心心相印」之結果。到了乾隆四十二年，戴震將卒之年，予段玉裁書對「理解」則有底下這樣的解釋：

> 古人曰理解者，即尋其腠理而析之也；曰天理者，如莊周言依乎天理，即所謂彼節者有間也。古聖賢以體民之情、遂民之欲為得理。今人以己之意見不出於私為理，是以意見殺人，咸自信為理矣。此猶捨字義制度名物，去語言訓詁，而欲得聖人之道於遺經也。

由字義、制度、名物去理解聖人遺言與聖人之志意，是一類理解活動。可是還有另一類理解活動，與它同為「理解」，所以戴震說此猶彼也。這種理解是什麼呢？乃是依乎天理、尋物之腠理、體會別人的心理，以獲得的認識和了解，不是只根據自己單方面之認知與想像，便自信以為理的見解。

這不是表明了戴震對於「理解」的掌握，包含著語文的、歷史的、心理的幾個層面嗎？

可是這套方法發展到後來，存含在有關意義之理解這個問題背後的動機、前提及其內涵，卻都有了極大的轉變。認知旨趣只集中在語文問題，甚或僅是語音問題上，於是一方面遺落了歷史的理解與心理之理解；二方面則從因言求道，轉而成為探討語言，不僅不暇明道，亦誤以為除此語言分析之外並無什麼道的問題。

德國哲學家卡爾－奧托·阿佩爾（Karl-otto Apel）曾比較維根斯坦與詮釋學的「理解」問題，認為維根斯坦語言邏輯中的意義和理解，與詮釋學傳統中的意義和理解頗不相同。詮釋學哲學基本上均預先假定宗教、哲學、文學等傳統中的偉大文本都具有不可替代的意義，我們是利用語文分析等方法與手段，去把這些意義重新在這個世界展現出來。可是維根斯坦在《邏輯哲學論》中所云，則並不如此。他所談的語言意義，並不是某個歷史的具體文本之完整意義，或作者有意無意地貫徹在文本中的意圖，而只是語言命題本身所提供的信息內容（《哲學的改造》，第一章，上海譯文出版社，1997，孫周興、陸興華譯）。

從命題本身來看，我們只能理解一個語句在說什麼，而不能討論它說的價值、優劣、真假如何。那些，對於從事語言分析的人來說，乃是無認知意義的，因為不能理解。據此，維根斯坦認為：「哲學著作中大多數命題和問題不是虛假的，而是無意義的。因此我們根本不能回答這一類問題，我們只能確定它們無意義。……

（它們是屬於善、是否與美同一的那一類問題）。因此，最深刻的問題實際上不是問題」。詮釋學所想追問的那些意義，遂事實上在此被取消了。

參照這種對比，我們也可以說戴震原先因言求道，是個較接近詮釋學傳統的態度。希望找著古先聖賢立言之意，而且相信這個本於聖賢之心的意思可以與我的心，因其同一性而重新獲得內在的證驗。然而，走入語文分析的小學家們，卻只就語言本身做討論。那些天理、人心、體民之情、遂民之欲、古聖賢之心志等等，都被認為是屬於宋明理學的無意義的話語，也無意再去探討。因此，戴震是「先考字義，次通文義，志在聞道」，其後學卻只考文字，不務聞道明道，形成段玉裁所說的：「尋其枝葉，略其根本」之純技藝的「小學」。

正因為如此，所以戴震極看重他的《孟子字義疏證》，曾說：「僕平生著述，最大者為《孟子字義疏證》一書」。然而，此書在他那一輩考證學者及後學看來，評價卻極低，章學誠云：「時人方貴博雅考訂，見其訓詁名物，有合時好，以謂戴氏絕詣在此。及戴著〈論性〉〈原善〉諸篇，於天人理氣，實有發前人所未發者。時人則謂空說義理，可以無作。是固不知戴學者矣」（《文史通義·朱陸篇書後》）。這種評價的不同，實即顯示了整個因言求義之方法已形成了自我迷失的困境。

從前龔自珍曾有〈陳碩甫所著書序〉云乾嘉以來之學風：「黜空談之聰明，守鈍樸之迂迴，物物而名名，不使有遁。其所陳說艱難，算師疇人，則積數十年之功，始立一術。書師則繁稱千言，始曉一形一聲之故，求之五經、三傳、子、史之文而畢合，乃宣於楮帛。而且一戶牖必求其異向也，一脯醢必求其異器與時也，一衣裳必求其異尺寸也。有高語大言者，拱手避謝，極言非所當。於是二千載將墜之法，雖不盡復，十存三四。愚瘁之士，尋之有門徑、繹之有端緒，蓋整齊而比之之力，至苦勞矣」。對於這樣的學風，龔氏引陳碩甫曰：「是苦且勞者，有所甚企待於後。後孰當之？則乃所稱聞性道與治天下者也。」此即是對乾嘉以後學者漸漸只究文字語言而不復論性道與治道之弊而發。

四、反省的路途

對於這種發展的反省，也有兩個路數。一是直接反對因言明道，從另一種語言觀出發，強調人與傳統或與道之間，須透過一種體證之知，代替言說分析所獲得的認知。用莊子的話來說，惠施問：「子非魚，安知魚之樂」時，莊子回答：「吾知之於濠上」。此知，即為生命感通之知，非理性、邏輯、形跡所得而測度之知也。古聖今人，心心相印，人人皆有此心，故皆能返身而求，逆覺體證，而知道不遠人，重新體驗孔顏樂處。

這條路子，或援引宋明理學、或用莊子之心齋坐忘、或參考康德實踐理性之說，講生命的學問、說逆覺體驗、談全體大用、論藝術精神。總之，是企圖說明因言不足以明道，反對以客觀、實證、科學、實在論、語言分析等方法去支解扭曲古人之道，認為如此適如莊子所謂鑿七竅而渾沌死。

當代新儒家，如熊十力、牟宗三、徐復觀等，走的就是這一條路。這條路，實即乾嘉樸學所反對的路向。

另一種方法，則是詮釋學式的。仍然同意因言可以明道，但不認為詮釋就是對客觀文字的解析，將因言明道拉回到比較接近戴震的方式上來運用。

西方的詮釋學，起於對《聖經》的解釋。這種解釋與科學的歷史考古不同，在於考古只是要知道古代曾經發生何事，研讀《聖經》卻非如此。一、《聖經》固然寫成於古代，但對現在閱讀它的人來說，它乃是對現在人起著具體且真實之作用的，故它並非只屬於古代、只具歷史意義。

其次，閱讀《聖經》之意義，也不僅是把它當成一部歷史文獻，以理性獲得關於它的知識即可；讀它的人，是為著從其中領受真理，也就是求道。

三、這種耶穌或天主所示現之真理，不只為讀者客觀所認知，更會在心靈上形成感性之體驗和理解，並使讀者由內在主體中產生自我轉化之效果。真正讀過它的人，和沒有讀時已然成了不一樣的人，內在出現了生命豐饒或提升或轉變之感。換言之，理解不僅為對經典文字之客觀認識，同時也成為內在主體之重新理解，有著強烈的主觀感受。

四、因為詮釋是如此主觀與客觀相互融會的，所以它不能用主客二分的模式去看待，詮釋的歷史性也是兼含兩端的。既指形成於歷史情境、時間範疇中的歷史性文件，也指閱讀者詮釋者是站在他的時空環境和識域中（即他的歷史性中）去進行理解。

五、這兩者必須克服語言、時空的疏隔，才能獲得識域的融合（fusion of horizons）。因此，詮釋者必須尊重文件的歷史性，詮釋經驗必須受作品本文之領導，要敞開自己來了解對方。但詮釋也不能完全依據並歸準文件的歷史性。基於詮釋者的歷史性，可知沒有預設的詮釋（presuppasitionless interpretation。也就是科學客觀論者所相信的那種客觀解釋）根本不可能存在。因此詮釋若不開放文件的意義，不能讓它與詮釋者的存在及處境相關聯，不僅是死的詮釋，把《聖經》變成為古董、閱讀只是屍體解剖；也是虛假的詮釋，不符合理解活動的實況。

六、整個詮釋不能脫離語言。《聖經》為神所說的話，這個話，是詮釋的起點。詮釋之經驗，本質上乃是個語言性的經驗。存有在此語言中展露，吾人亦藉此語言對存有有所理解。

「聖經解釋學」以降諸學派，固然也廣泛利用文字校勘、文獻辨偽，輯佚、訓讀、名物制度考據等方法，但旨在因言明道或因言求道，是非常明顯的。

十九世紀歷史研究法逐漸崛起後，反對如上所述之詮釋立場，主張去除信仰部分，否定耶穌的奇跡與復活，要還原他「人的身分」及時代背景。對文獻亦須考辨真偽及年代，從「還原歷史真相」的角度，而非「獲得真理與啟示」去面對史料。這個風氣盛行至二十世紀中葉。從時間上看，與乾嘉後學至五四運動後疑古辨偽、史料考證的史學潮流，正相符應，可謂異曲同工。其法係以外在批判（external criticism，指考證文件作者、作時、作地）、內在批判（internal criticism，指考證作者動機及文件之內容）為主，運用詞句分析、歷史探源、時代環境還原等方法，輔以人類學、口傳文學之研究，希望能獲得客觀理性之認知，擺脫迷信及教會權威之控制。

五〇年代，詮釋學才再度成為歐洲神學、文學、哲學界新的焦點，對歷史、語言與詮釋，有了迥異於十九世紀末至廿世紀中葉的認識與發展。六〇年代末期，英美文學研究的實在論體系也開始受到這個新思潮的強烈衝擊。詮釋與理解，不再只是客觀的理性分析，不再只做語言形式研究，也不再只是史料與考古。理解既是認識論也是存有論的現象，理解活動是種歷史的遭遇（historical encounter），詮釋對象與詮釋者的在世存有（being-in-the-world）必然是相互扭合交會在一塊的。

歷經施萊爾馬赫、狄爾泰、海德格、伽達瑪、呂格爾等人之不斷推闡，詮釋學已成為批判「科學的理解」、建立「歷史的或詮釋學的理解」之一大典範，代表歐美社會在科學思潮席捲世界之後的一種文化反省力量。因此它的性質，乃是做為整個人文學科的基礎。

相對於西方的發展，我國另成風景。

民國以後，提倡以科學方法整理國故，以相關聯之疑古、辨偽、史料、考證、語言分析、文獻整理等方法，配合著客觀化、理性化、概念化的精神，強調價值中立、主體不涉入，甚至應具有批判之精神、評估的態度，不迷信、不信仰，均有與西方二十世紀初葉的發展神似乃至同步之處。而被視為反對五四新文化運動的傳統勢力，也標榜乾嘉樸學的方法，以訓詁明而義理明為說。要求從學者致力於訓詁研究、文獻考證。

這樣的學風，大約沿續到七〇年代臺灣才有些變化。但衝擊主要是因史學界引進社會科學方法治史，因此反而強化了統計、量化、理性、客觀的科學化態度，歷史解釋的問題並未找到新的方向。

文學界的方法學改革，第一波乃是「新批評」等形式分析方法對中國古典文學研究之衝擊。這種方法，事實上就是後來詮釋學所反對的。但它有幾個特點，一是把作品客觀化，文學批評被視為對文學客體從事概念的解剖（dissection）。這種具科學性的形式批評與解剖，用在文學上，恰好是過去乾嘉後學以迄五四科學方法整理國故學派所尚未達到的。過去客觀考古式的研究，主要用於經史。文學研究畢竟仍相當仰賴「以意逆志」及審美感受；考證，主要只用在有關作者身世、板本作品文句、社會背景方面。可是新批評更要對作品本身也進行科學的、客觀的、語文形式的分析。此一分析之細緻詳晰，令只講審美感受及籠統風格概括的傳統批評備感威脅。而推展此一學風者，則對中國傳統文評詩話未能建立為科學客觀文評深致譏諷。從這一方面說，這種衝擊，乃是對中國人文學科研究的進一步科學化。

二、作品被視為客觀的獨立體，為語文之有機結構，不但使研究者與研究對象分開了，形成文評只是對作品的客觀解剖，更讓作品與它的作者也分開了。批評者根本不必追問作者創作這個作品的意圖為何、想表達什麼。作品其實猶如一臺機器，機器被造出來以後，其機能全部在於機器本身的結構之中，沒有人在用這臺機器時會去追問製造者的意圖。因此，文評活動始於作品這個有機結構，也終於它。追究作者之意，遂被稱為「作者原意之謬誤」，認為作者原意不可求也不必求。這個態度，打破了傳統文評以作者為意義導向或歸趣的做法。不再以意逆志，作品也不被視為作者言志抒情之作。這是放棄了心理的理解。

同理，作品為一獨立之有機體，這個觀念也把作品和它的創作時代、歷史社會分開了。新批評由此批判歷史主義式復現歷史真相的研究，認為文學批評不是考古、亦不為古代服務。這一點，看起來頗與客觀考古者不同。但實質上是進一步放棄了歷史的了解，只講語言的了解。

這與史學界汲引社會科學，或企圖把史學建設為社會科學的動作適相呼應。所形成的方法學熱潮，可說是讓人文學徹底科學化了。自乾嘉時期提倡「因言明道」以來，到此已完全異化，究言而不復明道矣。

但風氣轉變，亦在此時。五〇年代詮釋學已在歐洲建立了新的學風，六〇年代即影響到了英美的文學研究，然後又逐漸在八〇年代影響到臺灣與大陸，畢竟開啟了新的方法學思考。如今，治國學者，亦當知所取擇矣。

第七章　經

一、經典化

經，有經常、經緯之意，指在一切書籍中特別重要，足以做為經典的東西。經典的典，也是特別重要的。字像冊供在几案之上，形容它的神聖性。古代重要文書都有此意，如三墳、五典、九丘、八索。墳、丘，就都有隆起崇高之意，表示它與一般圖書不同。

可是對於什麼是經典，不同之時代、地域、團體，便會有不同的認定。信佛的人以佛說為經、信基督教的人尊崇他們的聖經、伊斯蘭教徒供奉古蘭經、喝茶的人稱說茶經、飲酒者談酒經、下棋者說棋經，乃至相鶴、相馬、墓葬、占卜、賭博亦各有經。用以指稱在它那個領域中最崇高最重要的書。書中載有那個領域最基本、最根源的知識或信息，對那個領域起著恆久的影響，亦為該領域中人所信奉受持。

這叫做聖典崇拜。是各民族各團體均有的現象，只是聖書的認定彼此不同罷了。

在中國，九流十家都是如此。《老子》於戰國時便已有傅氏、鄰氏為之作傳，又有韓非子作〈解老〉〈喻老〉，顯然就是把《老子》視之為經了。後來《老子》被稱為「道德經」，可說淵源早肇於此。《墨子》內也有〈經〉及〈經說〉各二篇。《晉書·魯勝傳》謂此乃《墨辯》之文。或許古時《墨辯》自成一書，後學推重其說，故尊之為經，而為之說解，猶如韓非之解《老》一般。又據《莊子·天下篇》載：墨子死後，相里勤之弟子，五侯之徒，南方之墨者「俱誦墨經，而倍譎不同，相謂別墨」，則《墨子》書本身就曾被後學尊為墨經，不只是墨辯而已。

這是諸子被經典化的例子。文學作品也可以經典化，《楚辭》在漢代就曾被視為《離騷經》，王逸還仿漢儒替詩書禮易作章句箋注的方式，為它作了章句呢！要到漢代中葉，儒家的地位獨尊之後，圖書分類才以儒家經典獨占「經」這個尊稱，其他道德經、墨經、離騷經、占經、葬經、棋經、茶經、酒經、刀經、相馬經、相鶴經、六博經等等，雖然在他們所屬的那個領域中仍兀自稱之為經，可是在圖書分類法裏，所謂經史子集之「經」，便專指儒家所推崇的詩、書、禮、易、春秋等了。

著作由一般書籍逐漸被推尊而崇高化，以至成為經典，這個過程，稱為經典化。經典與經典，在歷史上因各種機緣條件之激盪，而漸漸分出勢力大小，或居主流，或局限於個別領域，則是它的競爭過程。或上升或下黜，不僅發生於不同學派、不同領域間，就是同一學脈中亦存在著這種競爭升黜關係，如宋代以前五經的地位高，宋代以後，四書的勢力就駸駸乎欲凌駕而上之。

因此，經典一詞，最弔詭的一點便是：在詞意上，顯示它應是經常恆定的，但事實上經典本身就是變動的。某些書，本來不是經，後來被經典化，上升為經，如《莊子》變成了《南華真經》，

《列子》變成了《沖虛真經》。某些書，本來被視為經，後來地位衰落，如揚雄《太玄經》，本是擬經而作，但縱使它名叫經，後世亦僅將之列入術數類，不認為它是比得上《易經》那樣的經典。因此我們看待經典，須有動態的觀念、歷史的眼光。

也就是說：經典之所以為經典，一方面是經典本身的原因，因為它具有真理，足以啟發後人，故為人所尊崇，視為恆經，乃不刊之宏論。另一方面，它也形成於聖典崇拜之中。在經典化及其競爭關係裏，某些書雖然也很重要，但未被經典化；某些書，原亦平常，卻在某一歷史條件下經典化了。它顯示的，就是這樣的動態關係。

二、聖典崇拜

書一旦聖典化，便與其他書不同了。其特徵是具有神聖性。

怎麼顯示它的神聖性呢？一是認定它昭明了永恆的真理、至高的法則，亦即經常之道。經這個名稱，就是這個意思。其次是它往往有個神聖的來源，由天啟、神諭或聖人制作。作，是創造的，如天地被創造出來一樣。聖人之創作，也與一般書籍之出於傳述不同，故《禮記·樂記》云：「作者之謂聖，述者之謂明」。聖人制作後，賢人才來傳述它、詮釋它。

不但希伯來的聖書，說是神諭而成，我國古代經典不也常說是出於黃帝、堯舜所作嗎？《山海經·大荒西經》更記載著夏后啟三次上天，去取來〈九辯〉〈九歌〉的故事。孔子尤其是重要的制作者，漢代今文家認為他是聖人，而且「天將命孔子制作法度以號令天下」（《論語・子罕篇》，孔注），因此六經都說是孔子作的。不像古文家只把孔子視為述者，謂六經乃古文獻，孔子只是刪述古文獻而已。

作者與述者的區分，界定了經與傳的關係。一部經學史，基本上也就是討論經典如何形成，以及形成後歷代對它的傳述注釋史。

經傳關係，也就是源與流、本與末的關係。經是源頭，真理發聲之處；傳是流，是對真理的解釋與傳播。源是本，流是分支、是末端。源是真理，流卻只是對真理的解釋，故源是正，流則不免訛誤。本源與末流兩詞，乃因此而具有價值上的抑揚。末流衍繹著真理，卻可能越傳越離譜，故常有「流弊」。要改善流弊，就得重新回歸經典，正本清源、返本歸真。於是，經典既是本源又是歸宿。

源流關係，亦是一與多的關係。《莊子・天下篇》：「古之所謂道術者，果惡乎在？曰無乎不在。神何由降，明何由出？聖有所生，王有所成，皆源於一。……天下大亂，聖賢不明，道德不一，天下多得一察焉以自好，譬如耳目口鼻，皆有所明，不能相通，猶百家眾技也」。本源之道是一，後世百家眾技是多，百家眾技皆由本源之道分裂流衍而生。故道是整全的，後世百家眾技則是分裂片斷的，雖有一得之明，但已經不完整了。

在這樣的判斷下，經代表著綜合的知識、最高的價值、意義的來源。百家眾技則是專業分殊化的結果。所以後來諸子百家被稱為九流，就是說他們都是經的流衍。現代學術，走的也是專業化分科的路子，以此治經，便困難了。文、史、哲、政、經、法等專業分科，都與經典有關，但經卻不是各分殊性學科所能掌握的，因此莊子說：「後世學者不幸不見天地之純、古人之大體，道術將為天下裂」。

一與多，當然也即是常與變。經是常，多就是它的變。變發生於詮釋上的分歧，猶如孔子逝世後，儒分為八。秦漢以後，儒又有漢宋之異、今古之分，此即其變也。

經典代表常道，當然也代表正道，不同於經典者自然就被視為邪。儒家稱它為異端，佛教稱為外道。異端與外道，詞意上彷彿只說它屬於不同者，但既與正道常經不同，異端外道便同時也就是邪說了。歷史上，凡強調反本歸真、回歸聖典的人或時代，無不努力表現出闢異端、斥邪說的態度。孟子、韓愈、顏元等一連串衛道之士的名字，或基督教佛教之聖徒，莫不如是。

可是，異端並不只在經典以外。奉其他教、信其他經的人，固然是外道異端，自己這一教內信奉同一經典者，亦有可能是異端。因為經典必須詮釋才能傳布，故傳述詮釋之歧異，變貌甚多。本源之一，只在遙遠歷史的想像中存在著。現實世界中，奉讀經典者，都是流衍之多、都是詮釋之變。因此，不同的詮釋者遂互相指責對方誤解了、走岔了。莊子說墨分為三以後，他們都誦《墨經》，可是彼此批評，指人家是「別墨」，就是這種情況。別墨，即別派歧出之意，非本來原有墨子之義理，亦即是異端。在儒家內部，說道統的人，亦是此意，用以區分誰是正統、誰是分歧。康有為《新學偽經考》之區分真經偽經，用心不也是想將古文經學歸入異端之列嗎？

外道的異端邪說，往往也因此與傳述的分歧混為一談。指責經典詮釋出現了異端時，常會說該詮釋混雜了外道，故成為邪說。清人批評宋明理學，就說他們「陽儒陰釋」，摻雜了道教佛教的義理。宋明理學內部，程朱學者反對陸王之學，也同樣說他們揉合了禪宗。在某些人看來，講儒家儒學而混雜於異端，扛著紅旗反紅旗，魚目混珠，比真正的異端更可惡也更可怕，非攘斥之不可。所以信奉同一經典者之間的爭論或爭鬥，有時更是激烈。

照我們簡單的頭腦想來：經典的解釋不同，不過就是些理解或版本字詞間的差異罷了。就算是信仰不同的經典，也無非就是一本書或一種理論罷了，何至於如此激情相爭，非要我攘斥你、你攘斥我呢？

唉！這就是經典的力量了。人是觀念的動物，做法本於想法。而經典就是某種想法的典型、根源或基礎。信奉不同經典的人，想法就不相同；在行事上他們彼此迴異，難以融通，亦是必然之結局。二十世紀東西方的對抗，不就是馬克斯《資本論》和亞當·史密斯《國富論》之間的對抗嗎？由十二世紀到現在，歐美國家與阿拉伯國家之恩怨，不也肇因於《新約》和《古蘭經》嗎？

因此我們要正視這古與今的問題。古代的經典，從來不只存在於古代，它會對現今世界起著具體的作用。它雖只是一本書，但又不只是一堆印寫在紙上的文字而已，它影響著現實、關聯著現實，甚至於它就是現實。那個把《毛語錄》當聖書的現實，不就是個鮮活的例子嗎？

之所以如此，是因聖典往往提供了一個理想世界的圖像。聖人創作、描繪聖世的聖書，當然就是世俗人生所嚮往、所皈依的，它是帶領人們走向神聖世界的地圖。人，既是為著希望與理想而活著，經典自然就是人們在現實生活上的指南。對這一部經典的崇拜如果毀滅了，則會另尋一部經典來崇拜。古與今、聖與俗、文獻與現實、在崇拜中完全混融為一。至於那些誇口侈言他們不崇拜任何聖典的人，若非愚癡，就是崇奉經典業已入迷。猶如正呼吸著空氣的人，聲稱他們不須要另裝氧氣管那樣。

三、經學歷史

中國的經典，如前所述，本來是各尊所聞、各奉真經的，但占主流的意見或圖書分類中，說到經學，卻不是佛經道經墨經茶經酒經之類，而是有特指的。只有詩書禮樂易春秋及其相關書籍才叫做經學。

這個經學的範圍，是國家定的。例如漢唐各朝科考、教育體制都支持這個界定，《四庫》之編修等圖書文獻整理工作，對經部的認定亦是如此。但光靠國家行政力量尚不足以形成此一局面，社會心理及知識階層普遍的態度，才是支持此一認定的依據。中國傳統社會，任何一個普通家庭都會要求子弟「詩禮傳家」，更不用說中古時期士族都是講經學禮法的了。一般形容讀書人皓首窮經之經，亦絕不會是指佛經或其他什麼經。

這種認定的形成，當然是因孔子刪定六經造成的影響。詩、書、禮、樂、易、春秋，這些都是古代的史料文獻，孔子予以刪定整理而傳世。其刪定整理，到底只是傳述，還是託古改制，根本就是自己的創作，固然眾說紛紜，今亦難以稽考。但由於它們來源甚古，因而諸子百家也不能不傳習這些文獻。是以它雖出於孔子，主要也是儒家在傳播它，但它不僅屬於儒家，而是諸子百家共同擁有的人文知識傳統。

《莊子·天下篇》說的很明白：「古之道術惡乎在？……其在於詩書禮樂者，鄒魯之士、縉紳先生多能明之。詩以道志、書以道事、禮以道行、樂以道和、易以道陰陽、春秋以道名分。其數散於天下，而設於中國者，百家之學，時或稱而道之」。詩書禮樂易春秋這些，就是古道術之具存於文獻者，鄒魯儒生固然多能明之，諸子百家也常稱道之。故此後詩書禮樂易春秋不只是儒家一家之學，更是整個中國學術的總源頭，可說古代本來也就是如此的。《四庫》把經部獨立，而把儒家列在子部，原因亦在於此。

這就是說：詩書禮樂易春秋的經典地位，在戰國期間即已確定，其他老子後學墨子後學等，雖亦推崇其尊法之典籍為經，但地位均不足以與六經相埒。

秦欲復古，要求人民欲學詩書者以吏為師，所以燒了民間的書。可是秦火以後，經書由民間收集來的卻頗不少，可見民間傳習已甚普遍。唯重新收集來的本子，或出土獲得的本子，多是古文篆籀。由老師宿儒傳習而來的本子，則多依當時通行的隸書抄寫，經遂出現了今古之分。主張古文的，批評傳述多依口說，往往訛誤。主張今文的，認為所謂古本多屬偽造。彼此爭論不休，由文字之不同，漸漸擴大到對六經之次第、六經是否為孔子所作等等，章句訓詁、總體解釋都不相同。

例如對周朝封建，廖平〈古今學考〉說今文家認為公侯方百里、伯七十里、男五十里，分三等。古文家則說是公五百里、侯四百里、伯三百里、子二百里、男百里，分五等。又謂畿內不封國，貴族世襲，不選舉。今文家則主張畿內封國，無世卿，有選舉。天子之制，古文家云其十二年一巡狩，不下聘、不親迎，禘天於郊，無祫祭，無太廟，有明堂。今文家認為天子五年一巡狩，不下聘，有親迎，禘為時祭，有祫祭，有太廟，但無明堂。這些不同，就是今古文家經學的差異，稱為家數或家法。

家法之內，還有師法的不同。漢代五經博士，易有施、孟、梁丘、京氏；尚書有歐陽、大小夏侯；詩有齊、魯、韓；禮有大小戴；春秋有嚴氏、顏氏，共十四博士。博士底下則有博士生員，傳習其師之學。一經數師，故有師法之別。

今古文之分，之所以激化，是因涉及官學與民間學術之分。

漢代所設博士，均是今文學，故古文學僅是民間學術身分。古文學家乃不斷努力，希望能獲得國家承認，也獲列入學官。這種心情及處境，不難理解。試想今日「國學」或「儒學」一科，在大陸就還不能列入正式學科門類。某些學校要招此類生員，或想辦這類學科的系所，皆只能借用漢語專業或哲學專業的名義來招生。推動國學儒學的人，乃因此而努力希望獲得政府承認。當時之情形，亦是如此。但古文經學既與今文經學頗為不同，今文經師自然排斥其說。設置學官，更會影響既得利益，因而不願同意古文家之申請，也是人情之常。彼此交惡，遂愈來愈激烈。劉向的兒子劉歆主張古文，憤而欲與今文博士辯論，而今文博士根本不理他，氣得他寫了一篇〈移讓太常博士書〉的檄文。讓是指責的意思，可見雙方交惡的程度。

東漢以後古文家地位漸獲承認，今文漸衰。除了政府態度轉變之外，學風不同，亦有深切的影響。

兩漢今文經學是專門之學，治書者只治《尚書》，治《尚書》又還有師法，法從歐陽生的，就與師從大夏侯小夏侯的不同。之所以如此，是體制造成的。博士既分經而設，博士招的生員弟子當然就各從所屬，沒有詩學博士召學生來治《易經》的道理，情況與現今大陸導師招收博士生相同。可是古文經學乃是在民間發展的學問，沒這種體制限制，凡古文經典，都可通習。又因要與今文家爭勝，以求列入學官，故於今文之學，也須鑽研。這便養成一種博通的風氣。到東漢，一些古文經師，如賈逵、馬融、鄭玄，其實都是併治諸經且能兼采今文的。就是今文家，為了辨析人我之異、說明自己之長，也漸漸博通了起來。如何休，除了寫《公羊墨守》外，還要批評《左氏膏肓》《穀梁廢疾》。可見即使是墨守家數，也仍須兼知別家在講什麼。

經學的流衍，除了古與今、官與民、專與博的區分外，到魏晉南北朝以後，還出現了南與北的區分。

《魏書・儒林傳》說：鄭玄的易、詩、書、禮、論語、孝經注，服虔的左氏春秋注，何休的公羊注「大行於河北」。似乎北方反而繼承了漢代的經學，與南方自魏晉以後深染於玄學風氣的經學頗為不同，故馬宗霍《中國經學史》云：「史家既有南朝北朝之目，經學因亦有南學北學之分」。不過詳細考察，史傳所記，多不符實。王弼注並不只行於南朝，鄭玄注也未必僅流行於北方，唯風氣所染，南北確有不同罷了。

南北之分，至隋唐統一以後漸次消泯，唐代政府在經學上主要推動南北統一的政策，以與統一的政權相符，因此命孔穎達等人纂修《五經正義》，綜合漢魏南北朝及古文今文以成定解。因為科舉考試之需，唐代，無論明經或進士皆要考經義並背誦經文，加上大學教育也如漢朝一般重視經學，故經學亦甚盛。

然而，時世久而變，經義策試之風既盛，士人研練經義，漸不以章句訓詁為然。經學遂也漸漸與漢魏不同，重在義理的闡發。並在五經之外，特尊《論語》《孟子》；又從《禮記》中摘出《大學》《中庸》來，謂為道統所繫，推為聖典。於是這四本書，地位竟漸同於五經，甚且愈來愈重要，高於五經。經學乃亦成為理學，以闡明孔孟義理為主。

元明清科舉考試及學校教育，均以四書為主，五經為輔。考試本試經義，後考文章，稱為經義文。因重對仗，俗名「八股文」。雖說是代聖立言，實是文章取士，以致經學也者，竟成了文辭上的講究。文氣之起伏提掇、章法之呼應對照、對仗之銖兩悉稱、句字之警策生動，比義理之愜切更為重要。於是經學之奧，胥由文辭之美求之。

清乾嘉以後，力懲此風。既反對宋人理學，也反對八股經義，要重新回到漢學的路子上去，以訓詁小學、章句考訂為治經之基。然而，探索古書古字、尋覓古本古義，實已將經學視同史學。研經同于考史，章學誠且有「六經皆史」之說，見其《文史通義》。故知由乾嘉樸學一步步走向民國初年的古史考辨運動，乃是脈絡一貫的發展。

這是經的形成史與傳述史。其中涉及今與古、官與民、通與專、南與北、經學與理學、經學與文學、經學與史學的分合互動諸關係。這些關係，也是動態且互相關聯著的。

四、傳經體制

經的傳述史，還涉及到不同的傳述體制。漢代無論今文古文經學，都在教育體系中傳布，其爭論主要也發生在教育領域（如爭立學官），而不發生在人才選舉制度上。唐代則科舉制度在經學傳述上的意義大增，金元明清更是考試引導著教學，整個經學發展又受其影響。

漢代的博士生員教育情況已如前述，其人才選舉之制，則為察舉。皇帝舉秀才，宰相也每年從府吏中舉一人為秀才。至東漢，三公每年均舉茂才一人。這時，秀才只是優秀人才之意，並非一科，察舉後還要經過考試或試用，才得授官任職。考試就要分科了：「刺史舉民有茂才，移名宰相。丞相考召，取明經一科、明律令一科、能治劇一科，各一人」（見《漢舊儀》）。取為明經以後，就可分發去當議郎、諫大夫、博士、諸侯王的教師、僕射、郎中令等。

這些官之所以需要經學知識，是因漢代講究以經義論政決策。如安帝乳母自恃對皇帝有褓育之恩，行為放縱，子女隨便出入宮禁，楊震上疏勸諫，就引用鄭莊公縱令母親疼愛弟弟，以致弟弟後來起兵造反，而《春秋》譏貶之的故事。這是漢代諫大夫之所以必須明經的證例。其餘各官，論事輒引經義，亦是常態，所以皮錫瑞《經學歷史》說漢儒「以〈禹貢〉治河，以〈洪範〉察變，以《春秋》決獄，以《三百篇》當諫書」。此非制度之規定，但風氣所被，明經科考這種制度即緣斯而生。

秀才以外，尚有孝廉。孝廉本是舉賢，但察舉之後若要授職，仍需懂得經義且會辦公事，故亦須考試。到魏黃初年間「三府議：

舉孝廉本以德行，不復限以試經」（《魏志·華歆傳》），可見原先也是要考經義的。

但這些考試並未發生今古文之爭，如教育領域中那樣。當時考試，選拔的主要也是「文吏」，故明經以外，尚有明律令及能治劇。能治劇就是會辦公，擅行政事務之意。明經所取，多為論政之官；明律令及能治劇，則為治事之官。此與唐代甚為不同。

唐代科舉，明經與進士為常，餘均不重要。而明經與進士就都要試策經義。因此除了資蔭門第等其他管道任官，凡通過科舉者皆當治經。宋神宗時，廢明經，僅存進士，但進士不加考詩賦，如唐朝時，只考經義，情況仍是一樣。金元以後的科舉，考八股文，代聖立言，依然是以經義取士。

考試制度促進了經學的統一，因為不同的文字、不同的師法家法，考試時無法評分。故東漢蔡邕撰寫《熹平石經》，刊刻在太學門口，令各方學人傳抄。這就是經籍文字上的定本。唐代修《五經正義》，以正諸儒異同、南北是非，便是經典解釋上的定本。宋神宗時，以王安石的《周官新義》等科士。金元以後，以朱熹《四書集注》命題，也都是經學之統一。

而這種統一，主要是政治力量的運作，文字以誰為正、解釋取誰又棄誰，並非學界自主討論的結果，有時皇帝還會自己垂示其「御注」。例如唐代明經進士考試須考《孝經》《論語》《老子》。《老子》成為明經需明之經，乃因唐代認老子為遠祖之故，漢宋皆不如此。《孝經》為必考之科，也與號稱以孝治國的漢代不同，唐玄宗自己撰了《御注孝經》，更凸顯了政府對此經的重視。此外，經又分大小，以《禮記》《左傳》為大經，《毛詩》《周禮》《儀禮》為中經，《周易》《尚書》《公羊》《穀梁》為小經。這大小，無論是就字數篇幅說，或就重要性說，亦都顯示了科舉制度對什麼是重要的經典、什麼是正確的版本、什麼是正確的解釋，均起著深刻的影響。

但政治既起作用，也必然發生反作用力。漢代官學本是今文，後來卻是民間的古文占了上風。古文不在教育體制之中發展，它仰賴的是民間的私家教育制度，也就是家族傳習或私人講學。南北朝期間，這更成為了主流，《魏書·儒林傳》云：「燕齊趙魏之間，橫經著錄，不可勝數，大者千餘人，小者猶數百」，說的是北方的情況，而南方亦是如此。世家大族，又稱士族。士族的條件，就是累代官宦和經學禮法傳家。

唐宋以後，朝廷在國家教育體系之外，更利用科舉來強化其思想主導地位，可是民間傳習依然另有脈絡。書院之崛起，即是相對於政府官學的。故在晚唐五代，廬山白鹿洞本是「國學」，到了朱熹在那兒講學以後，竟成為天下書院之代表，政府反而要來禁止它，稱它為「偽學」。而這偽學，經金元科舉奉為正宗準繩後，明代講學又別出機杼，所以王學漸盛，惹得政府又來禁毀書院。清朝仍以朱子學為正宗，然士林風習，頗不同於國家功令。乾嘉以降，樸學治經，便是反對程朱理學的。

民間的傳述體制，除私人講學和家族傳習外，還有一些宗教團體，以說經布教。所說雖多為佛道經典，但講說《論語》《易經》的也很不少，提倡三教合一者更多。如金元間的全真教，就是把《中庸》《道德經》《金剛經》合論的。明末蕅益和尚注《易》亦具盛名。清代太谷學派又稱大成教、大學教，在山東肥城黃厓傳道，被政府派兵剿滅，其南宗乃隱遁傳學。致令其教徒劉鶚在《老殘遊記》中介紹該教宗旨時，仍要隱約其談。這便可以看出在經典傳習上因體制之異而形成的緊張關係。

傳述體系不同，傳述之內容當然頗有差異，再加上時代的分歧、學派的爭論，差別更大。漢代五經博士之立，民間已有古文經學起而相爭，但仍在五經這個大框架內爭。唐代總結南北朝經學之分，編纂《五經正義》，也還維持著這個框架。然而所謂五經已漸漸在《春秋》中含攝了《左傳》《公羊》《穀梁》，在禮中包括了《周禮》《儀禮》《禮記》，於是五經實已有九，這就是五代刊刻經典時，逕稱為九經之故。而唐人科舉經義，《孝經》《論語》既然必考，其地位自然足以與五經並列。孟子在中晚唐，地位又因韓愈、皮日休等人之提倡而日高，似乎也可列入經中。再加上一本被視為是解釋經典的鑰匙：《爾雅》，不就成了《十三經》嗎？

《十三經》，是漢魏南北朝隋唐經學發展之結果。可是宋代以後，說經者並不安於這個矩矱，竟脫離了此一框架，把《論語》《孟子》拉出來，再將《禮記》中〈大學〉〈中庸〉二篇獨立出來，併稱「四書」。於是講五經乃至十三經的，與講四書的，儼然敵體，成為兩個體系。明末刻行十三經或提倡經學的人，都具有反對理學也就是四書學的氣味。清朝乾嘉時期之論經學，更以興復漢代經學為目標，阮元刻《十三經注疏》，便是那一時代之標幟。

可是，清朝在提倡漢學這帽子底下，漸漸又不愜於《十三經注疏》了。不過此次不再是想對經做增削或改換，而是想換注疏，覺得漢唐注疏都不夠好，所以不斷有人倡編《十三經新疏》，以代替舊注，用清人注疏來全面替換它。

經典的內容及其傳述史、解釋史，就流轉於這許多群體與形式間，生成於差異和爭論中。

五、經典不死

經學史中存在著這許多爭論，看來似乎不符它常經真理之形象。因為唯有那天經地義、不容懷疑的東西，才足以做為人們行事的準則。如果連經是什麼、經有什麼內容都搞不清楚、都爭論不休，那又何足以為人所依憑呢？

殊不知，爭論之大，正代表了人們對它的重視。政府、社團、宗教、士族，誰都想來爭奪解釋權，誰都聲稱他才最懂經典，不就表示大家都非常在乎它嗎？不只中國儒家經典有此現象，佛教、伊斯蘭教、基督教，乃至西歐世俗經典，如柏拉圖、亞里士多德之著作，亦皆是如此。佛教在佛陀入滅後才結集經典，但結集後迅即分裂，先是分為上座部與大眾部，然後再分裂成二十部，稱為部派佛教。而且一分不可合，繼之發展出了大乘佛教。大乘中又分中觀與瑜伽二派。接著再又出現密教，彼此爭鬨。基督教則在羅馬帝國時期形成統一教會，看起來並未分裂，但內中實分個各修士會，各具傳統。到馬丁路德新教革命運動崛起後，信徒更可以不必透過教會和教士，自己閱讀、理解《聖經》並與上帝溝通。故新教之出現，亦可視為經典解釋權之爭。擴大來看，伊斯蘭教與基督教宛如水火，個中原因固然複雜，但不妨說亦屬教義解釋權之爭。兩者在教理上差異不大，可是一奉耶穌基督，一僅以耶穌為先知之一，不如穆罕默德那般，是最重要且最後的先知。故一奉《新約》，一奉

《聖訓》，遂若涇渭不能同流。

在外人看，經典的篇章、文字、音讀、注解以及如何認知的差異，都沒什麼大不了，差異不大。且就算有些微差異，又何至於須如此抵死相爭呢？可是在奉該書為聖典的人看來，那還了得？非爭個水落石出不可。為什麼？因為聖典之所以為聖典，就因人們視其為一切人文知識之基礎或根源，所以在此小有差訛，整個世界就都不同了，絕對不能稍有輕忽。

所謂文明，亦即體現在這些對聖典的不同理解不同認知中。講西洋史的朋友常說：「一部西方哲學史，可說就是柏拉圖著作的注解史」。在中國也一樣。經典做為人文知識之源，不斷孕育生長出爾後的思想來。歷代的詮釋解讀，既朝向著歷史，解析著古典，實際上卻又是古典在新時代開的花，表現著新一代人孕育於古典而生長的新成果。

這些新花新果，並不都以注釋詮釋經典的方式呈現出來。經典像乳汁，小孩子喝了它，可是流的淚、長的肉卻不見得仍是乳汁的形狀。人文知識各個層面，如文學、藝術、禮俗、制度等等，都體現著那個民族或時代對經典的含茹消化狀況。

所以文學家才會說文源於道，或為文須「宗經」「徵聖」（見劉勰《文心雕龍》）。我們的年俗節慶活動，基本上依據〈月令〉來進行。生命禮儀，如生、冠、婚、喪、祭的相關禮俗，大體也是由《禮》經上斟酌變化出來的。中國人的人倫關係，父慈子孝、兄友弟恭之倫理要求，更離不開經典的描述與規範。就是城市建築、居室空間、衣飾、工藝，也處處可見經典的影響力。比方我們現在的戶籍制度，就仍是《周禮》那一套。建城，《考工記·匠人營國》

說：「匠人營國，方九里，旁三門，國中九經九緯，經塗九軌，左祖右社，面朝後市」，後世都城，如宋之汴梁、明清之北京，亦皆是如此。這樣的例證，是舉也舉不完的。

即便是看來與儒家經典對諍或爭峙的佛教道教，在中國社會裏，也不能排拒儒經的勢力。道教中不乏吸收儒家經典思想或也尊奉著儒家經典的，前文述及的全真教便是。其他如葛洪《抱朴子》以內篇外篇的框架來安置儒道，忠孝淨明道強調「口談道德，孝敬中外，信義忠良，仁和禮善，卑遜德行」（《靈劍子·道誡》第七）才能入道修真，亦屬此類。佛教在中國也特申忠孝之旨，以「出家大孝」來解釋儒佛間倫理的矛盾。對經典也頗多注解，注《易》注《論語》，啟人神悟處亦不在少。

還有些宗教，逕以經典為神咒，如南懷瑾就在《原本大學微言》中提到他於民國三十年左右見湖南一道門，為人治病，只靠咒法，輒能有驗。他懇求該派道長傳授法門，求了許久，才終獲教授。結果那咒是什麼呢？卻原來就是《大學》的第一章：「大學之道，在明明德，在親民，在止於至善……」云云。很有趣吧！這就是聖典崇拜，與相信誦佛經道經有功德，可消災業、登真得渡，或相信誦《聖經》可以驅邪辟鬼是一樣的。儒家經典在這些宗教性事務上發生之作用，亦與佛道相似。

因此，無論是世俗性生活或神聖領域，經典的功用都是極大的。在中國，則以儒家經典為主幹。不明白經典的形成與傳述歷程、不熟悉經義內容、不探究一切有關經典的爭論，自命通脫，以為可以不被經典所束縛，實際就是對一切人文知識皆無所知的癡漢。這樣的人，若說也想談點學問的事，哼哼，下輩子吧！

第八章　史

晚清國粹派之不同於朝廷者甚多，朝議重經，而國粹派重古史，即為其中一端。早在清嘉道間就有「六經皆史」（章學誠）「六經，周史之大宗」（龔自珍）一類說法，以經學為史學。國粹派也發揮此一觀點，如章太炎就說：「經學還是歷史學的一種」。故不僅不尊經，更把古代諸子學都推源於史官，視六經為史官所纂輯之史籍史料。

但對於中國的史學傳統，他們卻並不推崇。梁啟超於 1902 年著《新史學》，就說舊史學有六大弊病：知有朝廷而不知有國家、知有個人而不知有群體、知有陳跡而不知有今務、知有事實而不知有理想、能鋪敘而不能別裁、能因襲而不能創作。讀這些史書，則會讓人痲木無感觸。因為那只是「君史」，不是「國史」或「民史」。國粹派人士，也多此類聲口。馬敘倫《史學總論》說舊史乃「一家之譜牒」，黃節說舊史只有「一人之傳記，而無社會之歷史」，陸紹明說史學衰於史官，故論史須「捨正史而言史學」等等均是。

這些言論，迄今仍然深具影響。民國以來的史學，事實上也就是由批判舊史學而生的。如今硝煙未散，但畢竟已到了可以平情觀察中國史學傳統是怎麼回事的時候了。

一、文字的書寫

史字在中國，猶如「文」字，頗多複義。清末以來，釋史字者數十家，意見甚為不同，此處不能一一辨析，只用通說：史，字形作史，像人手執筆狀。執筆記錄下事情發生的經過，這就是史。記錄，乃是史字的第一個涵義。

記錄，是用文字符號來指明、代表事物，其動作是書寫。書寫者是誰？古代職司書寫記錄的是史官。所謂「左史記言，右史記事」「君舉必書」，這種職業書寫記錄人，史官，即史之另一涵義。史，既指記錄，也指負責記錄的人。

史官史家用文字記載了曾經發生過的各種事之後，那些事件隨風而逝，誰也找不著、看不見它，只有史書留了下來。因此，什麼叫做歷史？就是那些歷史記載罷了。它本來是以文字來代表來記敘歷史的，可是這代表物代替物卻成了真正的歷史。故史之涵義既是記錄者，又是史書、史籍、史載，更是「歷史」。

真正發展過的歷史，早已不可見，能留下來的只是史書。因此所謂歷史研究，其實只是研究史書上的記載。相對於真實發生過的歷史，史書顯得更為真實。因為那個所謂的「史實」宛若春夢無痕，虛幻難憑，文字卻銘刻在竹簡木牘上、印在雕板上、鐫在金石上、寫在紙帛上，顯得更具體而實在。

文字具有不朽性，所以也就具有真實性，我們常說：「口說無憑」，須立個字據下來，才免得日後反悔。字據之據，就是證據的意思。我們相信文字可為憑證，可以依據，就是由於必須要有文字記錄才能證明當年發生過什麼事。而這不朽、真實、證據等涵義，當然也就是我們對歷史記載的看法。歷史上發生過了一些事，經我們的記錄以後，它才能永遠存留下來。史書本身就是歷史曾經存在的證據。

但重視歷史，因而要努力記錄下歷史的軌跡，以供後人考案，乃是中國人特有的傳統。因此史官史著格外發達，非其他文明所能及。

印度的時間觀念本與我們不同，不是說極長極長的「劫」，就是說極短極短的「一剎那」。說人之生平經歷，又常講他的多少前世，故一人之事蹟，可以指其數十世所經歷之事。他們又重口誦勝於筆錄，因此在佛經結集以前，真正的史實根本難以究詰，無史可說。

印度人無歷史觀、歷史意識，也無史著，希臘文化則是反歷史的（untihistorical tendency）。柏拉圖《泰米阿斯篇》記梭倫在與埃及祭司對話時，才發現他自己和任何其他希臘人，誰也不知道自己的古代史，可見一斑。希臘哲學家都不關心歷史，歷史在教育中也無明確之地位。他們當然也會講一些古代的事。但那只是些事體的零碎敘述，就如講故事與歷史記錄不能混為一談那般。況且希臘人的思惟特性，在於追求永恆、確定性、本質。這種哲學思惟，與歷史意識關注於事物之變，亦恰好相反。

書寫更是個特點。印度與希臘古代都以口傳為主，中國的歷史則如「史」字所示，強調書寫。歷來談到史書，也都必要指明他們的書寫性，如《周禮》說史掌官書以贊治；〈王制〉云太史載其國記；《呂氏春秋》云紂王迷惑，內史向摯載其圖法出亡於周；《左傳》襄公二十五年載太史書崔杼弒其君，崔氏殺之，南史氏聞太史盡死，執簡以往。又，宣公二年載孔子曰：董狐，古之良史也，書法不隱。凡說史官秉筆、載筆、執簡、直書、直筆、書法等，都就其執筆說。只有班固說九流十家中不入流的小說家才是「稗官野史，巷議街談」。可見史書重寫，若是口傳便居末流，雖亦為史中之一類，但僅居偏稗，書記才是主流。史官所記當然也包括了言，如「左史記言」。但既記下來了就不再是言說，而只是文字對語言的記載。

這種對文字書寫的愛好甚或崇拜，乃我民族的特點，史載之多，史之重要性，均自此一觀念發展而來。

二、史官的傳統

因史與文字書寫具高度相關性，故據說創造了文字的倉頡，又被稱為「史皇」，象徵歷史之開端。在文字創造以前，人類雖已有了千萬年歷史，但歷史在有文字可敘述之後，才足以徵考。故歷史斷為兩截，文字記錄以前，稱為「史前史」，其後才是「信史」。

可是倉頡造字畢竟只是個傳說，殷商以前的文字，目前尚不可考，因此古來雖說堯時已有五典惇史，但真正史冊大備或許還是在商周之間。周公〈多士〉云：「殷先人有冊有典」。今所發現之甲骨，大約是史官占卜之記錄，亦是史的一種，其他典冊諒必更多。《呂氏春秋・先識》說夏桀之亂，太史令終世出其圖法；殷紂之亂，而史向摯亦載其圖法出亡，看來並非妄談。

到周朝，史官與史錄就更複雜了。周禮所載，可分為五類：一、太史掌建邦之六典，主治法：「凡邦國都鄙及萬民之有約劑者藏焉，以貳六官，六官之所登，若約劑亂，則辟法，不信者刑之。正歲年以序事，頒之於官府及都鄙，頒告朔于邦國。……大祭祀，與執事卜日，戒及宿之日，與群執事讀禮書而協事」，權力大得很。二、小史，「掌邦國之志，奠繫世，辨昭穆，若有事，則詔王之忌諱。……凡國事之用禮法者，掌其小事」。三、內史，掌王之爵、祿、廢、置、殺、生、予、奪等，是王的輔佐，掌王命。四、外史，「掌書外令，掌四方之志，掌三皇五帝之書，掌達書名於四方」。五、御史，「掌邦國都鄙及萬民之治令，以贊冢宰」。

五史皆屬春官，執禮、掌法、授時、典藏、策命、書事、考察，無不涉及，跟後世只管記錄史事的史官，看來頗不相同。不但職司廣，而且設官多。因此清末民初史學復興時，就頗有人據此以言古代學術即源於這龐大的史官群體。

但情況好像並非如此。《周禮》及其他文獻所載之史，有時語意等同於「吏」，也就是政府文官體制中掌文書檔案，根據法例條令來辦事的人。這些人，由於也具書記之性質，故亦可名為史，但相對於爾後專以記錄史事為職務的史而言，此乃廣義之史。

不過，廣義狹義其實也很難分。漢代司馬遷就說他們家世代為史，掌天官。狹義的做一名史官，也仍是要懂星曆卜祝，涉及會計、法令、典禮的。官府各類冊典檔案，本來也就是史料，管理這些文書的吏，不也就是史官嗎？史職幾乎等同於吏職，反映的，恰好也即是中國人特別重史的觀念。

文官體制中的書記吏員，辦事都是依照著法令條例來的；一切記載，也都有其規定。這些成例與規範，便是我國史事記載中「書法」的來源。

一件事，該怎麼記，自有當時與周朝禮法相配合的一套寫法在規範著這些書記。如《左傳》隱公七年：「春，滕侯卒，不書名，未同盟也。凡諸侯同盟於是稱名，故薨則赴以名告終稱嗣也，以繼好息民，謂之禮經」，杜預便說這應該就是周公所制的禮經，是史官書寫的凡例。魯國的史書，對其他國家君王的記載，只有同盟國才稱名，是當時的禮制，所以說這是禮經。此制是否真是周公所定，當然未必。但彼時諸侯間訃告來往、文書函移，勢必有一套通行的書寫慣例，是絕無疑問的。這種書寫慣例，與其禮制相呼應相配合，甚且就是體現其禮法的最重要方式，也是無疑的。這種情況，凡在政府機關任過職，略諳政府文書體例者，大體都能體會。

由此發展下來的中國史學傳統，也因此一直與禮分、書法、凡例相關聯著。史之大宗，也在官史。

當時各國皆有其史，故春秋時墨子說：「吾見百國春秋」，史都是政府官史，史著皆政府之圖籍文書。春秋以後，貴族淩夷，學術漸漸散在民間，史載亦然。但民間傳述，乃是稗官野史。野，相對於朝而說，卻也意味著不正經不正確，猶如「齊東野語」之野，評價明顯低於官史。官史，本就有符合規矩，屬於正式文書之意。後來「正史」一辭，指的也仍是官修之史，或雖私修而經官方認可的。

但官史是否也就代表它是「君史」呢？

這需分幾點來說。一是文官制度本身就具有相對的獨立性。它是君與民的中間層，既可起仲介者之作用，有時也是阻絕層。因為文官乃專業技術官僚，依據的是專業知識與法令規例，並不完全服從政治命令。臺灣在民進黨執政以後，原以為可以大刀闊斧，幹自己想做的事，不料政策進入文官體制之後，卻感處處掣肘，施展不開。為什麼？就是因為專業文官科層組織自有其運作規範，不盡能曲從政治考量；原本在野的政黨，又不嫻熟該如何操作這套組織，以致彼此扞隔。於是執政者一方面狐疑文官們都是前朝餘孽，不肯配合；一方面選派心腹，在體制外從事符合自己政治目的的任務，因而破壞了體制，出現了許多弊端。這個例子，就可令人瞭解科層組織的相對獨立性是怎麼回事。過去論者思考比較簡單，常把君王和政府文官組織合起來，全部視為統治者，人民則是被統治者。不曉得韋伯（Max Weber）所說的這個專業文官科層體制的作用，故於此較少體會。

周代的文官體制已然極為發達，官員之文書記載，自有其專業判斷及禮法禮分之規定，並不完全聽命於主政者。所以晉靈公時，趙盾逃亡，還沒逃出國界，他弟弟趙穿就把靈公殺了，趙盾再回來做官。結果史官董狐寫著：「趙盾弒其君」。趙盾向他喊冤，說國君並不是我殺的。董狐說：你是正卿，雖逃亡，但還沒出境，仍有主政的責任；而你回來了，又沒逮捕兇手，我不寫你殺，該寫誰？趙盾聽了也只好認了。孔子評論此事，就說兩人都不錯：董狐能根據書法來寫史，趙盾則能「為法受惡」，雖明明自己沒弒君，可是依當時記事的法則，是追究政治責任的，史官既依據這種書法來記事，他也就乖乖承擔這個罪名。在這兒，就顯見那個「法」是具獨立性的。

法有獨立性，專業文官才有尊嚴，當時文官對此也極為強調。《左傳》襄公二十五年載：崔杼把莊公殺了，太史記錄：「崔杼弒其君」，崔氏大怒，把太史也殺了。命太史弟弟來寫。結果他還是這麼寫，崔氏又把他給殺了。又一個弟弟，還是如此，又殺了。再一個弟弟，仍寫崔杼弒其君。崔氏無奈，只得罷了。當時另一位史官南史氏，聽說太史都被殺完了，竟帶了竹簡趕來，準備接力寫下崔氏罪狀；得到消息說已寫了，才返回家去。他們用生命來維護職業的尊嚴，事實上也就維護了史法的獨立性。唐朝以前，史官記了些什麼，甚至根本不給皇帝看。故控制著史家的，並不是君王的權威，而是法的權威，以及史官們奉守史法的自律精神。

《大戴記·保傅篇》說：「太子有過，史必書之。史之義，不得不書過，不書過則死」，《詩·衛風·靜女》毛傳：「史不書過，其罪殺之」，《左傳》昭公二十九年晉太史蔡墨說：「物有其官，官修其方，朝夕思亡，一日失職，則死及之」，都表現了這種以生命奉獻並推廣史職史法的自律精神，這是中國史學最珍貴的品質。

而其所以如此，是因為文書史記本身就具有不朽的性質。它寫下來，並不是為現在的人服務，而是給後世人看的。相對於現世王權，歷史領域當然是獨立的，史官只為歷史負責，這就保障了他的獨立判斷之權。他的記載，宛如鬼神臨鑒，把一切美惡都看在眼裏、記在書裡。對時王而言，便又形成了一種道德壓力。王者雖橫行於一世，但歷史的評價仍是他所在意的。偏偏史家記錄，因要為後世提供足以借鑒的材料，所以格外強調「不隱惡，不虛美」，對君王自然會有更大的心理制衡力量。此即所謂「以史制君」。近人每輕視這種制衡力量，以為民主制度的民意制衡才有作用。殊不知上帝裁判、閻羅王審判，都是訴諸死後的，均是另一種形式的歷史制衡。你說它有沒有用呢？假若一位暴君，連閻王上帝都不怕，你以為他會怕民意？

《左傳》莊公二十三年：「君舉必書，書而不法，後嗣何觀？」《漢書·藝文志》：「古之王者，世有史官，君舉必書，所以慎言行、昭法式也」。此種史官根據史法，記錄君王功過，以垂示後世，並以此儆惕時王的傳統，亦是中國史學之重要精神。史雖官修，但非君史，正以此故。

三、個人的著述

當然吾國之史亦不盡為官史。前面不是說夏桀時太史終古出其圖法，殷紂時內史向摯亦載圖法出亡嗎？改朝換代，原先的官吏自然就流散於民間。春秋以降，王國併吞越來越劇烈，這種情況即更明顯。所謂稗官野史，野史就是流散在野的史氏記錄，或民間仿作的雜記。

這其間最重要的野史，就是孔子修的《春秋》。孟子說：「春秋，天子之事」，趙注：「孔子懼王道遂滅，故作春秋，因魯史記，設素王之法」。關於什麼是「素王」，歷來爭議很多，但不管如何，總之是孔子職非史官，而依仿魯史記另作一史。史官本是天子所命，替天子撰史，孔子則是自己來修史，代行了天子之事，所以名為素王。

此事在經學史上有非常多意義可說，在史學上也十分重要，因為就如他開創了私家講學之風那樣，此舉也帶動了私家修史之風。其後私人作史者不斷，皆衍孔子之緒。

私人作史，可依循史家舊法，亦可自出義例。縱橫事類，衡斷古今，當然大大豐富了史著的寫作方式。私家修史，自為主宰，其自由度也更大。因此許多新的體例，如鄭樵之《通志》，袁樞之《通鑑記事本末》，皆由私人所創。官吏之長處是規矩，短處亦是規矩。私史就自由活潑多了。泛濫所及，甚至替花草作史、為畫舫寫記，北里有志、法帖有譜，史載日繁，史道日廣，胥賴於此也。

當然，自由的另一面，就是不規範。其中訛誤較多，挾私阿好之處亦較明顯。《四庫全書》史部總敘說：「私家記載……議論異則門戶分，門戶分則朋黨立，朋黨立則恩怨結，恩怨既結則排擠於朝廷，不得志則以筆墨相報復。其中是非顛倒，頗亦熒聽」，講的就是私家記載的毛病。

除了開創私人修史之風外，孔子的《春秋》乃是因魯史而作，亦即以魯國歷史為框架來敘列春秋史事。這也帶出了一個問題，令人疑心他有「故宋、新周、王魯」之意。

此意在經學上另有解釋，此處僅從史學上說，就是王權正統延續和改換的問題。宋代表殷王朝。殷滅了，周代興。可是孔子作春秋之史，卻不用周王朝為框架而用魯，是否表示周德已衰，該由魯代之而興呢？魯事實上又未真能繼周而王天下，則這個魯，也許便是寓言，代表一個繼周稱王的朝代。於是，《春秋》彷彿就是在暗示著漢代的事了，漢人乃因此而說「春秋為漢制法」。姑不論其說然否，《春秋》是講大一統的，這新周故宋王魯云云，似乎就顯示了一種正統嬗遞的歷史觀。

正統，主要是指政權改換的問題。稱正，就意味著有不正。不正的，被形容是偏統、霸統、偽統、閏統。而正不正，或由血統判斷；或由能否統一天下，大一統判斷；或由五德終始判斷；或由道德判斷，乃是中國史上聚訟之處。

因為凡取得政權者無不自視為是正統，宣稱自己「居中國，法天奉本，執端要以統天下、朝諸侯」（《春秋繁露·三代改制質文篇》）。未完全統一的分裂時代，或外族入主，統正不正就各有看法了。梁武帝《通志》把吳蜀都列入「世家」，五胡及拓跋魏列入〈夷狄傳〉；司馬光《通鑑》以魏為編年主體；朱子《通鑑綱目》則以蜀為正統，都是正統論令人困惑的地方。歷來也頗有史家對之不以為然，如王船山《讀通鑑論》便是。

但若上推正統之說本出於「新周、故宋、王魯」這種繼統觀，是因注意到政權嬗遞以及其得天下正不正而提出的，則此說亦非毫無意義。因官史本附於政權，是政權體制的一部分，野史則跳脫一時政權，在政權之外，看到一個政權在歷史長流中也只是「一個」政權而已。雖然主政者都希望千秋萬代，帝國永固，但史家卻十分明白天下非一家一姓所有，政權是會更替的。而政權之獲取，更可以對之有一價值判斷，看它得統正還是不正。這種意義，與「以史制君」是一樣的。

孔子作《春秋》還帶出了一個問題，就是經史分合。春秋本是魯國史書的名稱，孔子作的亦名《春秋》，卻是經。若說此乃後世儒者推尊孔子才惹出來的麻煩，亦不盡然。《莊子·天下篇》就稱古道術之「明而在數度者，舊法世傳之史，尚多有之。……詩以道志、書以道事、禮以道行、樂以道和、易以道陰陽、春秋以道名分」。可見詩書禮樂易春秋，在古代本是舊法，也是世傳之史所傳授的學問，此時經史其實難分。孔子所作《春秋》，同樣也是經是史，難分得很。

劉向《七略》秉此傳統，未立史部，《春秋》列在六藝略中。王儉《七志》也把六藝和史記、雜傳併為經典志。到晉荀勖《中經新簿》才把六藝歸為甲部，史記、舊事、皇覽簿、雜事等列為丙部。梁元帝《書目》則列史部為乙部。梁阮孝緒《七錄》亦把春秋放在經典錄，另立紀傳錄，收國史部、注曆部、舊事部、職官部、儀典部、法制部、偽史部、雜傳部、鬼神部、土地部、譜狀部、簿錄部。經與史至此乃正式分家。

雖然如此，史家論史法，仍要溯本於《春秋》之「屬辭比事」「書法」；講史例，仍要推源於《春秋》之條例；講史義，仍然要歸宗於「春秋以道名分」或「其義則丘竊取之」。經史的關係似斷非斷。

其所以如此，除了歷史性的淵源關係，使得分了家的孩子仍與本家祖宗有扯不斷的聯繫外，更根本的原因，在於歷史敘述必有個意義的歸向，歷史記錄必有個標準。史家不可能什麼都記，記了一大堆陳年舊事又是為什麼？若說要懲惡勸善，以為龜鑑，則善惡憑什麼來判斷？一時的社會評價、世俗榮辱，與歷史的是非褒貶，何者才更合乎正義？這些問題，一旦追問下去，必然涉及哲學上的態度和一些信仰層面的東西，用我國傳統語言來說，那就是道的問題。此等問題，在史家「究天人之際，通古今之變」時，勢必通向經學，以求貫解。猶如在西方談歷史哲學輒與其神學有關也。近代偏於技術性、知識性、材料性的史學，大行其道，不喜歡談歷史哲學，斥為談玄。殊不知若要窮歷史之奧，其實迴避不了這些問題，鴕鳥雖將頭埋進了沙裡，問題可並不因此就消失了。

四、官史的發展

在私史越來越盛時，官史亦未萎縮，政府仍極重視它。周代「世學官守」的局面破壞後，許多學問都不再設官了，唯史官等少數官職依然保留著，且重要性並未消褪。這是比較罕見的事。唐代科舉，甚至有三史科，每史問大義一百條，試策三道。《唐會要》卷七六載：「國子學有文史直者，弘文館弘文生，並試以史記、兩漢書、三國志」，則是國子教育中的史學考試。當時名士，又以娶五姓女、中進士與修國史為人生三大志願。凡此之類，都可以想見史職史事在人們心目中的地位。

官方的史職史事，當然主要是存錄當代史料並修撰史籍。今存所謂正史，大抵即指此類。

正史之名，始於阮孝緒《正史削繁》，但其書不傳。後世正史一詞涵義等於國史，亦即一代之史，如所謂「廿五史」，除《史記》外，都是一代之史。這是由於官史本來就依附於政權，故每一代都一方面存錄本朝之史，一方面修纂前朝之史，代代相沿，就形成了三漢、三國、六朝、北朝、隋、唐、五代、宋、遼、金、元、明、清這廿五史。

只有《史記》原非官修，而是史官司馬遷自己撰寫，後來才被視為正史的。其體亦與後世一代國史（所謂斷代史）不同，乃通記三皇五帝以來之史，故又被視為通史之典範。通史旨在通古今之變，斷代史用以誌一代之盛衰，看來不同，但歷來斷代史中也不能不通錄古今，通史中也不能不詳本朝，並不能截然而分。例如《明史》以前，各史〈藝文志〉就都是通錄古今的。梁陳齊隋周五史，本來也是合為一史的，現在卻拆成五本斷代史，今存《隋書》的十篇志，就是針對這五個朝代而作。《漢書》號稱斷代史之祖，可是〈古今人表〉仍然要從堯舜禹湯講下來，故國史、斷代史之說，絕不能泥看。

談國史或正史還有一個問題，就是朝代有興亡，歷史無斷缺，因此一國之史恰是把歷史長流截斷了來說的。可是歷史是能截得斷的嗎？一代之史該從何處說起，看來明白，由政權建立起開始敘述便可，實則不然。建國之過程該不該敘？此時，朝尚未建，不就仍在前一朝代的斷代史範圍中嗎？一朝之亡，往往也非立刻便絕，如明在崇禎自縊於煤山之後，還有唐王福王魯王桂王鄭成功等一連串史事，然則明史之下限又該斷於何時？此即「國史斷限」之問題，是斷代為史時難以迴避的，正史中對其處理方式亦各有不同，可參互而觀之。

正史之中，一般較推重《史記》《漢書》《後漢書》《三國志》，謂其文采義例俱勝，南北朝以下諸史則多雜出眾手，難見心裁。《五代史》已佚，今存者乃由《永樂大典》中輯出。《宋史》冗，《遼史》略，《明史》較佳，《清史稿》則尚在修訂中。諸史或有缺漏，後人葺補，亦漸成專門之學，如《後漢書》無表、志；《宋書》無表；《新唐書》歐陽修誤信劉知幾之言，盡廢諸志，僅有〈司天〉〈職方〉二考，都給後人訂補留下了許多空間。

正史之外，《四庫全書》將史籍分為編年、紀事本末、別史、雜史、詔令奏儀、傳記（又分聖賢、名人、總錄、別錄）、史抄、載記、時令、地理（又分宮殿、總記、都會郡縣、河渠、邊防、山川、古蹟、雜記、遊記、外記）、職官（又分官制、官箴）、政書（又分通制、典禮、邦計、軍政、法令、考工）、目錄（又分經籍、金石）、史評等共十五大類。

編年，本是《春秋》《左傳》之體，自《史記》改為紀傳體以後，正史均採紀傳，編年之地位遂降。但仍為史體之大宗，各朝所編起居注、實錄，均是編年體。宋代司馬光奉敕編《資治通鑑》尤為編年巨製，編時匯聚史料，另撰《考異》，體例最善。胡三省注，亦賅博可資。其後李燾《續通鑑長編》、李心傳《建炎以來繫年要錄》、徐乾學《通鑑後編》、畢沅《續通鑑》等，皆踵其體者。朱子另作《綱目》，重在義法，乾隆御批《通鑑輯覽》等，則屬此類。

宋袁樞因《通鑑》編年為次，有時一件事發生在不同年間，讀者難以明白始末，故另編《通鑑紀事本末》。此例一開，各史都有人編紀事本末。也有就一地編的，如《蜀鑑》；就一事編的，如《親征朔漠方略》《平定金川方略》之類，查一事之起訖因果最詳，頗便讀者。

以上正史、編年諸體，指的既是體例，也是價值上的分類。編年與紀傳，都屬於正史範圍，可是宋陳振孫《直齋書錄解題》在正史之外，又另立了「別史」一門，指的是沒被納入正史，但內容又很重要，價值比雜史高一點的史籍。《四庫》也因襲這種分法，但卻是就價值說了。如漢代史，《漢書》《後漢書》是紀傳體，荀悅《漢紀》是編年體，另外還有《東觀漢紀》，就是別史了。類此者，有《東都事略》《續後漢書》等。《大金國志》《契丹國志》等，亦為一代史乘之作。另也有通貫古今的，如鄭樵《通志》、羅泌《路史》之類。此等別史，只是政府未承認它罷了，究其性質與價值，原不必劣於正史，故雖《四庫提要》謂其多「私撰之本或斥汰不用之書」，實亦不可輕視。

至於雜史，《四庫提要》謂：「或但具一事之始末，非一代之全編；或但述一時之見聞，只一家之私記。要期遺文舊事，足以存掌故、資考證，備讀史者之參稽」，似是雖小道亦可以觀的意思。實則雜不雜也難說得很，如《國語》《戰國策》《貞觀政要》《東觀奏記》《五代史補》《北狩見聞錄》《蒙古源流》等書，價值豈遜於正史別史？其他「事繫廟堂，語關軍國」，如出使、平邊、定亂的紀錄，區域政權的興衰，多見於雜史，都是不容忽略的。

詔令奏議類，古來亦視為史體，因為古代「左史記言，右史記事」，詔令即是王者的言論。但於今視之，此僅是涉及政府施政的史料。同類史料，還有政書類和職官類的書。就是地理類的宮殿、郡縣都會、邊防、河渠等，也大抵是從施政理國的角度撰述的。

這就可見《四庫》史部之分類，其實正是官史觀念影響下的表現，強調政府行為、政治施措，若非「事繫廟堂，語關軍國」，似乎價值便不甚高。且整個分類也都體現著以官史為國史、進而以國史為史的態度。官史傳統之強韌，可見一斑。

五、民史的現象

史籍所存，當然不只有官史國史，私史野乘的傳統雖被四庫館臣刻意掩蓋或抑退，卻仍不難發現。例如傳記類中有年譜一種，如杜甫、朱子之年譜，就屬於個人史。此人或為詩人或為學者，或為循吏或為僧道，所記乃私人之事，非關邦國，也不見得要納入國史的體系中去。又一種家族史，如《金陀全編》《孔子世家》；一種團體史，如《伊洛淵源錄》《唐才子傳》等，乃某一類人或某一群體之史，或敘高士，則為《高士傳》；或言太監，則為《貂璫史鑑》；或記女性，則為《列女傳》；或論僕隸，則為《銀鹿春秋》。下及於日記、遊錄，都是私史民史性質，匪同國史。

時令類書，尤多民史。月令之學，本為王者施政而設，但漢代崔寔編《四民月令》以來，即轉變為民間風俗所繫。到現在，民間歲時行事，仍然要看黃曆、選日子。故《四庫提要》謂此學「大抵農家日用，閭閻風俗為多，與禮經所載小異」。四庫館臣，如前所述，乃是講王政的，但對此也不免用「然民事即王政也，淺識者歧視之耳」之說法來為它爭地位。可見談史學史籍，此類民事資料亦不可廢。

但四庫於此，甄擇不廣，僅著錄《歲時廣記》《月令輯要》二部，存目十一部：《四時宜忌》《四時氣候集解》《月令通考》《月令廣義》《節宣輯》《養餘月令》《日涉編》《廣月令》《古今類傳歲時部》《節序同風錄》《時令彙記》。其實此類書甚多，如四庫於《四時宜忌》下，云其書歷引《荊楚歲時記》，於《節序同風錄》下亦云該書仿《荊楚歲時記》，而《荊楚歲時記》本身卻未被收錄（別錄於地理類），可見所缺是極多的。今人若能通考此類書，就不難看到我國社會風俗的沿續和演變。

在地理類部分，宮殿、邊防、都會郡縣，固是國史之事，其中亦不乏民史資料。所謂國史之事，是說正史別史等均以國家為範圍，但國家之下又有行政區劃，地方行政區域之史，就是地方志。地方志雖名為地方，但它仍是國史之一部分，因為這個「地方」就屬於國家行政體制。故地方志之體例，規準於國史，大體有疆域、山川、建置、名勝、職官、學校、賦稅、物產、鄉里、風俗、人物、藝文、金石、災異等。與正史的傳、志、表相呼應，有些部份則相互發明。對中央政府來說，掌握地方基本狀況，乃統治之所需，故方志修撰，亦政府之重要職責。如今大陸各地尚有方志辦公室之設，修志近萬種，原因在此（明代方志計有三千餘種，今存千餘種；清代方志則今存五千餘種；民國政府在大陸也修了一千五百種左右）。

方志依行政區劃，可分為總志、省志、府志、州志、廳志、縣志、鄉鎮志、都邑志、邊關志、土司志、鹽井志、專志等，這便是它屬於國家體制之一表現。但是，在這個框架中，山川名勝、文化教育、民情風俗、方言土語、民族宗教、礦產物資，靡所不包，民史不也就從而可見嗎？《四庫提要》稱贊《新安志》物產一門「所誌貢物，如乾蘋藥腊芽茶細布之類，皆史志所未載」；稱《嘉泰會稽志》「姓氏送迎、古第宅、古器物、求遺書藏書諸條，皆他志所弗詳」，凡此物產宅第之類，俱可以見民氓生活之史。《中國地震資料彙編》中，光是地震資料就徵引了五千種方志。同樣的，由方志中摘輯蝗災，地方宗教、方言、土俗資料者還不知有多少。

地理志之可以見民史，尚不只此。因為其中頗有些是脫離行政區劃的個別性、專門性地志。如四庫所收古蹟、雜記類，多屬此種。有山志，如《南嶽小錄》《廬山記》《赤松山記》；有湖史，如《西湖遊覽志》；有地方勝蹟，如《桂勝》《吳地記》；有僧寺道觀，如《洛陽伽藍記》《洞霄圖志》；有名園奇石，如《洛陽名園記》《艮嶽記》；有名物土俗，如《南方草木狀》《桂林風土記》《益都方物略》；有一代之風流，如《六朝事跡類編》《東京夢華錄》；有殊方之異聞，如《佛國記》《大唐西域記》《島夷志略》，內容千奇百怪，足徵民風，可考物情。像康熙間編的《岡史》，就是記北京宣武區牛街回民聚落的，不但有當時三十五條胡同，分成十位回民事跡的記載，裡面談到的三種伊斯蘭教漢文譯著，還有兩種不見於其他記載呢！這類地志之可貴，可想而知。

而事實上此類地志也有許多本來就是私撰之史，非官方組織史局志辦去修纂的，前述《洛陽伽藍記》等均屬此類。《四庫提要》說《寶慶四明志》是原已有志，宋羅濬「因一人而別修一郡之志，名為輿圖，實則家傳」，更顯示了方志修撰，固屬官方職責，可也沒禁止老百姓自纂；內容足以彰示個人趣味，不在話下。清修《廣東通志》《廣西通志》，提要談到這兩本官書之前的史志：「《南方草木狀》，但誌物宜；《嶺志錄異》，僅徵雜事。而山川阨塞，或未之詳。明代有戴璟、郭棐、謝肇淛、張雲翼諸家之書，大輅椎輪，又不過粗具崖略」「唐莫休符之《桂林風土記》、段公路之《北戶錄》、宋范成大之《桂海虞衡志》、明魏濬之《嶠南瑣記》、張鳳鳴之《桂故桂勝》皆敘述典雅，掌故可稽」，褒貶雖殊，所列舉的志書，可沒有一本是官修的。

私修之史，多錄民事，而更多的是表達一種個人觀點。或述史以申盛衰之感，或誌物以徵博物之功，或欲於此窮天人之奧、古今之變，其義恰好是與司馬遷作《史記》、孔子修《春秋》相通的。中國人都喜歡寫史。寫不了國史，就寫都邑史；不寫都邑史就寫街市史、坊巷志、宮廟志、學校志，或誌一水半山，或記三遊五旅。再不然就記歲時，作日記，或進而寫自傳、寫別人的傳、寫家譜、作族史，史籍史料之多，亦正是人人都願意藉由歷史書寫來表達我們每個人的歷史感，以個人觀點為歷史負責。而這種個人觀點，一直都是與官史相激盪的。

第九章　子

一、子學之變

子，是指傳統圖書分類中的子部文獻，具體可稱諸子學。用白話文說，就是：各位先生的學問。

劉歆《七略》諸子略，曾把這些先生們的學問分成十大類：儒家、道家、陰陽家、法家、名家、墨家、縱橫家、雜家、農家、小說家。班固《漢書·藝文志》也採用了這個分類，但他說這其中小說家較不重要，因此十家中扣除小說家，便稱「九流」。小說，竟成了個不入流的學問，後世「入流」「不入流」二詞，即起於此。

比小說更不入法眼的，是天文、曆譜、五行、耆龜、形法、雜占。劉歆把它列為〈數術略〉。醫經、醫方、房中、神仙，列為〈方技略〉。兵權謀、兵形勢、兵陰陽、兵技巧，列入〈兵書略〉。都不放在〈諸子略〉中。考其用意，似乎是〈諸子略〉中的陰陽家乃是有理論有宗旨的學問，故學能成家，如司馬遷所謂：「成一家之言」。而那些同樣說陰陽卻偏於技術的，如兵陰陽、五行、雜占之類，就只好放在數術一類中了。此乃「學」與「術」之分，而亦可見當時人對諸子學的看重。

晉荀勗《中經新簿》以四部分類，因此把原先七部分類中的若干類，併到一塊兒，諸子就與兵書數術合併了。其後之四部分類，大體沿襲此法，如《隋書・經籍志》即將兵、天文、曆數、五行、醫方併於子部。到了《四庫全書》，子部就更龐雜了，包含：

> **儒家類**、**兵家類**、**法家類**、**農家類**、**醫家類**、**天文算法類**（推步、算書）、**術數類**（數學、占候、相宅相墓、占卜、命書、相書、陰陽五行、雜技術）、**藝術類**（書畫、琴譜、篆刻、雜技）、**譜錄類**（器物、食譜、草木鳥獸蟲魚）、**雜家類**（雜學、雜考、雜說、雜品、雜纂、雜編）、**類書類**、**小說家類**（雜事、異聞、瑣語）、**釋家類**、**道家類**。

這十四大類，實在包羅萬象，而且把佛道兩教文獻都併了進來。學與術合、道與器併，雖足以見後世子學之規模，卻與諸子學之本意不侔了。

現在我們論子學，不能如《四庫》般談得那麼雜，但也不盡能守劉歆班固之舊，主要是說明源流、辨析家數。

二、先秦諸子

諸子學的「子」，是春秋以後興起的稱謂，含意略如：這位先生。原有尊稱之意，例如在孔子卒後，門人以有若貌似孔子，故推尊之，《論語》中便稱有若為「有子」。此類尊稱，後來用得泛了，就變成通稱，猶如「先生」本來也是尊稱，現在亦成了通稱一般。到《孟子》時，孟軻之弟子就都稱為子了。可見此詞廣泛通用，乃是在戰國時期。子既然甚多，人人都是子，合起來就稱為「諸子」。

對於這麼些先生們的學問，當時已有評價，著名的有莊子和荀卿之說。莊子〈天下篇〉在感嘆道術分裂之後，敘述了以下幾家，其敘述方式是：

> 不侈於後世，不靡於萬物，不暉於數度，以繩墨自矯，而備世之急。古之道術，有在於是者，墨翟、禽滑釐聞其風而說之。為之大過，已之大循，作為非樂，命之曰節用，生不歌，死無服。墨子氾愛兼利而非鬥，其道不怒，又好學而博不異。不與先王同，毀古之禮樂。……

先介紹他們的宗旨，然後說這是古代道術的某種遺風，該先生便繼承了這種想法。接著再說明他們的具體主張，如墨子禽滑釐這些人，就是自己非常刻苦節儉，而又以救濟天下為己任的，莊子認為此一學風源出於大禹。因此說：「今之墨者，多以裘褐為衣，以跂蹻為服，日夜不休，以自苦為極。曰：不能如此，非禹之道也，不足謂墨」。

墨家之外，莊子又介紹了：㈠宋鈃、尹文子，說他們內在要求人降低嗜欲，外在倡議禁攻寢兵。㈡田駢、慎到，則是主張齊物止紛的。因此要棄知去已，與物無擇，不尚賢而泯是非。㈢關尹、老聃。知雄守雌，知黑守白，知榮守辱，以濡弱謙下為表，以空虛不毀萬物為實。㈣惠施。窮辯物理，談一些卵有毛、雞三足、犬可以為羊、火不熱、輪不輾地之類問題。

對於他們的學風，莊子介紹之餘，亦多批評。他認為墨家：「其生也勤，其死也薄，其行難為也，恐其不可以為聖人之道」，太辛苦了。宋鈃尹文子也差不多，「其為人太多，其自為太少」，能利人而不利己。田駢慎到呢？齊物而至於無是非，棄知去己，把人弄得像塊土石般，又有什麼意思？至於惠施等辯士，談那些奇奇怪怪的問題，講馬有卵、目不見、龜比蛇長、白狗黑等等，「能勝人之口，不能服人之心」，而且也沒什麼大意思。老聃關尹，是他比較欣賞的，說彼乃「古之博大真人」。因為老聃等人主身「澹然獨與神明居」，應世又能濡弱謙下。至於莊子自己，他說獨與天地精神往來而不敖倪於萬物，不譴是非而與世俗處：「其於本也，宏大而闢，深閎而肆。其於宗也，可謂稠適而上遂矣」，自我評價較高。

莊子的評介，是以「源」和「流」的關係來說明古代道術與諸子學的關係。諸家之學，均是古代道術中已有某一傾向或元素，而諸子繼承發展之，所以都是：「古之道術有在於是者，某某聞其風而悅之」。繼承發展之後，顯然又與古道術不盡相同，因此莊子對諸子學之總體評價乃是負面的、悲觀的。他認為諸子皆一曲之士，雖然「皆有所長，時有所用」；但不偏不賅，不能見天地之純與古人之大體。如此不斷分化下去，「百家往而不返，必不合矣」，將來也絕對無法再統合了。

莊子之後，荀子對諸子學也有一番評論。他在〈非十二子篇〉中具體非議它囂、魏牟；陳仲、史鰌；墨翟、宋鈃；慎到、田駢；惠施、鄧析；子思、孟軻等十二人。

這十二人被他分為六組。魏牟一組，現在已不曉得到底指誰，因為現在已看不到相關的文獻，荀子說他們：「縱性情、安恣睢、禽獸行」。陳仲史鰌一組，荀子說他們：「忍情性，苟以分異人為高，不足以合大眾、明大分」。似乎與前者相比，一是縱欲，一是禁欲的。第三組墨子宋鈃，「上功用，大儉約而慢差等。曾不足以容辨異、懸君臣」，是泯除尊卑階層，提倡勞動的。第四組慎到田駢則是講法治的。但其所謂法，不過是「上則取聽於上，下則取從於俗」的東西，依君上的權力意志和世俗價值標準而訂的，故荀子也認為它：「不可以經國定分」。第五組惠施鄧析，即名家。「好治怪說，玩奇辭」，荀子亦以為它「辯而無用，多事而寡功，不可以為治綱紀」。第六組子思孟軻，與惠施等人不同，惠施等人是不法先王的，子思孟軻是法先王的。但荀子批評思孟法先王卻抓不住先王之道的要領，所謂：「略法先王而不知其統」；還又虛構了一些講法，號稱是先王所傳，即所謂「案往舊造說，謂之五行」的部分，故荀子也不以為然。

與莊子相較，荀子之說有幾個特點：一是他批評的是「六說」，即六種理論，十二個代表人物，並不以某某「家」來稱呼，所以叫〈非十二子〉。其中子思孟軻和荀子自己，後世都併視為儒家，可是荀子顯然並不認為自己跟他們是同一家。其次，荀子的批評，均著眼於該學說能否治國，謂各位先生的說法皆「使天下混然不知是非治亂之所存」，故皆不可取。評價標準與莊子並不相同。三、反對以上各說之後，荀子提出了仲尼與子弓的學說來，認為唯其說才足以長養人民、兼利天下。並不像莊子那樣寄情於古道術。

荀子還有一篇〈解蔽篇〉，指摘：「今諸侯異政，百家異說」，各家卻都有蔽，都有盲點，所以他要解蔽。其中「墨子蔽於用而不知文，宋子蔽於欲而不知得，慎子蔽於法而不知賢，申子蔽於執而不知知，惠子蔽於辭而不知實，莊子蔽於天而不知人」，均是在某方面有特殊之見解與優點，可是這優點與洞見同時也就遮蔽了某些東西。此說與近日詮釋學說「洞見」與「不見」相似，而稱諸子為「家」，則與〈非十二子篇〉不同。

以上是總評諸子的。由於當日諸子爭衡，彼此競勝，因此雖未總論諸家，但個別地批評某一二家的也很不少。如孟子批評楊朱和墨家，墨子專門〈非儒〉，韓非又非議儒墨，都是著名的例子。據韓非子說：「世之顯學，儒墨也。……自孔子之死也，有子張之儒、有子思之儒、有顏氏之儒、有孟氏之儒、有漆雕氏之儒、有仲良氏之儒、有孫氏之儒、有樂正氏之儒。自墨子之死也，有相里氏之墨、有相夫氏之墨、有鄧陵氏之墨。故孔墨之後，儒分為八，墨離為三，取捨相反不同」（〈顯學篇〉）。可見所謂儒家墨家，內部也是很複雜的，分之又分，呈現多元分化之發展。

對於此等分化之狀況，當時人顯然不甚滿意，覺得源遠益分，群言淆亂，令人莫衷一是。因此後來秦始皇統一天下後，韓非子的同學李斯便建議他杜禁百家，重新回到諸子學出現以前那種官學一統的局面，令學者皆「以吏為師」。其他人或許不會如此極端，但由莊子荀子之評論，亦可發現當時人確實對百家爭鳴並不甚以為然。爾後漢武帝採董仲舒議，罷黜百家，獨尊儒術，殆亦為此等意見之延申。

可是，在學術趨向統一的時代，大家卻又懷念起那個「群言淆亂」的多元化社會了。覺得諸子爭鳴，異采紛呈，表現了豐沛的生機和創造力，乃是中國學術史上的黃金時代，與希臘古代相彷彿。

三、諸子之衰

諸子爭鳴的時代，到底代表學術之盛抑或學術之衰，也許難說，但一方面是有競爭就有優勝劣敗的問題，許多先生之說乃至整個學派漸趨於沒落，甚或因而成了絕學。另一方面是時代變了，某些學派亦不免變異，或竟衰歇。例如縱橫家之崛起，乃是因應著戰國諸侯王相征伐的局面，縱橫捭闔，傾倒一時。待秦漢天下一統以後，抵掌遊說諸侯以肆其縱橫的環境便沒有了，此類學風遂也難以維繫。再加上政府以政策抑揚於其間，如某些朝代崇儒，某些朝代尊道，某些朝代採用法家治世，都會使得諸子學之面目與先秦大不相同。

在孟子時，楊朱一派是很盛的，所以孟子說那時「天下不歸楊則歸墨」。可是到漢朝劉歆班固時，楊朱一派大概便無傳承了。故迄今到底楊朱一派具體狀況為何，甚或楊朱究竟是誰，都還爭論難定。或云其說可見於《列子・楊朱篇》，但也有人說《列子》乃偽書，該篇亦不足信。或云楊朱即莊周，因莊子與孟子是同時代人，可能孟子批評「無君」的楊朱其實就是他，道家崇尚自然，不正是無君的嗎？

不只楊朱一家如此難以考徵，墨家也好不到哪去。韓非說墨子卒後有相里氏、相夫氏、鄧陵氏諸派，莊子說當時「相里勤之弟子，五侯之徒，南方之墨者，若獲巳齒、鄧陵子之徒，俱誦《墨經》」，顯見也是一時之盛。可是這麼盛的學派，後來竟也幾乎泯滅了。清末俞樾說：「唐以來，無一人能知墨子者。傳誦既少，註釋亦稀。樂臺舊本，久絕流傳。闕文錯簡，無可校正，古言古字，更不可曉，而墨學塵霾終古矣」（孫氏《墨子閒詁・序》），很能形容墨學衰蕪之狀，大概跟失傳也差不了許多。

孟子曾經提過的，還有「為神農之言者許行」，乃農家之流。然其書亦已不可考，其說無所傳，情況與楊朱相似。

名家方面。「惠施多方，其書五車」，而亦不傳，僅賴莊子的批評，略可追躡其學風而已。《公孫龍子》亦不傳，今本乃採輯各書中涉及公孫龍的文字編成。還有一本《尹文子》，四庫提要說他它：「本名家者流」，但也承認它「其言出入於黃老申韓之間」，似乎並不能確定是否為名家，因為道教的《道藏》便因它論道而納入道流之中。且今存者僅一卷，與古類書及《文選》等所錄者皆不類，亦令人難以明其究竟。因此名家之學大約也可說是絕了。

雜家一類，先秦是以《呂氏春秋》為代表的。因是呂不韋賓客所輯，故宗旨較雜，可以體會。但雜而能成家，就不免費解。凡成一家之言者，應當都是自具宗趣且足以與別家相區別的，雜家一詞，近乎自我矛盾。故亦有人以為所謂雜家，其實就是漢代司馬談〈論六家要旨〉所說的道家，漢代被視為雜家代表作的《淮南子》，也與道家為近，或被歸類為道家典籍。但不管如何，雜家之學，宗旨既難審知，後世雖欲傳承，亦難措手。龐亂凌雜、頭腦糊塗的學者固然不少，雜家卻已弗傳。

其他不傳的，還有宋鈃、田駢、慎到、關尹、鄧析、魏牟、陳仲、史鰌、申不害……等。所謂「諸子百家」，看起來陣仗頗大，但如此七折八扣下來，其實所存無幾。莫說諸子百家，就算只是九流十家，名、墨、縱橫、農、雜諸家，後世殆絕，僅餘儒、道、法及陰陽四家罷了。

而儒道法陰陽諸家，其實亦零落已甚。陰陽家幾乎沒有一本著作流傳，鄒衍之遺說，不知其詳。法家只有《韓非子》、《商君書》，和後人補益的《管子》。兵家僅《孫子》。道家只有《老子》《莊子》。就是儒家，韓非說儒分為八，而顏氏之儒、子張之儒、漆雕氏之儒、樂正氏之儒、仲良氏之儒、孫氏之儒，亦皆無傳，僅子思、孟子一脈略可考徵。荀子的情況，則與墨子類似，漢以後便沒什麼人研究，除唐朝楊倞曾注解過以外，也是「傳誦既少，注釋亦稀……而荀學塵霾終古矣」。

也就是說，據莊子荀子等人的看法，諸子學乃是周朝王官之學的流變，源總是少的，流卻會越流越多、越流越亂，會「散而之天下」。可是實際上，流卻枯竭了，流不下去，有點像沙漠裡的河川。近人看先秦諸子學，每每侈言其盛大多元，豐富多采。實則它究竟如何豐富，泰半只能想像。就算當時確實眾流競爽，爾後諸流亦少傳衍。

故諸子百家，並不如它的名號那般嚇人，其實沒幾本書可讀。三十年代世界書局輯刊《諸子集成》，周秦僅收廿部書，就是這個道理。在那廿部中，《列子》《尹文子》《管子》《晏子》《慎子》《吳子》還都大有爭議，影響亦甚微，重要者遂不過十來本。若把《論語》《孟子》移到經部學問中去，諸子學便更寥落了。

四、研究諸子

正因為如此，故諸子學之研究，實有一大部分是在輯佚鉤沈。清人馬國翰《玉函山房輯佚書》、黃奭《逸書考》都輯了不少，多是原書已佚者，從各本徵引中輯出的。然其書具存者，其實亦多散佚。如《商君書》，漢存二九篇，唐代便只剩廿六篇。《慎子》，四庫館臣謂：「漢志作四十二篇，唐志作十卷，《書錄解題》則稱麻沙刻本凡五篇，已非全書。此本雖亦分五篇，而文多刪削，又非陳振孫之所見。蓋明人捃拾殘剩，重為編次」。《韓非子》看起來不似前二書那麼殘缺，〈漢志〉云有五十五篇，今存也仍是五十五篇。可是王先慎《集解》由各古書中又輯得廿一條佚文，足證它仍是有散佚的。何況今本〈飭令篇〉似乎應是《商君書》裡的文字，〈姦劫弒臣篇〉又雜有荀子的文章，故其錯雜，看來也不少。《管子》更麻煩。劉向校書時，就有三百八十九篇，校除複重後，定為八十六篇。明趙用賢校本〈序〉則說：「今亡十篇。近世所傳，往往殽亂至不可讀」，後來好不容易找著一個善本，但字句仍多錯訛，校正了三萬多字，缺疑不可考之處竟還有五分之一。清戴望又校了一過，〈凡例〉說該書「雜亂支離，讀者至一二卷後，往往厭棄，幾成廢書」。顯然這也是殘佚散亂造成的。

這僅是所謂法家的書籍狀況，其他各家亦絕不會比它好。因此輯佚補缺均不可少。蒐輯叢殘之後，仍要再反覆考校訂正，也是當然之事。

這主要都是清人的功績。前文說過，諸子學之傳承，在秦漢以後實甚寂寥。清修《四庫》，才整體梳理了一遍。繼而乾嘉樸學在考證經史之餘，學者漸亦以其法肆力於諸子學。故輯佚書、考版本、校字句、箋故實、講詁訓，漸亦蔚然成風，對諸子學有極大的貢獻，起碼讓我們現在有書可看。清末民初講國學國粹，更有不少人主張興復諸子學以代儒學，以致箋釋諸子、考辨其人其書接踵而起，與《古史辨》運動相扶而長。因此今人對諸子學的了解，實在是遠邁唐宋。

再加上考古及新出土文物日有斬獲，對諸子學之研究更有裨益。例如敦煌《太公六韜》有二十篇之多，多為今本所無。《列子》殘卷也可補正今本之誤。簡帛資料更為可觀。

《老子》有郭店楚簡甲、乙、丙本，丙本並附〈大一生水〉。馬王堆亦有帛書甲乙本。帛本編次與今本不同，「道經」反而在後，「德經」反而在前。其他各本，文字亦多差異，如今本第十九章：「絕聖棄知，民利百倍。絕巧棄利，盜賊無有。絕仁棄義，民復孝慈」，這段話向來被拿來做為儒道不同的例證，但郭店楚簡甲本作「絕知棄辯，民得百倍」「絕為棄作，民復孝慈」。甲本不一定就正確或就是原貌，但它至少提供了另一個值得思索的文本，讓我們可以重新檢討儒道關係。此即簡帛之重要價值。

儒家方面，敦煌有南朝梁皇侃《論語義疏》。此書歷來皆以為已佚，清代才從日本找回來，刻入《知不足齋叢書》，而敦煌本卻與鮑刻又不相同。鄭玄注《論語》亦佚，敦煌有殘卷五十件，幾達原書十之七八；吐魯番墓中又見二十餘件。鄭玄注《孝經》，也已佚，敦煌本約可輯得十分之九。都對研究儒家學說極有幫助。定川漢墓竹簡，則存《論語》〈儒家者言〉〈哀公問五義〉〈保傅傳〉等，《論語》部分，有簡六二〇枚，釋文七五七六字，約及全書之半，與今本異者七百餘處。郭店楚簡更有〈緇衣〉〈五行〉〈尊德義〉〈性自命出〉〈六德〉〈成之聞之〉〈魯穆公問子思〉〈窮達以時〉〈唐虞之道〉〈忠信之道〉〈語叢〉等十一種。大抵是孔子到孟子之間的資料，雖可能仍不足以見當日儒分為八的盛況，但補充了那段空白，意義甚大。

兵家，最重要的是山東臨沂銀雀山漢墓所出《孫子》。過去研究者多疑《孫子兵法》非孫武所作，乃戰國時孫臏之兵法，考證幾乎定讞了。但銀雀山漢簡令人震驚，凡出《孫子兵法》二百餘簡，不僅合乎今本十三篇，且有佚文四篇。又有〈吳問〉〈黃帝伐赤帝〉〈四變〉〈地刑二〉以及從來沒見過的《孫臏兵法》三十篇。還有《尉繚子》五篇和《六韜》等。另有〈守法守令〉〈地典〉等，後者《漢志》列入兵陰陽家，前者與《六韜》或墨子〈備城門〉〈號令〉、管子〈七法〉〈地圖〉等有關。可說是二千餘年來兵家之學最大的收獲。

銀雀山還出《曹氏陰陽》等十餘篇時令、陰陽、占候之書，與那曾被《漢志》列入兵陰陽的〈地典〉，都是陰陽家之遺說，而久佚人間者。此類書，江陵漢墓又有《蓋廬》《脈書》《引書》《算術書》《日書》《曆譜》等。蓋廬就是吳王闔廬，他與伍子胥的對話，應當亦屬兵陰陽。引書是談導引之術的，日書是擇日的。江陵亦有秦墓，所出秦簡，如《日書》《易占》，也是這樣的陰陽術數之書，尤其是它的易占與傳說中之《歸藏》頗為吻合，代表早期的占法。馬王堆帛書中《刑德》甲乙丙三件，亦屬於兵陰陽。《五星占》大約是石氏甘氏天文書一類東西。〈五十二病方〉〈足臂十一脈灸經〉〈陰陽十一脈灸經〉〈脈經〉〈陰陽脈死候〉〈導引圖〉

〈卻穀食氣〉，皆為醫學書。還有《相馬經》與銀雀山《相狗經》均屬於術數之形法類。另外，雲夢秦簡亦有《日書》甲乙種，共三二三簡。尹灣漢墓則有神龜占、博局占、刑德行時，及一些曆譜。這些材料，大大豐富了我們對陰陽家的認識。

法家方面，雖不似儒道那樣，有《老子》《論語》出土，但律書出土很不少。雲夢秦簡便有《秦律十八種》〈效律〉〈秦律雜抄〉〈封診式〉〈為吏之道〉等。江陵漢墓也有呂后二年的律令及秦讞律，等於是法律案件的彙編。法家之學在秦漢間落實的情形，可藉此而考知。

以上粗述梗概，善於體會者自然就會明白諸子學在今日實是個大可探索的領域。承前人蒐輯考索之後，又逢「地不愛寶」，忽然多了許多珍貴的材料，自有逸足快意馳騁於廣野之樂。

五、解釋歷史

但輯佚補缺、文獻考訂，只是研究諸子學的方法之一，且其效能亦不可太過誇張。新材料亦未必能解決舊問題，也許反而添了新的麻煩。對於現今學界某些鶩新逐物之現象，我亦不甚以為然。茲舉一例。

討論古代思想史，有一大公案，迄今難解。那就是荀子批評子思孟子「案往舊造說，謂之五行，甚僻違而無類，幽隱而無說，閉約而無解」（〈非十二子篇〉）的那一段。

荀子〈非十二子篇〉說：「略法先王而不知其統，猶然而材劇志大，聞見雜博，案往舊而造說，謂之五行。案飾其詞而祗敬之曰：此真先君子之言也。子思唱之，孟子和之，世俗之溝猶瞀儒嚾嚾然不知其所非也，遂受而傳之」。五行，向指金木水火土。可是金木水火土五行乃是「舊說」，若孟子子思仍然說的是金木水火土，便談不上是「案往舊而造說」。故子思孟子必然是在金木水火土之外，添加了一些獨創的新意。

唐朝楊倞註說五行即五常（仁、義、禮、智、信）。但子思的著作及孟子書中卻並沒有五行之說，故荀子到底在批評孟子什麼，實在難以明白。李滌生《荀子集釋》則云：「如五行即五常，荀子自不能非之，（楊）註說之非甚明」「思孟五行之說，不見於《中庸》《孟子》，或其逸篇中有言之者歟？〈漢志〉：『子思子二十三篇』，今所傳只〈中庸〉四篇，又『孟子十一篇』，今只七篇」。換言之，《孟子》今存僅七篇，另有四篇已經不存在了，也許荀子對孟子的批評，恰好是針對那四篇。

稍早，章太炎曾另做了個推論，在《太炎文錄》卷一裡說：「尋子思作《中庸》，其發端曰：『天命之謂性』，註：『木神則仁，金神則義，火神則禮，水神則智，土神則信』。《孝經說》略同此，《王制・正義》引。是子思之遺說也，沈約曰：『〈表記〉取子思子』。今尋〈表記〉曰：『今父之親子也，親賢而下無能。母之親子也，賢則親之，無能則憐之。母親而不尊，父尊而不親。水之於民也，親而不尊，火尊而不親；土之於民也，親而不尊，天尊而不親。命之於民也，親而不尊，鬼尊而不親』，此以水火土比父母於子，猶董生以五行比臣子事君父。古者，《洪範》九疇以五行傅人事，義未彰著，子思始善傅會，旁有燕齊怪迂之士侈搪其說，以為神奇。耀世誣人，自子思始，宜哉荀卿以為譏也」。一般註釋《荀子》者，在別無確解的情況下，大抵也就只好採納章先生這個推論。

可是章先生之說其實是錯的。案：孟子書，《史記·孟子荀卿列傳》只云七篇，至《漢書·藝文志》則云十一篇，應劭《風俗通·窮通篇》亦云十一篇。趙岐《孟子註》乃云七篇為內篇，四篇為《外篇》。但又說這四篇（〈性善辯〉〈文說〉〈孝說〉〈為政〉）「其文不能宏深，不與內篇相似，似非孟子本真」。似乎本來就只有七篇。唯《漢書·藝文志》載兵陰陽家另有《孟子》一篇，班固解釋道：「陰陽者，順時而發，推刑德、隨斗擊、因五勝，假鬼神而為助者也」。五勝就是五行相勝，可見這本《孟子》確實是講五行的。固然此「孟子」是否即是孟軻，仍然大有疑問，但若為了證成荀子的批評，亦不妨以此為線索去追探。或者，如錢穆《先秦諸子繫年》卷四云：「荀子以五行出孟軻，考〈月令〉〈時則〉言五行重在勿奪民時，其義洵自孟子來。五行分配方色，其說亦古。而五德終始，則為晚起」（《鄒衍著書考》）。從五行與〈時則〉〈月令〉相配合的角度，去追探思孟五行之義，亦可自成一家言。章先生未由此等處著手，反而從〈中庸〉〈表記〉去找，可謂失之眉睫。所言亦無以確斷子思孟子就有五行之說。

何以見得呢？「木神則仁，金神則義」云云，乃鄭玄註《禮記》之語，《孝經說》又為漢代之緯書，既非子思之言，也不可遽指為子思遺說。這一段跟其下文所論〈表記〉更是毫不相干。〈表記〉那一段，是以父母、天地、水火、命鬼對比來解釋人與它們親而不尊或尊的兩種關係，既非以水火土比父母子，也不是以五行比配人事。章先生用來申論子思燿世誣人，啟燕齊方士迂怪之漸，可說無一語不誤。

也就是說，順著章先生等人所說，並無法理解「思孟五行」是怎麼一回事。

1973 年馬王堆出土帛書《老子》甲卷本後面，錄寫了一篇佚書。1993 年荊門郭店又出土了一批佚書，其中有〈五行〉一篇，與馬王堆帛書相同。唯馬王堆本多了解說文句。故一般研究者相信這兩本就是失傳已久的儒家思孟五行遺說。郭店楚簡年代較早，是孟子之前的作品，僅存正文。馬王堆帛書本年代較晚，添加了後儒對正文的解說。正文為「經」，說解為「傳」「說」，體例一如《墨經》之有「經」與「說」也。

無論帛書或竹簡，都是談「仁、義、禮、智、聖」五德的。因此大家都認為這篇〈五行〉已恰當解決了荀子對思孟五行說批評的歷史公案，可讓吾人了解思孟五行說到底是怎麼回事。

關於〈五行篇〉與子思及孟子之思想淵源，已有許多文章闡述了。相關論文甚多，精要者可參看徐宗流、劉祖倍《郭店楚簡先秦儒家佚書校釋》（2001，萬卷樓出版）的參考文獻部分。但我要指出：所有研究都是錯的，那些推斷全部都不對，這篇〈五行〉絕對與孟子學說無關。

郭店楚簡其實是一批內容十分駁雜的文獻，思想內容非常分歧，絕非如研究者所以為的是一家一派之著作，尤其不只是子思一派之作。其中明引「魯穆公問於子思子」而被整理者命名為〈魯穆公〉的一篇，只談到君臣之道。〈緇衣〉與《禮記·緇衣》文字相同，相傳乃子思遺說，所論亦為君臣之道，不僅與五行五德無關，抑且根本未討論到仁義等等。其他各篇或說天人之分，如〈窮達以時篇〉云：「有天有人，天人有分」，〈父子兄弟篇〉說：「知天之所為，知人之所為，然後知道，知道然後知命」，這是近於荀子而遠於孟子的講法。〈禮生於情篇〉說：「惡生於性，怒生於惡，乘生於怒，惎生於乘，賊生於惎」，更與荀子相似，而絕不同於孟子。該篇以「情生於性，禮生於情」為說，跟孟子以性說情，性情為一、禮為善端之見解，亦正可謂南轅北轍。另外，〈慎言訣行篇〉說：「竊鉤者誅，竊邦者為諸侯，諸侯之門，義士之所存」，乃莊子語，思孟一派焉得有此憤世之言？而〈六德篇〉說：「仁，內也。義，外也。禮樂，共也」，顯然更非孟子的主張。孟子是主張仁內義內的，否則孟子何苦與告子力辯仁義內外的問題？

考釋研究郭店楚簡的先生們，不明白這些。看見「魯穆公問於子思」，看見〈緇衣〉，看見〈五行〉，便大喜過望，案飾其詞而祇敬之曰：此真先子思子孟子之言也，嚾嚾然不知其所非也。豈不哀哉？

郭店楚簡非一派之言論，其中少數可確信為子思一派的，又未論及仁義德行。至於其他論及德行者，〈五行篇〉說仁、義、禮、智、聖；〈六德篇〉說聖、智、仁、義、忠、信；〈性自命出篇〉說簡、義、敬、篤、仁、忠、信、情；〈唐虞之道篇〉只說仁、聖；〈天生百物篇〉只說仁、義，且云：「仁生於人，義生於道，或出於內，或生於外」；〈父子兄弟篇〉則說仁、義、禮，三者「備之謂聖」。凡此，不但德目不同、數量不同、諸德間的關係也不同，焉能強指其為一家之言？

再專就〈五行篇〉來說。考釋研究諸先生認為：本篇顯示了三個要點，一是五行非金木水火土五物，而是五種德行；二、五種德行是仁義禮智聖，非五常仁義禮智信；三、五德之中，仁義禮智四行是人道之事，聖則為天道之事。這幾點，用以解釋孟子，或以之解釋荀子對孟子的批評，都大成問題。

五行，《尚書·甘誓》〈洪範〉已有其說。〈甘誓〉未明指五行為何，〈洪範〉則鑿謂五行乃金木水火土。若云孟子所說的五行只是德行，固然可通，但荀子何至於對孟子言仁義禮智聖大加撻伐？

同時，我們也不要忘了鄒衍講五德終始，其五德正是五行。故金木水火土與仁義諸德相配之觀念，絕不是「不僅在《管子》的〈四時〉與〈五行〉篇中看不見，在《呂覽·十二紀》與《禮記·月令》中不曾看見，劉安的《淮南子·時則》中也不曾見。直到《春秋繁露》裡，我們才看到仁義禮智配金木水火」（龐樸，〈思孟五行新考，收入《竹帛五行篇校註及研究》，2000，萬卷樓）；早在鄒衍那時便已流行了。

鄒衍之說是否源於孟子，固不可考，但德行之行與金木水火土五行之行，顯然不一定就是兩個不可合論的系統。孟子若只談德行而完全未將之與金木水火土合論，荀子更沒有必要說他「僻違而無類，幽隱而無說，閉約而無解」。

復次，孟子所言五德是仁義禮智聖嗎？從〈五行篇〉來看，當然是的。但此與孟子說顯然不同。它說：仁義禮智形於內叫做德之行；不行於內，僅見諸外在行為者，叫做行（只有聖，是必須形於內的，故只能是德而不是行）。這樣，就分出了五德和四行兩類。德好，稱為德；行好，則稱為善。德是天道，善是人道。德以聖為主，「聖智，禮樂之所由生也，五行之所和以也」。其大旨如此。論者多方徵引孟子以為釋解，而不知兩者涇渭殊途，難以鉤合。蓋僅見枝節之似，莫審大綱之異，弗能察其義理之底蘊，故矇然至此也。

孟子道性善，解釋性為何是善時，則以仁義禮智根於心為說，故仁義禮智是內在於人的。〈五行〉卻不論性，並以善為外在的行為，而且是不形於內的。這是彼此說性說善的不同。

仁義禮智，據〈五行〉云，可形於內，亦可不形於內。故與孟子從性說仁義禮智不同。這是兩方面論仁義禮智之差異。

〈五行〉以善為人道、聖為天道，人天不同。孟子則說要踐仁以知天，天人合一。

〈五行〉以思成德，極為強調思。論「五行皆形於內而時行之，謂之君子」時，以「智弗思不得，思不精不察，思不長不得」「不仁，思不能清。不聖，思不能輕」「仁之思也清，清則察，察則安」「智之思也長，長則得，得則不忘」「聖之思也輕，輕則形，形則不忘」等等反覆闡說。孟子顯然無此態度，亦無此觀念，反倒是後來荀子才比較重視用思。這是雙方工夫論的分歧。故〈五行〉說：「不聖不智，不智不仁」。如此重視聰明聖智，孟子絕不會說這類話。

再者，雙方對君子的定義也不一樣。〈五行〉云：「君子集大成」，故君子金聲玉振。孟子則只說聖人裡面的孔子才是集大成者，「孔子謂之集大成，集大成也者，金聲而玉振之也」。一為泛指，一為專指。依孟子之見，一般君子、一般聖人也都達不到金聲玉振之境界。

何況，兩方所理解之金聲玉振也不相同。孟子說：「金聲也者，始條理也。玉振之也者，終條理也。始條理者，智之事也，終條理者，聖之事也」，〈五行〉則說：「君子之為善也，有與始、有與終也。君子之為德也，有與始，無與終也。金聲而玉振之，有德者也。金聲，善也。玉音，聖也。唯有德者，然後能金聲而玉振之」。金聲，不就始條理說。玉振，不就終條理說，與孟子迥異。

可見整個〈五行篇〉跟孟子的義理系統是完全不同的。孟子的思想絕不可能源於這個系統，用這篇文獻去解釋思孟五行說，也絕不相應。

研究郭店楚簡和馬王堆帛書的一些學者們，把這麼明顯不同的兩個系統併合在一塊兒講，而且講得興高采烈、煞有介事，完全無洞察義理內容的能力，顯示了什麼問題呢？

清代以來，對文獻的重視，導致了輯佚事業的發達。可是，輯佚鉤沈，至馬國翰、嚴可均等人，實已集其大成，沒什麼新材料可供爬梳了。要再有所發現，便只能仰賴地下出土文物。因此，對於出土文獻抱持高度的期待，事實上是學界極普遍的心理。馬王堆帛書及郭店楚簡，是近代出土發掘中最重要的材料，不僅量多、佚書多，涉及之思想材料也最多，當然更讓人有所冀盼。這裡面恰好又有〈五行〉等篇，益發令人興奮，直覺可以藉此解開歷史上的謎團。各種錯誤，往往起因於這種對文獻過度的重視以及不恰當的期待。

為什麼說這是對文獻的過度重視呢？讀書論古，當然要靠文獻，文獻不可能不予重視。但強調輯佚鉤沈，便應適可而止。在考古上，這些未經後人改動的文獻，誠然有歷史價值，藉此亦可廣見聞、存異說。但是讀書的目的，若仍希望能由之明白一些義理、體會一下文字的美感，則出土古文書，作用是有限的，不宜過分重視。治諸子學，仍以先把傳世文獻諷誦精熟為宜。

再說，材料是死的、人是活的，材料需要人去解釋，故解釋能力其實比材料更重要。可惜清代乾嘉以降，我們不僅忽略這一點，甚且以材料代替了解釋。認為材料是客觀的，依據客觀的材料就能有客觀的解釋。解釋也沒什麼必要，只須搬出過硬的明確資料、證據，對方就只能啞口傾服。殊不知解釋能力不足，就會把材料解得一塌糊塗，張冠李戴，如上文所述。

而且長期缺乏解析能力之後，對思想文獻更會愈來愈不能處理。郭店楚簡中，〈五行〉強調天道，但〈尊德義〉說：「莫不有道焉，人道為近，是以君子人道之取先」；〈性自命出〉說：「唯人道為可道」，都與〈五行〉不同。〈五行〉強調聖，但〈君子於教〉說：「民皆有性而聖人不可慕也」，也不重視聖。這豈不明顯地表示了這批竹簡非同一思想系統嗎？對這些不同，論者囫圇視之，正與其論〈五行〉而無視於它與孟子的不同一樣，都是解析能力貧弱故無法處理思想文獻的例證。

六、開放閱讀

諸子學，先秦諸子乃其主要部分，但不止此而已，還包括爾後的發展。例如漢代陸賈《新語》被列入儒家，《淮南子》被視為雜家，《抱朴子》被歸為道家之類。這些書既非先秦諸子，也不是對先秦諸子的研究、注釋、闡述，而是後世學人自己的著作，只因其宗旨近乎九流十家中之某一家，遂被歸類為某家。

如此歸類，確有道理。因為諸子學也者，顧名思義，便是各位先生的學問，先秦固然有許多先生，後世焉得就無？故後世諸先生自不妨也有各家不同的學術流別可說。倘若把諸子學視為先秦諸子之專稱，則秦漢以後便無子學，只有注釋諸子之學，則後世學術發展將如何表述、列入什麼地方？

不幸，古人為其視界所限，常蹈此弊。於是經子兩部，均成斷港絕潢，只有源，沒有流。經學只說秦漢，秦漢以後，雖有著作，皆不得稱經。諸子亦只說先秦。唯因《漢志》也列了一些漢儒著作，如《春秋繁露》《新語》等，還勉強可附列於子部，爾後便沒什麼子書了。就是學人自己所著的書，除《抱朴子》《劉子》《文中子》等少數幾部之外，也極少人自稱某某子，都放在文集中。這固然是集部興起後造成的影響，但把「諸子學」視為「先秦諸子學」亦為重要心理因素。

而更奇特的，是後世著作列歸子部儒墨名法農兵縱橫諸家者甚少，可是陰陽術數卻甚多。此類著作，先秦之書多不傳，劉歆且多列於〈數術略〉〈方技略〉之中，與諸子並不一樣。但後世將學與術合併了，又大收後世天文曆譜五行雜占形法技藝之書以實之，如《四庫全書》便是典型。這都是自亂其例的。因此我才說：後世學說，亦宜考其宗旨，歸類繫論於子部之中。

但把後世學說一一歸類於九流十家，也是大堪詬病之事，何以故？九流十家，乃漢人對先秦學術的歸納。拿這個框架來套後世之學，把學人一一納入這個框架中去說某人即某家之學，殊嫌枘鑿。如陸賈《新語》既有人以為是儒家，又有人謂其不脫縱橫家氣味。《淮南子》雜出眾手，與《呂氏春秋》情況一樣，但也有人說它道家言占十七八。《抱朴子》固然講神仙燒鍊之事，但外篇卻是儒家者言。因此要用先秦的學術家數去套後世之學，實均不免左支右絀。

再進一步說，先秦學術之分為九流十家，不也是一時整理文獻的人歸納所得嗎？未必即為定論。如《管子》漢志列入道家，今人或以為是法家；《慎子》，《四庫提要》謂：「觀莊周〈天下篇〉所稱，近乎釋氏，然漢志列之於法家」；《韓非子》一般視為法家，可是《史記》卻將老莊和申韓同傳，韓非子與李斯同時還是荀子的學生。同樣情況的，還有吳起師曾子，而吳起四十八篇在兵家；李克師子夏，而李子三十二篇在法家、兵家另有李克書十篇。又，法家兵家都有商君書，尸佼為商君師，而其書在雜家。諸如此類，每本書的性質、這一家與那一家的關係，在在啟人疑竇。因此所謂九流十家，或傳統上某人某書被歸為某家，都只是一種可資參考的框架，可參考而不可被它限死。

不但某人某書不定屬於某一家，每本書的性質也均「未定」，要看後人用什麼眼光去閱讀它。例如莊子，歷來是將他和老子併稱的。可是有些人就認為莊子也可能是儒分為八之後的顏氏之儒一派。因為《莊子》書中引述孔子之處不少，甚且運用孔顏對話來闡發「心齋坐忘」的重要義理，其書整體論述風格，似乎接近顏淵恬淡無欲、樂天知命一路。另一些人則把《莊子》跟佛教合論，如魏晉南北朝前期，透過莊子來鉤合般若學，後期及隋唐又利用莊子來講中觀。明清間，以禪或唯識來申論莊生義趣者尤多。還有一些人，又以文學角度來看莊子，評點箋釋，闡揚其恢恣恍悅的文學美感。一本《莊子》，在不同的讀者讀來，呈現著不同的趣味與預期內容，絕非只把莊子簡單列入「道家」的人所能夢見，今人讀諸子書，正宜體會此旨。

第十章　集

一、文集之興

集這個字，本寫作雧，指許多鳥停在樹上，表示群聚眾多甚且有點雜亂的意思。集部之所以名為集部，本來也就是此意。因而集部其實才是真正的雜家，裡面什麼都有。例如宋周必大編的《歐陽文忠公全集》一百五十三卷，裡頭《易童子問》三卷是講經學的，《集古錄跋尾》十卷是談金石的。明毛氏汲古閣刻《陸放翁全集》百五十七卷，內有文學性的《劍南詩稿》八五卷。也有史學性質的《南唐書》十八卷。阮元〈揅經室集自序〉自道編集體例云：「此一則說經之作，十四卷。其二則近於史之作，八卷。其三則近於子之作，五卷，凡出於四庫書史子兩途者皆屬之。其四則御試之賦及駢體有韻之作，或者有近於古人所謂文者乎，凡二卷。又詩十一卷。共四十卷，統名曰集者，非一類也」，則是一集之中，兼涵四部，經史諸子及文學作品咸皆有之。集部，看起來跟其他經、史、子各部平列，而實際上往往兼攝，阮元說得再明白不過了。

但有趣在於：編集的人或許別有想法，例如阮元的集子，名為《揅經室集》，標榜著自己是要研究經學的，所以集子以經部為首，賦及詩等文學作品便放在末位，而且說把它們收進集子裡「然其格亦卑矣」。擺明了不屑以文學傳世之意。此乃乾嘉以降漢學專家一種態度，猶如章學誠《文史通義·文集篇》說：「著作衰而有文集」，都是看不起文學作品的。可是，集部雖說兼攝經史諸子，畢竟集之所以為集，就是因它乃是「文集」之意。集部不管如何雜，仍以文學為主。此亦為集部與經、史、子各部主要差別之所在。

四庫，集部書最多，其內容則為楚辭類、別集類、總集類、詩文評、詞曲。看起來就是以文學為主的（小說類因另入子部小說家，故不屬集部，不然就更多了）。造成這種現象的原因，則可上溯於其起源。

《隋書·經籍志》曾說：「別集之名，蓋漢東京之所創也。自靈均以降，屬文之士眾矣，然其志尚不同，風流殊別。後之君子，欲觀其體勢而見其心靈，故別聚焉，名之為集。辭人景慕，并自記載，以成書部」。先秦時，諸子文章結集起來只稱某某子，如《荀子》《墨子》之類。東漢以後，才出現「集」這種名稱。建安二十三年曹丕〈與吳質書〉說：「昔年疾疫，親故多罹其災，徐、陳、應、劉，一時俱逝，痛何可言邪？……頃撰其遺文，都為一集」，指的就是把徐幹、陳琳等人文章收集起來編成一本文集的事。集這個稱謂，正是指它有收集、集合這樣的行動。而其內容，則顯然就如《隋書》所云，乃「辭人」或「屬文之士」的文章，故大抵以詩文為主。

文集之由來如此，因而專門著作往往就脫離文集，獨立單行，文集中所收的，只是文學作品及單篇文章。這些單篇文章，廣義地說，也仍是文。原因是我國所謂文或文章，並不僅指純文學，如曹丕〈典論論文〉便說：「文章者，經國之大業，不朽之盛事」。文欲經國，便未必盡屬文辭采藻之功。即使是《昭明文選》標榜其所收皆是「事出於沉思，義歸乎翰藻」，而實際選文仍然收了不少史述贊、論、符命、史論、詔、冊、教、令、檄、移、箋、啟、設論、對問等，似乎不管什麼文體，什麼主題、什麼題材，只要寫得好，就都是或可以是文學作品。文學之界限如此寬泛，當然什麼單篇散作均可集編到自己的文集中了。

文集之多與內容之雜亦由於此，章學誠曾對此大表不滿，認為文集的出現，代表了學術之衰。著作之體，由諸子那種學有宗旨，亦有家數流別的情況，演變到雜湊起來的文集，可說是越來越就浮濫，《文史通義》云：

> 集之興也，其當文章升降之交。古者朝有典謨、官存法令，風詩采之閭里，敷奏登之廟堂，未有人自為書、家存一說者也。自治學分途，百家風起，周秦諸子之學，不勝紛紛；識者已病道術之裂矣。然專門傳家之業，未嘗欲以文名；苟足顯其業而可以傳授於其徒，則其說亦遂止於是，而未嘗有參差龐雜之文也。兩漢文章漸富，為著作之始衰。然賈生奏議，編入《新書》；相如詞賦，但記篇目。皆成一家之言，與諸子未甚相違。初未嘗有彙次諸體，裒焉而為文集者也。自東京以降，訖乎建安、黃初之間，文章繁矣。然范、陳二史，所次文士諸傳，識其文筆，皆云所著詩、賦、碑、箴、頌、誄若干篇，而不云文集若干卷，則文集之實已具，而文

> 集之名猶未立也。自摯虞創為《文章流別》，學者便之，於是別聚古人之作，標為別集；則文集之名，實昉於晉代。而後世應酬牽率之作、決科俳優之文，亦汎濫橫裂，而爭附別集之名，是誠劉〈略〉所不能收，班〈志〉所無可附。而所為之文，亦矜情飾貌，矛盾參差，非復專門名家之語無旁出也。夫治學分而諸子出，公私之交也。言行殊而文集興，誠偽之判也。勢屢變則屢卑，文愈繁則愈亂。荀勗《中經》有四部，詩賦圖讚與汲冢之書歸丁部。阮孝緒撰《七錄》，惟技術、佛、道分三類，而經典、紀傳、子兵、文集之四錄，已全為唐人經、史、子、集之權輿。是集部著錄實昉於蕭梁，而古學源流，至此為一變。亦其時勢為之也。嗚呼！著作衰而有文集。（《內篇》，卷三）

周秦諸子，章學誠謂其為專門之業，文集則體既淩雜，意亦秩亂，未必能見宗旨，故章氏視為學術之衰。此說不能說沒道理，但集部之有趣或有價值，焉知不正在於此呢？其中魚龍百變，千奇萬怪，什麼都有。讀者在其間左弋右獲，披沙撿金，實在樂趣無限。許多人不喜經史諸子，而好治集部之學，未嘗不由於此。

二、總集

文集雖多，大別有二，一是總集，二是別集。別集指某人個別的文集，總集指許多人或一個時代一個區域一群人的合集，有總合總攬之意。

總集最早的，一般都推到《詩經》《楚辭》。然而在那個時代其實根本還沒有文集這個觀念，更沒有個別的文集。既無別集，豈能有合總起來的總集呢？故以《詩經》《楚辭》為總集之嵩矢者，推尊之辭，非徵實之語。真正的總集，應自曹丕編陳琳、應璩、劉楨諸人集，所謂：「搜其遺文，都為一集」始。惜此書不傳，歷來論述或上溯於摯虞《文章流別》四十一卷。《隋書·經籍志》總集類小序說：「總集者，以建安之後，辭賦轉繁，眾家之集，日以滋廣，晉代摯虞，苦覽者之勞倦，於是採擿孔翠，芟剪繁蕪，自詩賦而下，各為條貫，合而編之，謂為流別」。

此書後頗散佚，影響未廣。影響較大的是昭明太子所編《文選》三十卷。凡收東周至梁作者一三〇人，詩文七五二篇。編選既有宗旨，所收的文章也好，因此極受重視，唐杜甫曾教其子要「精熟文選理」，宋陸游《老學庵筆記》也記載宋人諺語說：「文選爛，秀才半」，足證其影響。嗣後甚至形成一門專門的學問領域，叫「文選學」，研究、箋證、注解其書者甚多。此書所收古詩，尤其是晉宋齊梁詩，亦被稱為選體詩，代表了六朝的詩風，與它的駢文代表了六朝的文風一樣，幾乎可說是那個時代的「標準器」。入選的不少作家，別集已失傳，作品賴《文選》才得以保留，更增添了此書的價值。注解以唐李善注最著名，或以李注和唐代另外五位（呂延濟、劉良、張銑、呂向、李周翰）的注解合刻為「六臣注」。

與《文選》地位相當的詩歌總集，是陳徐陵所編的《玉臺新詠》。雖然《文選》也收了詩，但徐陵此書乃專門的詩選，卷一至卷八為漢迄梁之五言詩，卷九乃歌行，卷十為五言二韻詩，乃絕句體之前身。因此它是《詩經》《楚辭》以降，到唐詩興起間詩歌的主要匯集。許多名篇，如〈古詩為焦仲卿作〉即首見於此書，有些詩，《文選》也收了，但此本文字有點不同，可資比較。雖然如此，本書之特點其實並不在文獻上，而在文學觀上。因為本書之編輯，有個目的，就是為當時流行的「宮體詩」張目。《大唐新語》卷三：「梁簡文帝為太子，好作豔詩，境內化之，寖以成俗。謂之宮體。晚年改作，追之不及，乃令徐陵撰《玉臺集》，以大其體」。宮體詩就是描寫宮幃閨情的豔詩，本書旨在擴大其範圍，尋找其歷史淵源，則其內容也就可以想見了。後世描寫閨情，皆以本書為依仿之對象，在文學上頗有影響。

此後，唐代文章的總集，要看宋初編的《文苑英華》，收梁末至晚唐五代詩文近二萬篇。又宋姚鉉編《唐文粹》，只收古文，不錄駢體，詩歌也只錄古體，不收五七言近體，亦可參考。宋文，則南宋呂祖謙有《宋文鑑》；詩可以看清初吳之振《宋詩鈔》。近年四川大學雖另編有《全宋文》，北京大學另編有《全宋詩》，但前述二書仍有其價值。宋代郭茂倩另編有《樂府詩集》一百卷，收漢魏至隋唐樂府詩，兼及先秦及唐宋歌謠，是研究樂府詩的最重要文獻。

金朝文，可見元好問編《中州集》十卷，附《中州樂府》。元代文，則有元蘇天爵《元文類》七十卷，清顧嗣立《元詩選》，明臧懋循《元曲選》。明文，有黃宗羲《明文海》四百八十二卷，錢謙益《列朝詩集》八十一卷，朱彝尊《明詩綜》一百卷，毛晉《六十種曲》則除了一種元雜劇《西廂記》以外，都是明代傳奇。清代的，可看徐世昌《晚清簃詩匯》二百卷，收詩人六千餘家，陳衍《近代詩鈔》收道咸以後詩，葉恭綽《全清詞鈔》收詞人三千餘家。

以上為歷代文之總集，通錄各代者，除前舉《樂府詩集》外，清姚鼐《古文辭類纂》收戰國至清初文章七百篇，朱彝尊《詞綜》三十六卷收唐宋金元詞，也都很可參考。其他各式各樣的總集還很多，例如專收集某一流派的《瀛奎律髓》，專收某一類的《歷代題畫詩類》，就不一一介紹了。

總集之總，乃是總合、彙總之意，所以它跟個別作家的別集是相對的。可是這個總字又給人總包總合之感，易使人誤以為它是收羅完滿、總包無遺的。其實不然，總集並非全集，它大抵只是選集，選一些它認為值得收藏的文章、重要的作者以傳世。梁文帝《金樓子·立言》說：「博達之士，有能品藻異同，刪整蕪穢，使卷無瑕玷，覽無遺功，可謂學矣」，指的就是這種選擷之功。像《文選》即為總集之典範。

由於是選集，選的人和選文的宗旨目標就非常地重要。《文選》《玉臺新詠》二個例子已如前述。其他的，如姚鉉《唐文粹》大體即就《文苑英華》中摘選，篇幅僅及十分之一。可是價值並不比《文苑英華》低，選文具代表性，對宋代古文之發展也產生過一定的影響。元好問的《中州集》，題名中州，選的是金代作品，則明顯有以金為文章正統所在之意，所選各人，皆繫以小傳，詳記事迹，兼評其作，體例與《文選》不同，而有借詩存史之旨，既是文學史，又是國史。後來錢謙益《列朝詩集》、朱彝尊《明詩綜》、徐世昌《晚清簃詩話》等均仿其法。這些書，不但選的文章有價值，小傳和評語也很重要，《列朝詩集》的小傳，後人曾輯出成為《列朝詩集小傳》，單行；《明詩綜》的評論，後來姚祖恩也另輯出編為《靜志居詩話》二十四卷，足見一斑。就算沒有小傳及評語，選文若精審，也是既足以見一代之規模，又可以觀選者之手眼旨趣的。就像姚鼐《古文辭類纂》即代表了桐城派之觀點那樣。

總集還有一個功能，就是許多作家本身的詩文集早已亡佚，倒是總集中還選錄了他不少篇章。如李商隱《樊南甲乙集》早已散失，今本就是由《文苑英華》中輯錄出來的。《張說集》雖然有傳本，但也仍有六十一篇在《文苑英華》裡的文章不見於傳本。這樣的例子太多了，像《文選》所收一百三十位作家中，絕大多數別集都已失傳。整個四庫全書，所收錄元人別集才一四五家，而顧嗣立《元詩選》就徵錄了三四〇家（前三集）。故總集實有因人存文、因文存人之作用，替全集之編纂提供了不少條件，也彌補了不少別集失傳的遺憾。

三、別集

相對於總集的，當然就是別集。別集之興起，原因已於前文敘述了，漢魏六朝個別作者的文集，在《隋書・經籍志》中已達八八六部，以後越來越多。印刷術發達，文人階層擴大，均令別集數量急遽增加。明清時期人開玩笑，說北人得志，討個小；南人得志，刻部稿，很能反映時代風氣。清人文集目前可考者，多達三萬餘家，足可用浩如烟海來形容。

集部所收，以文學作品為主，但因歷代對於什麼是文學，看法並不一致。某些我們現在認為不屬於純文學的應用文書，許多朝代偏偏極為重視。例如墓碑、墓志銘、哀辭、行狀之類，乃古代文人主要收入來源，替喪家寫這些「諛墓」之文，有時還要因競爭激烈而發生不愉快，故《唐語林》卷一說：「長安中爭為碑誌，若市賈然。大官薨，其門如市。至有喧呶構致，不由喪家者」。許多大作家，均以寫這類文字著稱，如蔡邕、韓愈都是。劉禹錫祭韓愈文說：「公鼎侯碑，志隧表阡，一字之價，輦金如山」，即指其事。著名文士，集中多的是這類文字。可是今人通常不會把祭文當成文學作品，又不流行土葬，阡隧碑志均無所施用。到殯儀館弔祭時，祭文大抵只由葬儀社依格式胡謅一通，聊以應景而已，誰也沒仔細聽祭文內容，更無人索觀，《文選》中三十八類的銘、誄、哀、碑文、墓志、行狀、吊文、祭文八類，如今皆已等於作廢，或至少罕被列入文學領域。此即古今之變也。故以今日眼光去看，覺得集部所錄或未必皆屬文學作品，可是在當時則不然。不唯哀誄祭弔均是文學，就是詔、令、教、冊、表、啟、彈事、奏記、檄、移這十幾類朝廷公文書，也一樣是文學，至少寫者觀者都會以文學性來相要求。如今政府的文告、命令、政令宣導，衙門間的往來公文，法院的彈劾書、起訴書，誰又會把它們當文學看呢？

此外，我講過，「文」的涵義本來就遠大於「文學」。今人的文學觀，是切割式的，要與實用性、科學性、倫理性切割開來，獨顯一審美之價值。古代的文學觀卻是結合式的，文與道俱，一切人文活動都應顯示為文，故文或結合於倫理價值，說文章可以助人倫、一道德；或結合於實用，說「文章功用不經世，何異絲網綴珠窠」，文章合為時而作、合為事而作；或結合於知性，說要可以多識草木鳥獸虫魚之名。因此，任何文體都可以顯示出文學性的審美價值來，只要寫得好，都可以是文學。經部史部子部雖自為部居，已不乏論者將六經、四史、孟荀莊列諸子視為文學作品了，何況集部的考辨論說箴銘序贊？什麼都可以是文，於是文集之中也就什麼都可以包納了。

大抵別集即一個人一生作品的總集，因其中什麼樣的作品都有，故編排時總要稍加秩序，不採編年就要分類。分類大多以詩文為兩大類，詩或編年，或分類分體。也有未分的，如李賀、李商隱的集子，雖也分了一二三四編或卷上卷下，其實裡面的詩並無銓次。但這多半是因後人摭拾而成的緣故，作者自編，就多少會排出個條理秩序來。故仍以編年或分類分體為主，間亦有分為內外集的，如山谷詩就是。文的編排則一般以賦為首，或把賦放在全集之前，然後才是詩，再來是文。若也兼擅詞曲，再以之殿後。文的排法，也以分類分體為主，兼顧編年原則。具體的文體排列先後秩序，則各家手眼自具，並不一致。

個人別集中也有些原本獨立成書的部分，如晁說之《景迂生集》二十卷，第十卷為《易元星紀譜》，十一卷為《易規》，都是可以單獨成書的。周必大《文忠集》二百卷，其中《玉堂雜記》《二老堂詩話》均曾單獨行世。山谷詞，亦是山谷集中別行之本。這些可能是後人由集中摘出，或當時原已單行。如東坡集，宋代便有杭本、蜀本、建安本、麻沙本、吉州本、蘇州本、大字本、小字本，各式各樣，書坊有時也從其中摘出某類文章來單獨刊行，如蘇黃尺牘，本無此書，乃書商採輯而成。集部之書，特為紛紜，此即原因之一。

有當時之刻行，便有後世之整理。整理一是輯文，二是箋注考釋。前者如李商隱文集，就是從《文苑英華》中輯出來的，清編四庫全書時，從《永樂大典》中輯出了宋李廌《濟南集》八卷、張舜民《畫墁集》八卷、陸佃《陶山集》十四卷、華鎮《雲溪居士集》三十卷、畢仲遊《西台集》二十卷、吳則禮《北湖集》五卷、謝逸《溪堂集》十卷、李彭《日射園集》、呂南公《灌園集》二十卷、毛滂《東堂集》十卷、趙鼎臣《竹畸居士集》二十卷……等。近人述古，好持苛論，每每肆口批評清廷修四庫是以修書為名，行焚禁之實。其實修四庫時透過輯佚，恢復了不少古代文集，使其重獲新生，否則就都淪佚不可見了。

除了這種全部經由輯佚恢復者外，大部分傳世別集也都是經過輯校整理的，如王安石集，宋代已有一百卷、一百三十卷、一百八十卷等不同的本子，今本一百卷，乃紹興十年詹大和校訂重刊的。王令《廣陵集》三十一卷，四庫館臣雖注明是用兩淮鹽政採進本，但也說：「某某久無刊本，傳寫訛脫，幾不可讀，今於有可考校者，悉乃釐正」，則亦是經過整理的本子。越是名家，越是重要文集，整理者就越多。像杜甫，宋人所集，先是有《九家集注杜甫》三十六卷，郭知遠編。繼而有黃希原編《補千家集注杜工部詩史》三十六卷及不著撰人之《集千家注杜詩》二十卷等等，嗣後各種箋注多不勝舉，竟如「文選學」一樣，成為一種杜詩學，相關問題十分複雜，以致研究者還常要分時代處理，例如研究宋代的杜詩學、清代的杜詩學等等。同樣情況的，如韓愈集，宋方崧卿有《韓文舉正》十卷、朱熹《韓文考異》十卷、王伯大《別本韓文考異》四十卷、魏仲舉《五百家注因辨昌黎先生文集》四十卷、東雅堂徐氏刻《韓昌黎集注》四十卷等等。柳宗元集，宋時亦號稱有五百家注。東坡詩，則王十朋本號稱百家注。雖皆夸張，但可以想見在那些詩文集上下過工夫的人是極多的。前修未密，後出轉精，一代代人不斷整理勘定，才逐漸成為今天我們可以取讀的本子，說起來，是要心存感激的！

不過不管怎麼整理，集部書數量太大，其內容又極駁雜，所以其中資料很難運用，各類索引檢索，用途亦不甚大，只能靠平日多看、多留心。紀曉嵐《閱微草堂筆記》卷十二載：「蔡葛山先生曰：『吾校四庫書，坐訛字奪俸者數矣。惟一事深得校書力：吾一幼孫，偶吞鐵釘，醫以朴硝等藥攻之不下，日漸尪弱。後校《蘇沈良方》，見有小兒吞鐵物方，云剝新炭皮研為末，調粥三碗，與小兒食，其鐵自下。依方試之，果炭屑裹鐵釘而出，乃知雜書亦有用也』。此書世無傳本，惟《永樂大典》收其全部，余領書局時，屬王史亭排纂成帙。蘇沈者，蘇東坡、沈存中也。二公皆好講醫藥，宋人集其所論，為此書云」。他所講的《蘇沈良方》和《蘇黃尺牘》一樣，是由二家文集中摘錄同類資料編成的。我們讀古人文集，其實就該運用這一方法，把同類的、相關的資料隨時注記或摘鈔到一塊，將來才好參稽比對。近人用此法最嫻熟者，為錢鍾書。不妨法效。

由於集部內容極雜，因此由那裡面可以找到經史子集各方面的資料。許多老師宿儒，覃精甲乙丙諸部，而於集部不熟，遂錯過了許多材料，甚或鬧出許多基本常識性的笑話。例如經學家向例看不起文人，文集中也甚少寓目，卻不知文集中說經者極多。早在《顏氏家訓・勉學篇》中就提到王粲集中頗有論經義者：「吾初入鄴，與博陵崔文彥交遊，嘗說王粲集中難鄭玄《尚書》事，崔轉為諸儒道之。始將發口，懸見排蹙云：『文集中只有詩賦銘誄，豈當論經書事乎？且先儒之中，未聞有王粲也』，崔笑而退，竟不以粲集視之」。此種經歷，我亦常遭。故我論乾嘉經學，便常摭獵方苞、姚鼐、袁枚諸家文集，大破經生拘墟之見；論書畫史，我亦嘗由袁小修《遊居杮錄》中輯錄其書畫語以論晚明故事。某次偶逢一名宿論宋郭熙畫，彼據傳世畫迹，言郭氏皆是巨幅山水如何如何，我微諷之曰：先生殆未讀《山谷詩集》也。……諸如此類，不能殫舉。總之別集常是一人一生之總匯，故集部乃是綜合性的學問，治學者，不論是否專治經史諸子，均須在集部多多遊弋，才能獲得綜合的知識和涵養。

四、全集

別集乃一人之集，或為選集或為全集。另一種全集，就是一時代一地區的文章匯編，性質與總集類似，但重點不在選而在全。如《文選》收周至梁的文章，選文入錄，為世所重，但論資料之全備，當然就不如嚴可均《全上古秦漢三國六朝文》，二者各有優點，各有用途，所以並行於世。

主要全集，以時代為次，是嚴氏該書、逯欽立《先秦漢魏晉南北朝詩》、清康熙《全唐詩》、清董誥《全唐文》、四川大學《全宋文》、北京大學《全宋詩》、唐圭璋《全宋詞》、陳述《全遼文》（1982，中華書局）、張金吾《金文最》（1990，中華書局）、郭元釪《全金詩》、李修生《全元文》（1997，江蘇古籍）、隋樹森《全元散曲》（1964，中華書局）、王季思《全元戲曲》（1999，人民文學）、唐圭璋《全金元詞》（1979，中華）、謝伯陽《全明散曲》

（1994，齊魯書社）、凌景埏《全清散曲》（1985，齊魯書社）。

以上這些書，綜輯一代甚或數代之文獻，工程浩大，往往成書非一人之功，如逯欽立以前，明馮紈已有《古詩記》收六朝以前詩，清馮舒又作《詩記匡謬》訂補之，民國丁福保別有《全漢三國晉南北朝詩》，收羅益備，只是未收先秦詩，又未注明出處，逯書乃在此基礎上增補而成。全唐詩，則明代已有季振宜《全唐詩》、胡震亨《唐音統籤》，清代即據此增輯成書，後來日人上毛河世寧、王重民、孫望、童養年、陳尚君又陸續補訂，1992 年中華書局輯為《全唐詩補編》。全唐文，亦有陸心源《唐文拾遺》《唐文續拾》、周紹良《唐代墓志匯編》等補輯之作。資料務求完備，以供查考，屬於工具用書。但學者若能通讀一遍，對一個時代便會有個整體的認識。

還有一種全集是分類的，例如某一地方的文編，宋孔延之《會稽掇英總集》二十卷，就是這類書，收了自漢至宋所有會稽地方的銘志詩歌。董弅《嚴陵集》九卷，收謝靈運以下至南宋之嚴州詩文，亦屬此類。餘如《天台集》專收天台題詠，《赤城集》專收志書所不載之文，《宛陵群英集》專收宋元宛陵人詩，《全蜀藝文志》專收漢魏以降關於蜀地的詩文，均是這一類。乃地志之別派，文獻之淵藪。另一種，則是某一類文章的匯集，如宋桑世昌《回文類聚》四卷，專收回文詩，孫紹遠《聲畫集》八卷，專收唐宋人題畫詩，蒲積中《古今歲時雜詠》四十六卷，專收題詠歲時之作，亦均可考一體一事之古今變遷。

前面說過，這些全集、類編，基本上做工具書來用，以備查考，故甄錄務全，索檢務便。讀書人一般很少自己在書齋裡把它們都備齊了讀的。可是，假如有時間有條件，我們要建議學者們起碼該把幾部全集全數瀏覽一遍。為什麼呢？選集所選，大抵是值得精讀的文章，或選輯者認為較重要的文章，這些文章當然比較有價值，也能看出編選者的觀點。可是，其重要性恰好也就是缺點。選本正因呈現著編者的觀點，所以未必真能體現原著那個時代的面貌。要想不被選本所囿，自己去認識那個時代，終究還是得去讀全集。

不只一個時代如此，一個作家亦然。只從選本或文學史上看，我們就會誤以為王維是詩佛、是田園詩人，不知其與道教關係甚深，豪俠詩也很多。我們只知孟浩然是隱逸詩人，不曉得李白為什麼說他「風流天下聞」。對於岑參，我們只知他屬於邊塞詩人，不知隱逸詩才是他的主調。這些，都要從全集中才能看得到。一個時代更是如此。舉例來說，一般只具文學史教本知識的人，常以為六朝駢儷在韓愈柳宗元提倡古文運動之後就衰微了，到清朝李兆洛編《駢體文鈔》後才又漸興，所以宋代文以古文為主，唐宋八大家，宋代就占了六家。要看多了唐宋文集才了解根本不是如此的。唐代的主要文體，乃是駢文，所謂「駢四儷六，錦心繡口」，尤以官府文書為主。李商隱一生多為人作幕僚，其文集就名《樊南四六集》。當時陸贄之奏議，天下重之，亦是駢體。宋人文章，如魏齊賢編《五百家播芳大全文粹》百一十卷，收五百二十家文，駢文居十之六七，故詩話之外，文話之作，駢文先於散體，宋王銍《四六話》、謝伋《四六麈談》、洪邁《四六叢談》均是。又，許多人以為明代前後七子倡言復古，文必秦漢、詩必盛唐，迨公安派竟陵派出，強調「獨抒性靈」，才一掃復古之風。文學史都是這麼寫的，你抄我，我抄你，晚明詩文集泰半未真寓目。要看看，才曉得公安與竟陵根本不是一路的，晚明文壇占主導風氣的，也不是公安，而是復古思潮。凡此等等，都是一代風氣，須由全集才能考見的例子。所以瀏覽全編，勢不可免。

五、叢書

另有值得一談的集子，喚作叢書。叢，即雜草叢生之叢，一叢一叢，有點類聚的意思。因此叢書中有些是專題性的，稱為專科叢書。如《皇清經解》《古經解彙函》《通志堂經解》是經學叢書。《十通》《二十四史》是史部叢書。《諸子集成》《二十二子》是子部叢書。《彊村叢書》卻收的全是詞集。這些都是專題式的。

但叢也有叢雜蝟集的意思，那就名為綜合叢書，據《中國叢書綜錄》著錄，古代叢書二七九七種；《中國叢書廣錄》又收了三二七九種，合計六千餘種，其中大部分就是綜合性的。

叢書，一般認為起於南宋，如俞鼎孫《儒學警悟》收宋人著作《考古編》《捫蝨新話》《石林燕語辨》《演繁錄》《懶真子錄》等；左圭《百川學海》收唐宋人著作一百種。其後越來越流行，越編越多，部帙亦往往甚大，如元陶宗儀《說郛》收書千餘種，明《百陵學山》收書一百種，《夷門廣牘》收百零七種，《稗海》收四十六種，《格致叢書》收一九八種，《寶顏堂秘笈》收二百三十四種，《津逮秘書》收百四十一種。這些叢書收書均較雜，大抵以保存文獻為主，故罕秘珍本、雜書短章往往賴之而存。一部分有較集中的範圍，如《紀錄匯編》以明代雜史為主；《稗海》重在稗官野史；《兩京遺編》專收漢代子書，則是近乎專題書目，只不過體例並不甚純，如《兩京遺編》竟收《文心雕龍》，足見編輯叢書仍以叢脞蝟雜為主，許多書隨輯隨刊，並無一定體例。

所以傳統上集部並無叢書一項，可是叢書真正是集而雜之的。如此雜亂，使用起來，便須善於利用《叢書輯錄》或《叢書子目類編》這些工具書，才能檢索到需用的資料。但同樣的，讀叢書也是很好玩的，陶淵明詩曾說他：「泛覽周王傳，流觀山海圖」，泛覽流觀之樂，莫極於循讀叢書。旁的書，由書名總可以猜測其內涵，叢書就難，爾雅堂、平津館、微波榭、墨海金壺、藝海珠塵，打開來瞧才曉得那裡面有啥秘笈，所以翻讀是十分有趣的事。臺灣藝文印書館曾用棉紙影印函裝了一百種著名之叢書，我大學時向學校申請了去藏書室看，非常獲益。後來我主持淡江大學中文所時，便規定學生至少得在其中任意選讀二十部並做劄記，才能畢業。學生大為抱怨，因為感覺上叢書資料又瑣碎又無系統，雜七雜八，與他們的論文幾乎毫無關係。可是事隔多年，與這些老學生談起，卻頗懷念那段讀叢書的日子，開拓了許多視野。現在一般看叢書，倒也不必找百部叢書，商務印書館的《叢書集成初編》和上海書店的《叢書集成續編》就非常好用了！

第十一章　儒

一、儒家的起源

自班固劉向以來，六經列入經部而儒家列入子部，可見經部之學問雖多與儒家有關，卻非儒家所能專擅，乃是整個知識的總源。儒家，則是九流十家之一，是一個個別的知識系統。

這樣區分，當然也只是一種區分罷了。姑且如此分之，要細說就還有不少爭議存乎其間。如《莊子·天下篇》云：

> 古之所謂道術者，…其明而在數度者，舊法世傳之史，尚多有之。其在於詩書禮樂者，鄒魯之士、搢紳先生多能明之。

就是說道術存於詩書，而鄒魯之士多能明此道術。孔子魯人、孟子鄒人，故孔孟及其門人學派，自古就被認為是對古代道術的重要傳述者。以此來看，傳經當然便是儒者本業，經學又怎能與儒家之學分開呢？

但同樣依莊子之見，古道術固然有鄒魯之士傳述之，卻也另有墨子宋鈃老聃惠施等各種不同的傳承，因此古道術只能說是九流十家的總源，墨子等各家也經常徵引詩書。由這個角度說，儒家與經學又不能完全混為一談。本章要獨立地講講儒家之學，亦以此故。在談儒家之前，先就談及儒學與經學分合之爭，亦是因整個儒學史實是處於各種爭議之中啊！

剛剛不是說儒者能明古道術嗎？儒這個稱呼，據《說文解字》解釋，就是指術士。所以古代許多術士也都可以稱為儒，如我們一般說的秦始皇焚書坑儒，《史記》記載，即只說它是「坑術士」。王充《論衡》裡面引到一些儒書，講黃帝騎龍、淮南王雞犬升天、日中有三足烏、月中有兔及蟾蜍等，顯然也是只術士之言。可見儒學有時指涉的範圍很寬，凡道術之士皆可名為儒。孔子曾告誡其弟子：「汝為君子儒，勿為小人儒」，可見當時儒仍是一種通稱。

但這應是最寬也是最古的用法，《周禮》中談到儒，就非泛稱術士，而是指某一類人，如〈天官〉云：「儒以道得名」、〈地官〉云：「聯師儒」，這些儒都是指以六藝教授的人。班固〈藝文志〉說儒出於司徒之官，即由此立論。儒家比法、墨、道、名、農、兵各家都更注重教育，也更強調學，因此它可能原初就是教書先生。

孔子當然是春秋末年最著名的教書先生了。他既為儒者之代表，後來師儒亦以孔子為典範，於是「儒」又從指某一類人，變成了專指孔子及效法孔子的那一群人之語詞。這就是九流十家中的「儒家」。

章太炎《國故論衡・原儒》說儒有達名、類名、私名，講的就是上述這樣的區分。透過這一區分，我們可以了解：儒家的形成史，其實也就顯示了古代學術的變遷史。

當然此中依然還有不少爭議。例如儒出於司徒之官，胡適就不以為然，認為儒本是相禮之士，靠著對禮的嫻熟，替人家主持婚喪等各種典禮，以謀衣食，亦以教習此種禮教為職業。而且此等人還是殷民族特有的，故所講亦多為殷禮（見〈說儒〉）。但孔子論三代，獨稱周禮周文；孔子之前，吳季札觀樂於魯，也贊嘆周禮。故講習禮教乃殷儒之特長云云，殊堪商榷。儒者固然以知禮見稱，然師儒以六藝教民，禮樂射御書數皆其所擅長，又豈僅知禮而已乎？是以知儒之來源仍待研究，未可遽爾論斷。

二、孔子的身分

但不管儒之來歷如何，後世所認知的儒，主要本於孔子。

孔子傳授古道術，整理了詩書禮樂，又長期從事教育，據云弟子達三千人，其本身之人格典範意義又十分明確，還有學說昭世，故影響深遠，不僅在漢代尊崇儒術以後影響甚於其他各家，就是在春秋戰國諸子蠭起時，也是最具影響力的人物。諸子引述孔子或討論孔子的言論甚多，諸子之講學與遊說，其實也都效法著孔子，因此孔子既開創了儒家這一學派，實亦開創著整個諸子學興起的時代。孔子以前學在王官；孔子以後，學在私家，孔子便是此一關鍵時代之關鍵人格。

然而如此重要之人物，實只是一個謎團。其生年，有幾種不同之記載，今暫定為魯襄公廿二年（西元前 551）。生日，亦有幾種不同之記載，曆法換算，爭議尤多，今暫定為陽曆九月廿八日。其姓，姓孔；名丘，字仲尼，也是各有異說的。

《論語・子張》：「仲尼焉學？」注疏就說仲者中也，尼者和也。但一般僅說仲是排行，尼是指他生於尼山。《禮記・檀弓》又說「魯哀公誄孔子」注：「因其字以為諡」疏：「尼則諡也」。

至於孔姓，更複雜。孔子據說乃殷王室之後裔。殷紂滅亡後，周封紂兄微子於宋。至宋緡公時，傳位給弟弟宋殤公。緡公次子鮒祀弒叔，欲立兄弗父何。弗父何不肯，鮒便自己繼位為厲公。弗父何遂為宋大夫，地位變成了卿。弗父何生宋父周、周生勝、勝生正考父，為世名臣。正考父生孔父嘉，在宋國內亂中被殺，其子木金父乃逃至魯，由卿又降為士。木金父生皋夷、皋夷生防叔、防叔生伯夏、伯夏生叔梁紇、叔梁紇生孔子。據說當時依禮制，五世親盡，當別立宗室，因弗父何至孔父嘉已五世，故以孔父嘉的孔為姓。但也有人說：若從弗父何到孔父嘉，五世親盡就要別立宗室，那由孔父嘉到孔子，早已超過五代了，為何又不別立宗室，反而仍以孔為姓呢？可見此中仍多疑義。

孔子生年與家世之所以如此複雜，可能與其身世之曖昧有關。

叔梁紇是大力士，據說「身長十尺，武力絕倫」（《孔子家語・本姓解》），某次戰爭時，曾經扛起城門，名震諸侯。但他先娶施氏女，生九女而無子。繼納妾生一子，名孟皮，卻是個跛子。於是再娶顏徵在，禱於尼丘山，才生孔子，故名丘。但《史記・孔子世家》記這一段，卻稱叔梁紇與顏徵在「野合」而生孔子，引起後來許多猜測。或曰叔梁紇時已六十，顏徵在不足二十，不合常規與禮制，故稱野合。或疑兩人未正式舉行婚禮。故叔梁紇隨後去世，顏徵在不為大婦所容，帶著孔子遷居到闕里。等到孔子十七歲時，顏徵在又去世了，孔子想讓母親與父親合葬，都不曉得父親埋在什麼地方。

看來孔子縱或不是私生子，他大約也只是妾出。況且三歲喪父，孤兒寡母，生活必定艱困，並遭歧視。孔子連其父之葬處也不知，對其家世來歷，恐怕更不深曉。那些家世譜系，大概都是在他力學成名後，別人才替他推考出來，以說明他是「聖人之後」（《左傳昭公七年，孟僖子語》）的。

這些有關孔子的身世傳說，後世越說越奇，不但是聖人之後，更是神靈之後了。《論語撰考讖》云：「叔梁紇與徵在禱尼丘山，感黑龍之精以生仲尼」、《春秋演孔圖》云：「孔子母徵在游於大冢之陂，睡夢黑帝使請己。己往，夢交。語曰：『汝乳必於空桑之中』。覺則若感，生丘於空桑之中，故曰玄聖」，竟說他類似耶穌，是神的兒子。其母猶如姜嫄，遊大澤，踩了巨人足跡而懷孕生子。

既是神的後裔，自然天賦異稟。《禮含文嘉》說：「孔子反宇，是謂尼甫」。反宇，指頭頂凹陷，據說尼山就是這種形狀。又，《孝經鉤命訣》說：「仲尼斗唇，舌理七重」「仲尼虎掌」「夫子輔喉駢齒」，《春秋演孔圖》說：「孔子長十尺，大九圍，坐如蹲龍，立如牽牛，就之如昴，望之如斗」「孔子之胸有文，曰：制作定，世符運」，《孝經援神契》說：「孔子海口」，……。把孔子形容成一個身高十尺、腰大九圍、頭頂凹陷、海口牛唇、輔喉駢齒、短胸、龜背、虎掌的怪人。

此等傳說，意在推尊孔子，但逐漸將他神化聖化，當然引發了孔子聖性與凡性的爭論。

聖性，是說孔子非普通人，乃「生而知之」的聖人或神的後裔，帶有神聖的使命降臨人世。孔子當時，就有人視他為聖人，後世更多，甚且認為他本應繼周而王，是類似耶穌被猶太人視為救世主彌賽亞（Messiah）般的王。即使未真正即位，仍應視為「素王」。

凡性，是說孔子只是一般人，只不過比較好學罷了。孔子本人對自己的評價傾向後者，儒家的基本立場，也是如此，認為所謂的聖人，皆是凡人努力鍛鍊而成。孟子說：「堯何人也，舜何人也，有為者亦若是」，荀子說：「塗之人皆可為禹」，均屬此類。

但儒家為了推崇孔子，有時就會忘了這個立場，去強調孔子是「天縱之將聖」、是「生知」，以致自相矛盾，然後才再去想辦法調合。如王陽明想出個成色分兩說，謂人都可以成為聖人是個原則，可是聖人也有大小之分，就如金子，成色固然相同，分量卻可能大有差別，一錢半克跟千鎰萬兩當然不同。另一些反對將孔子神化的人，則痛批漢儒，謂其神化之說簡直把孔子變成了宗教上的教主，把歷史上的孔子講成神話型的孔子。主張孔子為漢制作，擁有上天賦予神聖使命的人，亦反唇相稽，云不懂得這種神聖性、不承認孔子制作的意義，根本就不可能懂得儒學。如斯云云，爭論了幾千年。

三、儒學的分化

孔子很年輕就以知禮聞名，所以很早就授徒了。弟子們，大的如曾參的父親曾點，只比孔子小六歲，其子曾參也從學於孔子，卻比孔子小了四十七歲。顏淵情況也一樣，其父顏繇師事孔子，只比孔子小七歲。另外如冉耕小孔子八歲、子路小孔子十歲、漆雕開小孔子十二歲、閔子騫小孔子十六歲。這些老學生，和比孔子小三十二歲的子貢、小四十五歲的子夏、四十七歲的曾參、小四十九歲的子張，顯然年齡差距甚大。孔子治學，本身既不會沒有成長變化，學生們從老師那裡學到的，當然也就不會一樣。何況師弟間問答各有重點，所學遂亦各異。故《論語·子張》載子夏的門人述子夏論交友曰：「可者與之，其不可拒之」，子張就說：「異乎吾所聞」。

孔子卒後，弟子各依聞說與領會，發展出不太相同的學問內涵及精神方向，豈不是非常自然的事嗎？

據說「儒分為八」，分裂為八派。但公孫尼子之論樂、漆雕開之論性、仲弓之論易，其詳均不盡可考。後世產生影響較大的，主要是兩系。一是曾子、子思、孟子這一系。一是子夏、荀子。

曾子是孔子末年弟子，《論語》記載他對孔子忠恕一貫之道特有領會，子思又是孔子之孫，據說《中庸》即出其手。孟子的思想，接近他們一路。宋儒把《孟子》、《中庸》、《大學》跟《論語》合為四書，就是特別看重這一系思想，把它視為孔門真傳。因為《論語》一般認為正是曾子及其門人所傳之本。漢儒則重子夏一系。因子夏曾受魏文侯禮遇，在西河教授；荀子年代又較晚，其學生至漢猶存，故經典多由他們傳授，被視為傳經之儒。

曾子與子夏的學問已有不同，這在《論語》《禮記》中便可看出，荀子則直接批評過子思孟子。〈非十二子篇〉說：

略法先王而不知其統，猶然而材劇志大，聞見博雜，案往舊而造說，謂之五行。……子思唱之，孟子和之。

這五行，不知何指，但荀子對孟子不滿意，卻甚明顯。後世傳經之儒與傳道之儒交鬨，宗孟之儒也反對荀學，可說皆肇基於此。

《論語》本身也是有爭論的。它是孔子的言行錄，由門人及後學所記錄纂輯，但在漢代已分為三個系統：齊論、魯論、古論。文字頗有不同，《齊論》甚且多出〈問王〉〈知道〉兩篇。後經張禹拼合成一種本子，世稱「張侯論」，即為今本。但文句間仍多疑義，近人據敦煌殘卷與郭店楚簡等資料考辨甚多。也有人認為《論語》中對管仲的評論忽褒忽貶，對宰我又幾乎沒一句好話，乃是《齊論》《魯論》混糅的結果。齊人崇拜管仲，而宰我在齊任官時，為齊人所不喜，故如此。可惜詳情已不可考了。

對《論語》篇章及文句的爭論，其實就關係著對孔子學說的詮釋，因此爭論十分激烈。有些人更進而懷疑《論語》能不能代表孔子。因為假若儒分為八，而《論語》僅是其中某一派或幾派之傳本，那麼《論語》顯然就不能見孔子之全貌。我們應該綜合《孔子家語》《孔叢子》及其他先秦諸子書中提到的孔子相關資料來研究，才能逼近原貌。但也有人以為其他資料比《論語》更糅雜，真偽參半，有些僅是寓言或傳說，有些則是假託，還不如只用《論語》可靠些。

四、經生、文士與文吏

漢代儒學主要表現在經學上，以子學型態延續儒家學術者，以董仲舒揚雄為最著。董氏《春秋繁露》雖亦解經，但非經典注釋章句之體例，應該說是依據他對《春秋》等經傳之理解而形成的思想表述，體制類似先秦諸子。揚雄又不同，他的《法言》體例有意模倣《論語》，《太玄》有意學《易經》。故有人指摘他擬聖制作，清代黃承吉甚至寫了《夢陔堂文說》十一卷三十多萬字來批評他。

由董仲舒揚雄的例子，我們就可知道漢代經學勢力之大。諸子著述，或依經義而發揮之，或擬經而作，其間型態最特殊者，厥推《史記》。

《史記》早期多稱《太史公書》，實是史書型態的子書。司馬遷曾自述其寫作是要「通古今之變，究天人之際，成一家之言」，這本書就是他的一家之言。而他這一家之言，到底本於九流十家哪一家呢？他曾引錄其父司馬談〈論六家要旨〉，對儒、道、墨、法、陰陽及名家均有臧否，但司馬遷說得很清楚，他要「拾遺補缺，成一家之言，厥協六經異傳，整齊百家雜語」，又說：「先人有言：自周公卒五百歲而有孔子，孔子卒後至於今五百歲。有能紹明世、正易傳、繼春秋、本詩書禮樂之際者，意在斯乎！意在斯乎！小子何敢讓焉」。足證無論是他父親的期望或他自己的想法，都以繼承孔子、羽翼六經為職志。《太史公書》在具體內容上，可與董仲舒「通三統」等學說相呼應，史事褒貶亦本諸《春秋》，對孔子及其弟子更是推崇備至，把孔子列入「世家」，尤可看出他的用意。

除以上個人著述外，儒家學說又可見於集議中。建初四年，漢章帝命群儒在白虎觀集議討論經學，會議結果，由班固編成《白虎通義》一書。此書又名《白虎通》或《白虎通德論》。近代學者黃侃曾說：「漢以來說經之書，簡要明晳者，無過於《白虎通德論》」（《論學雜著》），是通曉漢代經學或儒學整體內容最扼要的一本書。它對群經所涉及的詞義、禮制、觀念均詳予訓釋，不僅釋其然，且能說明所以然，形式上採用《公羊傳》《穀梁傳》自問自答的格式，如〈社稷篇〉：「王者所以有社稷者何？為天下求福報功。人非土不立、非穀不食，土地廣博，不可遍敬也；五穀眾多，不可一一而祭也。故封土立社，示有土尊；稷，五穀之長，故立稷而祭之也。……歲再祭者何也？春秋求報之意也。……祭社稷以三牲何？重功故也」。這三問三答，一層逼進一層，不僅釋禮意，也說明了祭數及祭品之規格。故通讀全書，就可對儒家之世界觀、人物觀、禮制主張等有一全面之了解。該書也反映了當時今古文家整體的想法。

漢代另一重要集議成果是《鹽鐵論》。此書乃昭帝時徵詢賢良文學，問天下治亂。賢良與文學均建議罷郡國鹽鐵專賣及均輸平準法，主張政府勿與民爭利，故與御史大夫桑弘羊等反復辯難。後來宣帝時桓寬推衍其議論，變成了六十篇彼此詰難的對話，賢良文學代表儒家，宰相御史大夫代表法家或具功利思想的行政官僚，分成六十個論題，環繞著鹽鐵公賣而形成的政治、經濟、軍事、外交、社會風俗、教育、君民關係等相關問題，一一論辯。不僅可以考見漢代社會內部存在的爭議與階層矛盾，更具體說明了儒家倫理觀如何體現於政經政策上。漢代本有以經義治國的傳統，此書尤其可以顯示儒學在經世上的作用，其與法家或行政官僚之不同，亦藉此可見。桓寬乃公羊學者，因此他著此書，頗有以儒學論究古今治亂之意。

由《鹽鐵論》，亦可見漢代政治之一大問題便是帝國體制下官僚行政權及其思惟勢力漸昌，故雖思想上強調儒學，實際政治操作，卻不是那麼回事。王充《論衡》主要也涉及這個問題。

據王充看，社會上的人重視文吏甚於儒生，因為文吏會辦公，能做官，儒生只會讀書。讀書又要花很多時間，致令儒生沒辦法提早在官場上奮鬥，結果官卑職小，遠不及文吏。對此社會風氣，王充深以為不平，撰〈程才〉〈答佞〉〈量知〉〈謝短〉〈效力〉〈別通〉〈超奇〉〈狀留〉諸篇，欲針砭流俗，強調儒生絕不比文吏差。這個儒生處境的社會性問題，當然也是儒學在王權體制內部生存發展的問題，王充既帶出來了，嗣後的討論還會少嗎？

王充還談到另一個儒生與文人的競爭關係。據王充看，當時的儒生只是經生，即所謂傳經之儒。他們諷誦經典、對經典進行訓詁注解、講授經義，但並不能動筆寫文章來表述自己的觀點，只會講述，不能撰作。因此王充認為他們比不上文人。

王充這種見解，並非個人私臆，其實反映著當時的時代風氣。東漢正是個文人地位上升的時代，劉劭《人物志》把文章家列入「人流十二業」之中，《後漢書》特列「文苑傳」，都顯示了這個趨向。因此，整體說來，秦漢以前，儒已分裂為八，而傳經之儒，在漢代又繼續分化。一是傳經之經生，二是如董仲舒揚雄司馬遷桓寬班固，雖亦述經，而體近諸子。三是儒者從政，漸成文吏。四則為文人。

文人也是由儒分化出來的，因為孔子老早說過：「言之不文，行之不遠」，《易經》中〈文言〉一篇據說也是孔子寫的。先秦諸子中，道家去文，墨家非樂，法家批評儒者以文亂法，視為國家的蠹蟲之一，其餘陰陽、名、農、縱橫諸家也都不重文彩文章，故文士推源，僅能溯諸儒家。且孔門四科，言語即居其一；辭賦之妙，具見《詩經》《左傳》等等，是以後世論文，輒言宗經、徵聖（如《文心雕龍》所云）。漢人賦篇，以荀卿為大源；王充論文人，亦以「文儒」為祈嚮；降至漢末，曹丕《典論·論文》仍以「文章者，經國之大業，不朽之盛事」為說，可見文人乃儒者之一類。

只不過，經生、文士、文吏和子學式儒家，既已在歷史的發展中逐漸分化了，彼此間就形成了畛域壁壘，爾我相爭。亦有調和折衷於其間者，力求通經致用或文宗經義，紛然騰說，蔚為巨觀。後世學術史文化史之一主要發展脈絡，似不能不注意及此。

五、道學、經世與宗教

魏晉南北朝期間，上述分化當然仍在繼續，但也有新的狀況，原因是上述分歧皆是儒學內部的，魏晉以後儒學與外部的分歧才越來越突顯。

儒家在先秦，乃九流十家之一，因此與其他各家頗有爭論，如道家文獻《莊子》中就批評「儒者以詩書發冢」，墨子也攻擊儒家，主張非樂、節葬，孟子則與楊朱墨翟許行各學派論辯，荀子〈非十二子〉〈解蔽〉諸篇，於當時各家亦多微辭。可是這些爭論到漢代就漸止息了。漢自武帝獨尊儒術以後，諸子之學漸衰，楊墨皆無傳承，其餘諸家，勢益不能與儒相抗，故一切爭論，主要均表現於儒學內部。

魏晉以後，情況不然。《易》《老》《莊》號稱三玄，論者鑱起，於是儒道關係漸成熱點，論者爭辯孔老優劣、儒道分合、自然與名教之關係等等。如《三國志·魏志·鍾會傳·注》載：王弼有次去拜訪裴徽，裴氏問他：「無者，誠萬物之所資也，然聖人莫肯致言，而老子申之無已者何也？」王弼回答：「聖人體無，無又不可為訓，故不說也。老子是有者也，故恒言所不足」。老子講無，孔子不講，這是儒道之異。魏晉時人論玄學，以無為本體，故裴徽說無是萬物之所資。可是為什麼孔子不講這個本體的問題而老子才講呢？王弼回答，謂孔子已經體認或體會體證了無，所以不必講；老子則是雖知道這個無，可是自己還沒能體證到無的境界，因此老是要去說那個無。這就是對孔老儒道地位及價值之一種分判。李充〈學箴〉所說則為另一種分判，他說：

> 先王以道德之不可行，故以仁義化之；仁義之不篤，故以禮律檢之。檢之彌繁而偽亦愈廣，老莊是乃明無為之益，塞爭欲之門。……聖教救其末，老莊明其本。本末之途殊，而為教一也。

這是以本末關係來位置儒道，諸如此類分判，在魏晉南北朝期間是很多的。

儒佛關係，此時亦漸成論題。如張新安〈答譙王論孔釋書〉說：「積善啟報應之轍，網宿昭仁蒐之苗」，前者是佛教的因果報應觀，後者是儒家的仁愛說，這二者，張氏就認為：「非旨睽以異逋」，可以相通。與此相反的，是另一類主張辨儒佛之異的，例如王坦之〈沙門非高士論〉、顧歡〈夷夏論〉、戴逵〈釋疑論〉等。

他們批評佛教是外國的教法，故引儒家夷夏之辨以攘斥之；又批評佛教的服制，故引儒家說不能披髮左衽以排拒之；他們還詰難佛教之倫理觀，以儒家之重孝道，說「無後為大」來指責；對於佛教講因果，亦以為「修短窮達，自有定分；積善積惡之談，蓋是勸善之言耳」，認為與儒家定命說不同，故非究竟之談。凡茲等等，開啟了儒釋分合之辨，到後代越來越激烈。

例如唐代中葉的古文運動，就一方面是反對漢代經生章句式的儒學，而提倡類似王充所說的「文儒」型態；一方面則是分判儒佛，強調儒家與佛家的差異；再則是說文儒所撰之文必須闡明聖賢的道理。這看起來是革命性的，實仍是漢魏南北朝儒學分化及儒佛分判的發展。

宋代延續古文運動之路線，講「文以載道」。可是所重漸在道而不在文，因此與文人漸分。又由於所重在道，故亦不認同漢代傳經式的儒學，以致《宋史》中於〈儒林傳〉之外，另立〈道學傳〉以彰明其傳道之功。

宋代傳道之儒強調道統傳承，謂道由堯舜禹湯文武周公孔子孟子一脈相傳，孟子之後，漢唐諸儒皆不得其傳，待宋朝周敦頤、程頤、程顥才再接上統緒。這個道統傳承的認定，自然引起許多爭論。且不說它與漢唐傳經之儒的分判，帶來了不少爭端，致令後世儒學學者在「漢」、「宋」之間都要做一抉擇，做一分檢，就是在道學家內部，也有誰為正統誰為歧出之辨。

在宋代，朱子號為正宗，陸象山等便被疑是混雜於禪學。至明，王陽明起而競爭，攻者亦仍以雜揉禪佛來批評陸王。王學內部，則浙中、南中、江右、泰州、閩粵之傳，孰為正宗真傳，亦多聚訟。清熊賜履編《學統》將學者分納於正統、偏統、雜統、霸統中，正可見這統緒之爭的激烈。直到現在，當代新儒家如牟宗三先生，還在說宋明理學應分三系，程明道以迄陸王一系為正，而伊川朱子一系只是歧出呢！

至於道學家與文人之間，也一樣爭辯不休。程伊川與蘇軾不睦，《二程全書》載：

> 問：「作文害道否？」曰：「害也。凡為文，不專意不工，若專意則志局於此，又安能與天地同其大也？《書》云玩物喪志，為文亦玩物也」。

朱子也說：「韓退之柳子厚輩只是要作好文章，令人稱賞而已，究竟何預己事？卻用了許多歲月、費了許多精神，甚可惜也」（《文集》，卷六四，〈滄州精舍論學者〉）。不是批評寫文章是玩物喪志，就是惋惜文學家浪費了精神，他們瞧不起文人，是毫無疑義的。但文人同樣藐視道學家，所以湯顯祖說：

> 欲作文人，須讀書十五年。欲作一道學先生，只三月足矣！（見顧大韶〈答翁子澄妹丈書〉）

文人著作中更是把道學家揶揄了個夠。現在我們對道學家總有一個不良的刻板印象，認為他們迂拙可笑、固蔽不通，實皆是因道學家得罪了文人之故。

凡此傳經與傳道之爭、道學與文學之爭、儒佛之辨，到清代當然仍繼續擴大中。傳經與傳道之爭，衍成漢宋之爭、尊德性與道問學之爭、經世與修身之爭等。漢學，指用道問學，即考證之方法、書本的知識去研究經典，以反對宋明理學，乾嘉樸學即為其代表，其詳可見江藩《漢學師承記》。反對此一學風者則有方東樹《漢學商兌》等。

宋學之所以不滿於漢學，主因是儒學並不只是一種知識，它具有濃厚的實踐性。一個人光是讀過《論語》，知道那裡面誰講了什麼話、每個字句怎麼解釋，是遠遠不夠的，除非他能在身心實踐上實現那些箴言，否則根本沒資格稱為是一名儒者。宋儒之論誠意正心修身齊家，講窮理盡性，正是有見於此。

可是實踐工夫多用在修身養性上，人人自詡傳道，而無裨時局，宋亡於元，明亡於清，遂不免令人詬其「平時袖手談心性，臨危一死報君王」。清初儒者為矯其弊，乃提倡經世之學，重視社會實踐。此種實踐性在清朝統治鞏固之後，當然已無可能，是以此時所提倡之經學只能是一種道問學式的知識考訂，乾嘉樸學之性格即是如此。要待鴉片戰爭以後，國事日非，學者才重新以經學說經世，利用西漢公羊學談改制革命。

然而公羊學在晚清也仍是爭議不斷的。提倡公羊學的康有為梁啟超師徒，在戊戌事變後流亡海外，固然是政治事件，但在戊戌變法前，葉德輝就刊行《翼教叢編》來捍衛他所認知的儒學了。稱儒學為「教」，是因康有為想把儒學宗教化，稱為孔教，故反對者也相應地說要保護這個教。當然葉德輝所謂的教，是指教化而非宗教，可是自古以來，把儒學跟佛教道教併稱為「三教」，也早已成為慣例。而孔學儒學到底是不是宗教、能不能宗教化、又是爭論迄今未已的。目前香港、印尼等地就都仍有孔教會在活動，是政府正式認可之宗教團體。

六、儒家型社會

處在這一連串爭論中的儒家，顯示的乃是極其複雜的樣貌，歷史上崇儒與反儒之行動，所崇與所反的，可能都只是儒家的某一部分。反儒的人，或許正是發揮著儒學的人，只是他所信所知的儒學恰好與它反對的人不同罷了。

例如秦用李斯之建議，焚書坑儒，令天下欲學詩書者以吏為師。這不是反儒嗎？但李斯是荀子的學生，未必遂背其師；主張以吏為師，也有恢復古教之意。後世如清朝章學誠《文史通義》便大力強調「周孔之辨」，謂周公代表古道術、代表學在公家之時代；到孔子，就開始流於私人，以致學術漸衰，故論學應辨源溯，尊孔則不如尊周公，重私學亦不如重官學。這種以吏為師、官師合一的理想，跟李斯又有什麼不同？可見崇儒與反儒，細究起來，內涵十分複雜。以上所說，尚僅限於中國內部，若再把眼光放到整個東亞儒家文化圈，上下數千年，縱橫十萬里，儒學影響深遠綿密，內中複雜之情狀，更要遠超過上文所述萬萬。

而且我們當知：以上所說，大抵只涉及了儒家做為一個知識體系的問題，只包括這個學派的創始人、分化、傳承與演變中的爭議等。可是儒學在中國或東亞，絕不只有這個面向或作用。儒家除了是一個學派之外，它還是整個社會的人文知識基礎。這社會中所有人打啟蒙開始，就都以儒學為其基本知識框架與基礎，讀著《三字經》《千字文》《百家姓》《弟子規》《昔時賢文》《小學》乃至《四書》。不論爾後他為僧為道，他的基礎人文知識，都脫不了儒家的基底。中國從來沒有任何啟蒙書是以道家法家思想來編撰的，道教佛教倒是模仿儒者編過《三字經》，可是我相信現在讀著我這本書的讀者中，誰也不曾見過或諷誦過它。反而是「人之初，性本善，性相近，習相遠」云云，縱或不曾讀過，聽也聽熟了。在這方面，九流十家均不能與儒家相提並論。

同樣的，儒家也是社會組織及其運作的原理。其他各家學說只是個學說，儒家則不然，家庭中大體即是依循著儒家學說在運作，講究父慈子孝兄友弟恭、敬宗法祖；其倫理關係、行為規範、應對進退、起居作息，事實上都依著儒家所說在做，故曰「百姓日用而不自知」。擴而及於宗族、鄉黨、社會，均是如此。各個家訓、族規、鄉約，無不體現著儒家的精神與實踐性，以致整個社會形成為一種儒家型社會。

其他九流十家，對於如何將其學說變成一套社會生活，缺乏論述及具體實踐，因此在這方面也遠不能與儒家相比。至於佛教道教，既被歸入「方外」，則不論它在思想上或宗教生活上影響多大，這「方內」的人間社會，終歸是受儒家所主導的，佛道勢力亦無法與之相爭。

正因為儒家在社會上有如此巨大的作用，故歷代政府均表現著尊儒之立場。自劉邦以降，皇帝例行祭孔，推尊儒術，以為教化之資。故在中國，儒學實有國家意識型態，亦即國教之地位。此尤非其他諸家所能抗衡。

中國歷史上並非沒有另奉宗教的皇朝，如北魏曾奉天師道，改年號為「太平真君」；李唐曾以道教為國教，奉老子為遠祖；武周奉佛，以《大雲經》為女主臨極之驗；宋奉道教，有年號曰太平興國，皇帝且為道君。但即使在這些朝代，宗教性的信仰與治國時的意識型態仍是區而別之，分予運用的。那些佛道教，主要施用於皇室；儒家則仍是帝王用以治化的法寶。皇帝的儲君養成教育、經筵教習，以及皇帝所擔任的許多儀式角色，都可以顯示這一點。

這種國教地位，無疑會令儒家之影響更為巨大，但亦因為如此，儒學也不免受政治拖累。特別是在近代民主革命思想衝擊下，儒家學說每被質疑與帝王專制具有內在關聯性，不是說它成為專制政治之工具，就是說它成為幫凶，為其服務。或根本就認為兩者之間之所以能長期結合，沆瀣一氣，即是由於二者一致，或可彼此助益之故。激烈一點的人，乃因此而覺得儒學不亡，中國便永遠無法擺脫封建專制。

這種思潮，歷經五四之反傳統，以迄文化大革命、批林批孔之後，於今當然陰魂未散，但其盲點已越來越明顯了。因為：

㈠統治者利用儒學，應被譴責的是統治者還是儒學？不責劫匪而罵遭劫者，合理乎？

㈡說統治者為何選擇儒家而不選其他，必儒學中有符合其專制統治之思想因素，就像批評遭強暴的女子必與強姦犯合謀一樣，更是無理。

㈢統治者什麼時候不假借名目來遂行其統治呢？統治的本質是權力制伏，但赤裸裸的權力宰制是說不出口的，總得藉個名義來說明統治是合理、合法且合乎被統治者之利益的。老百姓若信神，統治者就會說他的治權本乎神授；老百姓相信民主價值時，他就會宣稱他也擁護其價值，並要大家民主地讓他來統治；而在老百姓認為君王應仁愛的時代，他也當然會說我亦奉行此仁愛之學說，與民同愛。不論所利用的名義是什麼，統治者信仰的其實只是權力，這才是政治之本質，名義主義口號均只是披著的斗蓬而已，隨時可以脫去。滿清入關後，去曲阜祭孔，右文崇儒，表現得一派奉儒學為國教的樣子。可是他們去蒙古也如此嗎？當然不，蒙古人信喇嘛，於是清廷在面對蒙古時，就不談儒學，只崇奉喇嘛了。故批評儒學為專制政治幫凶者，既不知儒學，亦不懂得政治。

㈣儒學在歷史上，並不都是只有朝廷崇奉的風光面，更多的，是受到打壓的部分。漢代睦弘於昭帝時推闡《春秋》之意，以為當有匹夫為天子者，上書要皇帝退位禪讓，結果被霍光殺了。當時公羊家講的「非常奇怪異義」之論，多屬此類。宋代朱熹講學被禁，政府指他為「偽學」，明代張居正亦禁書院講學。至於歷代本著儒家思想諫議君王、批評時政者，更是不可勝數。此等儒學與政治之衝突面，不能刻意忽略。

㈤儒學在現實政治中甚少被落實，儒者甚少真能得君行道，一個內在的原因是：儒學本為反流俗之學，君子謀道不謀食，人不知而不慍。此種學問型態，很難曲徇流俗。

㈥儒家倫理更不講忠君。《論語·學而》載曾子云：「吾日三省吾身」，其中一一就是：「為人謀而不忠乎？」忠乃是人與人相待時的普遍原則，所謂忠恕之道，盡己之心就是忠。忠並不只對君上，對所有人都應該忠。此為第一個重點。其次，在面對君王時，孔子說：「君使臣以禮，臣事君以忠」（〈八佾篇〉）。君臣相對待時，各有其義務，君禮才臣忠，哪有後來統治者胡亂宣傳的什麼：

「君要臣死，臣不敢不死」的愚忠觀念？若君使臣不以禮，臣自然也就無義務盡忠，故荀子曰：「從道不從君，從義不從父」。再者，若君主有過失，不只臣可以消極地「不從」，更應糾正他。一個實例，是孔子弟子冉求擔任季氏家臣，孔子很不滿意：「季氏富於周公，冉求為之聚斂，而附益之。子曰：非吾徒也，小子鳴鼓而攻之可也」（〈先進篇〉）。孟子把這種情況放到整個政權上說，乃因此言湯武革命，順天應人，「聞誅一夫也，未聞誅紂也」，確立了人民對君主的革命權。比西方政治學早了一千五百年。革命，也許說來暴烈，但孔子說：「子路問事君，子曰：勿欺也，而犯之」（〈憲問篇〉），犯之，就是不能恭順依從君主，而須時時保持批判性的意思。這才是儒家論臣子事君的基本道理。

㈦儒家的道理，與統治者的需求是齟齬矛盾的，因此在政治利用中頗多曲予假借甚至顛倒變造之處。如前述忠君說便是其一，愛國說也是。儒家自孔子以來便周遊列國，哪能愛國？孔子曰：「君子懷德，小人懷土」，更明指懷土者為小人，他不只周遊列國，想貢獻給任何能實現他理想的地方，甚至還想渡海移民去九夷哩！後來顧炎武區分亡國與亡天下，便是發揮此旨，謂國家興亡，屬政權起滅，執政者自己要負責任；天下興亡，則是文化問題，文化好不好、亡不亡，才是每個人都有責任的。後來的統治者卻將之盜改為「國家興亡，匹夫有責」，意思就完全顛倒了。此類事例，所在多有。

㈧雖然迭遭扭曲，但在被政治利用的情境中，儒家仍然能發揮若干具體制衡作用，令中國傳統政治不為惡太甚。例如稅制，在孔子時，官方就想加稅，孔子則一再主張十一稅，孟子亦然，反對橫征暴斂。此與其仁政思想，對統治者來說，均是一帖抑制其私欲之藥。同樣的還有災異說、諫官制度等。災異說乃「天視自我民視，天聽自我民聽」思想之轉化，說天有災變，即是政治上不清明、老百姓有痛苦的表現，要求君王反省罪己、改善政策。君主不是笨蛋，不會不知道老天爺能如此通靈的講法是假的，但帝王既要假借天意，說自己是天子，本朝乃天命所歸，便不能不同時也接受天象示警、災異咎王這一套說辭。故此是「以天制君」，諫官則是以人制君。民意的監督，遠而不具體，諫官制度即是代表民意來進行實際監督的。諫官與監察御史不同，並不監察百官，只負責監督皇帝，拾遺補闕，日在君主耳邊聒噪。君主無不討厭諫官，諫官無不想找到好題目勸諫，最好還能被皇帝懲罰，好留名史冊。這就是人事制度的力量，君王雖極厭之，亦無可奈何。

把這些綜合起來看，就可知道近世反儒而詬其依附帝制云云者多屬誤會。於今重新認識儒家，宜平心體察，深入探索儒學在中國社會內部豐富龐雜的內涵才好！

第十二章　道

一、道教的來歷

道教是一筆難算的帳，它起於何時？史學家都說起於漢朝張道陵之創教。教內人士則多說起自黃帝，既為我中華民族固有之文化、亦為固有之信仰。也有些人說其來歷更在黃帝之前，如抱朴子《枕中書》便謂道教起於二儀未分時之元始天王，《隋書·經籍志》則說始於元始天尊。

此類說法，皆甚為荒邈，難以質憑。蓋元始天尊的信仰本係南北朝時期之產物；而黃帝等古先聖王所講的「道」，也與道教之所謂「道」頗不相同。

道，就是路。這些路，只要合理、走得通，就會有人走；所以人人各道其所道。且人也總是循著道路在走的，因此，道又有條理之意。在這種意義下，道皆泛稱，人人都可稱自己的理論或理想為道。若敘說講述之，也稱為道，成為動詞，如《莊子·天下篇》：「詩以道志、書以道事、禮以道行、樂以道和，易以道陰陽、春秋以道名分」。倘若以某種道理教育後生，便可稱為道教，如《牟子理惑論》云：「孔子以五經為道教，可拱而誦、履而行」。

此道之古義也，泛指道理，本不專指某家某氏。但為什麼後來只有道家被稱為道家，獨專此道字，猶如古代「朕」為我之通稱，後來卻成了帝王專用的稱謂那樣，使道由達名變成了私名呢？

據莊子說：「古之所謂道術者，果惡乎在？曰：無乎不在！神何由降，明何由出，聖有所生，王有所成，皆原於一」。道術是無所不在的，聖王神明皆有道術，本是一原，後來分裂了，人各以其才性之所需與所近，採擷道之一端，成為自己的道，故形成百家爭鳴之現象，各道其所道。此處，他把道分成兩類，一為本原之道、一為各家之道。各家之道均是割裂不完整的，但因其本出於一原，故內部又有可以相通之處。只有統合會通這些割裂不完整的道，才能重新恢復原初大道的完整性。以莊子的角度看，先秦各家，都陷在「道術為天下裂」的境地，各道其道；只有老聃和他，最能博攝諸家、會通為一，故能符合或重返原初道的整全狀態。因此，在各家都各道其道之際，這一家因自認其所講之道才是根本的、整合的、原初的，與其他各家之道不在同一層次。才使後人特稱此一家為「道家」。

道家之名，至遲在《史記·太史公自序》中已經有了，司馬談論六家要指，謂：「天下一致而百慮，同歸而殊塗。夫陰陽、儒、墨、名、法、道德，此務為治者也，直所從言之異路，有省有不省耳」，就與莊子的思想甚為肖似。他認為儒墨諸家皆自走其道路，這些道路各有利弊，但總歸是要合一的，能合之者厥惟道家：「道家，其為術也，因『陰陽』之大順，採『儒』『墨』之善，撮『名』『法』之要」，故能會通合一，達到最完美的境界。這就是因道家對其道有特殊的解釋與強調，故特稱為道家。

但別家可不見得信採道家這種特殊的講法，故天下仍是個各道其道的局面。且除了先秦原有的儒道墨道等等之外，方仙道等各種道亦漸崛起。

在莊子時代，即已有許多講養生術的人，〈刻意篇〉批評：「吹呴呼吸，吐故納新，熊經鳥申，為壽而已矣，此導引之士、養形之人，彭祖壽考者之所好也」。這些講養生鍛鍊之術，或找不死藥的方士之道，則或稱為方仙道。

不論拜天神或求藥方，這些方士術士們都是各道其道的，故又皆可稱為道士。趙翼《陔餘叢考》卷三十六考證道士之名，自周已有之。漢代稱道士者，則如董仲舒《春秋繁露·循天之道》言：「古之道士有言」；《漢書·王莽傳》亦云：「王涉素養道士西門君惠，君惠好為天文讖記」；「張豐好方術，有道士言豐貴為天子」。這些道士，即指各種方術士，並不特屬於某一種宗教。修各種道的人，均可稱為道士，亦不僅指講神仙方術之人，如《後漢書·第五倫傳》謂倫「自以為久宦不達，遂將家屬客河東，變姓名，自稱王伯齊，載鹽來往太原上黨，陌上號為道士」，彼乃儒者而為鹽賈，乃亦名為道士，則其不專指言神仙者可知矣。這時道字的用法，正如《禮記·王制》批評某些人挾「左道」云云。蓋道有各式各樣的道，如神農雜子技道、盤庚陰道、天一陰道、宓戲雜子道、堯舜陰道、劍道、上聖雜子道等等，其中不免有不軌於正義且語涉虛妄者，故以左道名之。

漢代流行的這些道法，彼此既未必同源亦未必同時，其間各有法門，差異更是極大。例如有些術法「或飲小便，或自倒懸」，其他道便不以為然。又如方仙道，是「形解銷化，依於鬼神之事」，太平道卻根本不談鬼神，「專以奉天地、順五行為本」。五斗米道，以星斗信仰為核心，也不講什麼海上三山。據說三張曾傳男女合氣的黃赤之術，則亦為欒大李少君等所弗道。少翁、欒大等人拜致天神，又跟中黃太乙之道「毀壞神壇」的作風迴異……。諸如此類，皆可見其術法殊為不同。

至於它們崇奉的對象，也很不一樣，文廷式《純常子枝語》卷十八說得好：「李少君之前，言神仙者不特不託之老子，並未嘗託之黃帝」。因為以上這些道，顯然都跟老莊沒什麼關係，而且早期的方術，通常只藉儀式術法來達到求長生等目的，未必有精神崇拜的教主及自我精神修養之內容。如李少君告訴漢武帝祭灶就能招來精怪，得精怪則能與神通。這類儀式，根本不需教主，只以灶、星、日、月等為崇拜對象即可。其他人則或以拜斗、封禪，甚或以熊經鳥申、呼吸吐納等儀式術法行事，甚至連崇拜對象都不需要。

它們之間的差異如此之大，自無怪乎有些道法要自稱真道、正道而批評其他的道法為邪道、左道、偽技了。《老子想爾注》不是說：「今世間偽技因緣真文設詐巧」「今間偽技，詐稱『道』，託黃帝、玄女、龔子、容成之文相教」嗎？葛洪《抱朴子·道意》更指責當時的各種道法是「妖道百餘種」。它們彼此間之競爭狀況顯然是十分激烈的。

這些道法之來源與內涵，有的迄今仍不盡能明瞭，如被斥為「偽技」的某種存思法，是存想藏在身中的神明，謂五臟諸神都有姓名服色，而且指明了它們的高矮長短。這應當即是類似《黃庭經》的講法，為後世上清道所採行者。但它起於何時、淵源為何，殊不能曉，唯知此與老莊實無淵源耳。它跟《太平經》所講的存思法也並不一樣。

當時另有傳黃帝之道者，然不僅是黃老虛靜那一套，例如兵家中的陰陽家，便有《黃帝》十六篇，五行家有《黃帝陰陽》廿五卷，天文占驗家也有《黃帝雜子氣》三十三篇，雜占十八家中則有《黃帝長柳占夢》十一卷。此外，尚有講房中術者。所謂「優遊俯仰，極素女之經文；升降盈虛，盡軒皇之圖藝」（見徐陵《答周處士書》），絕非導引吐納存神練養之技。《漢書·藝文志》方伎類房中家便收有《黃帝三王養陽方》一類書籍；後世道教備受甄鸞、寇謙之批評的黃赤之道、男女合氣之術，其所依據的《黃書》，殆即此類黃帝圖方之遺傳。可是房中術也並不全法黃帝，另有效法彭祖及容成氏等人的，各有巧妙，非出一源。容成術，乃御婦人法。別有一種採補之技，則為女施於男者，見《漢武故事》，謂女神君欲以太乙精補霍光之精氣。其複雜可知。

至於幻化之術，主要是得自某派別墨。梁阮孝緒《七錄》中有《墨子五行要記》一卷、《五行變化》五卷。這幾卷書，據說至隋唐間仍存，故陳子昂云其高祖陳方慶「好道，得《墨子五行秘書白虎七變法》，遂隱於郡武東山」。而其來源則甚早，葛洪《抱朴子·遐覽》說：「變化之術，大者唯有《墨子五行記》。本有五卷，昔劉君安未仙去時，抄撮其要，以為一卷。其法用藥用符，乃能令人飛行上下，隱淪無方。含笑即為婦人，蹙面即為老翁，踞地即為小兒，執杖即成林木，種物即生瓜果可食，畫地為河，撮壤成山，坐致行廚，興雲起雨，無所不為也」。這些變化方術，既不依鬼神也不重養生，恃其術法，自成一道，與太平道等之淵源及內涵都不相同。

漢代尚有一種甚為流行的道法，就是煉丹。丹，本謂丹砂，指煉丹砂為黃金，再以此黃金為飲食器則益壽，益壽以後才能見著蓬萊仙人。後乃逐漸轉變為「金丹」之說，云煉得金丹，吃了就能不死。據稱淮南王所編《鴻寶》即講此神仙爐火黃白之術的書。此類書當時必甚多，《參同契》的作者曾說他所見過的便有「火記六百篇」，此丹鼎一脈也，乃是早期的化學家。從事此道者，當時恐怕也很複雜，如曹植《辯道論》言後漢方士甘始說他曾與其師韓雅「於南海作金，前後數四，投數萬斤金於海」。這就不是煉金丹而是造黃金了，其分歧應甚大。

因此，綜合地看，我們只能說秦漢社會通行各種道，道術之士各道其道，道只是達名，與老莊太半無關。道教研究，首先即應著眼於這個事實，放棄早期那種單線地、從黃老講下來的方式。反之，把各種方術士看成一家人，認為道教即出於此神仙家或陰陽家，也是不對的。

正因上述諸道，多與老莊無太大關係，故耶律楚材詩謂：「玄宮聖祖五千言，不說飛昇不說仙，燒藥煉丹全是妄，吞霞服氣苟延年」（《湛然居士集》卷十）。其中丹鼎一脈，至《參同契》才會合黃老、易、爐火為一。但後世煉丹者，如葛洪就仍對老莊頗不以為然。上清道講存神降真，奉《大洞真經》《黃庭經》，並不諷誦老莊，亦罕言黃帝。靈寶道、三皇文道，與黃老的關係尤其疏隔。至於講究術法的谷道、天道、陰道、方仙道、墨子五行術等等，更與黃帝老莊毫無關聯。漢魏南北朝諸道，只有天師道採用《老子五千文》教習，並奉太上老君。可是太上老君與老聃，直到陶弘景的《真靈位業圖》仍是分列的，不認為是同一個人。又，北魏崔浩是信天師道的，但他「性不好莊老之書，每讀不過十行，輒棄之」（《魏書》卷三五本傳）。似乎也顯示了天師道與老莊的關係仍是頗為鬆散的。所以，我們可以說，諸道士之道多半不是由黃老或老莊之學流衍而成的，它們只是流行於秦漢之間的各種道，這些道彼此並無統一的世界觀或相同的修煉方式，思想來源更是複雜。它們稱為某某道，就和儒者墨者自稱其道為「儒道」「墨道」一樣。我們不能因此就把它們和老莊混為一談。

當然，其中也有一部份是崇奉黃老之言的。如河上丈人、安期生、毛翕公、樂瑕公、樂巨公之傳承，嚴遵等人之釋解，桓帝之崇奉，均屬於漢代黃老學的發展。講此種學問者，固多神仙隱遁之士，但黃老的基本格局仍是十分清楚的。至於莊子，被注意而且被廣泛研究，本在漢代以後；南北朝人講莊子，甚至尚未發展出與道教有關的講法；以道教觀點解莊，事在唐朝。故漢代諸道可說均與莊子無甚淵源。

總之，各種道以及據其道而成的各個教，如太平道、帛和道、李家道、天師道等，其實等於許多不同的教，這些教彼此是相互競爭的，未必有共識的基礎和血緣親近關係。佛教興起後，這些教才因皆自稱為某某道，故總稱為「道教」，以與「佛教」對舉。《甄正論》下載：「吳赤烏年，術人葛玄，上書孫權，云佛法是西域之典，中國先有道教，請宏其法。始置一館，此今『觀』之濫觴也」，正指此事。

但奉道者仍舊是各信其道。各種道雖被歸隸於「道教」這個總教名之下，卻仍然自稱為某某法某某道，而不以教中之「派別」來形容並予以區分。以派來分別「道教」內部各個道的辦法，興起甚晚。至於劉宋時期編集的《三洞經書目錄》《正一法文經圖科戒品》等，把道教典籍依「三洞四輔」的架構編到一塊兒，事實上也是為了總集各道教（我們現在姑且稱為道派）之書而不得不然。洞真部收上清、洞玄部收靈寶、洞神部收三皇文，四輔則為太玄、太平、太清、正一之圖籍。煉丹、服食、行氣、房中等神仙家之書，集中在太清部，老子《道德經》系統列入太玄部，正一、太平則是正一道太平道的東西。這種安排，可謂煞費周章，才能讓各教仍各行其是而又能在一個大框架中各就各位。

同理，其他宗教之主神（教主），多只有一位，如佛教之佛陀、基督教之上帝、伊斯蘭教之阿拉，道教卻是「三清」。此實因各道咸有主神，既要統歸為一大教，只好想出這麼個一氣化三清（元始天尊、靈寶天尊、太上老君）的架構，來容納三個主要教派（上清、靈寶、正一）的教主。

在這樣的巧妙安排中，我們即可以看見道派勢力競爭的現象。例如三洞四輔之分，顯示南北朝期間道派要以上清、靈寶、三皇文為盛，太平、正一雖歷史較久遠，但未必能與爭鋒，只好居廁輔佐地位。而三洞四輔之中，太清部講金丹服食之道，本不奉事教主神靈；太玄部收《五千文》等經籍，勉強說應與正一同奉老君；洞玄部則講天皇地皇人皇，不好實指，且三皇文系後漸沒落，亦可不談。故七部之中，論教主，只能談四位；上清的元始天尊、靈寶的靈寶天尊（或太上大道君）、正一的太上老君、太平道的太平帝君。四位教主中，太平道的金闕帝君恰好又有壬辰降生的預言，所以便安排他做個未來太平世的教主，只講「三清」。這個基本架構，始見於陶弘景之《真靈位業圖》。而三清之所以以元始天尊居首，正緣陶弘景為上清道之故。他站在自己道派的立場上講話，總仍不能擺脫門戶之見。

有時也未必總稱諸道為道教，仍稱道或道家，《晉書·王獻之傳》云：「獻之遇疾，家人為上章。道家法，應首過」，此道家一詞，也許專指天師道。但《全晉文》卷一四六所收佚名《道學論》就是泛指諸道了。《御覽》道部八《道士門》引《道學傳》載敘鮑靚陶弘景等各派道士亦然。其中如「宋文同，字文明，吳郡人也。梁簡文時，文明以道家諸經莫不敷釋，撰《靈寶經義疏題目》，謂之通門」，明以「道家」總括諸道。大抵相對於佛教一詞，諸道可併稱為道教；相對於佛家一詞，則稱道家。這時，「道家」一詞與先秦九流十家之一的道家，所指又不相同啦！

道教在後世，基本上一直維持著這種教中有教的型態，如元代全真教、玄教、真大道教、太一教等等，都是在「道教」這個大總名之下，仍保持其各自一教之教名的例子。

從名義與指涉的演變中觀察，「道」「道家」「道教」實在是幾個很能搞亂人思惟的字辭。過去的道教研究或有關道教的一些基本觀念，率皆為此等字辭所擾，以致講得煙籠霧罩、糊里糊塗。

現今學界通行的道教史觀，是：道教成立於東漢桓靈之間太平道天師道創立之時。在此之前，社會上已流行各種民俗信仰及巫術等等，道教即據此加以吸收消化而成；其後乃逐漸進入士大夫貴族階層，並出現分化現象。故在太平道天師道出現以前，可稱為道教前史，或早期道教。其內容是神仙家陰陽家學說及民俗信仰、巫術。所謂魏晉南北朝的分化，是說那原本吸收了許多民間信仰而形成的道教，進入士大夫階層後，逐漸醇化，淘汰了一些過於荒誕怪異不雅馴的部份，在理論上日益醇化，以符合士大夫趣味。但也有些人不強調這一點，而著眼於士大夫之煉丹求仙，故謂此時道教可分為「民間道教」及流行於貴族間的「神仙道教」。因為早期的道教活動並不以神仙長生為主。

這個架構，只具有表面的秩序化與合理性，其實大錯特錯。

其次，把道教史劃分為教前史（或早期道教史）與道教成立以後之史兩段，乃是以一個單一教系傳承的觀點來看待它。但事實上，如前文所述，「道教」並不是一個單一的宗教。秦漢間實為諸道併立的時代，這些道，彼此間競爭、融合、或各行其是，直到南北朝中晚期，才逐漸在「佛／道」對舉的架構下，被籠統地稱為道家或道教。在這個大共名底下，因諸道來源與內涵殊不相同，所以才在經書編秩及神仙品級等形式結構上運用巧思，勉強拼合成一個大系統。可是這只是形式性的統合，並非實質性的，諸道在思想與術法上的差異仍然具存。且即是在這種諸道併立、彼此違異的情況下，才形成了道法間競爭以及激盪融匯的關係。因此，我們不能以佛教、伊斯蘭教、基督教的型態來看待道教。道教非一源眾流，以一個教主而下衍諸派的方式相傳流，亦非雜然彙收各種術數方技於一爐，以形成「一個」（大雜膾、大拼盤式的）宗教。而是多元分立、互相推盪，形成一幅交光互攝之圖象的。新的道教史描述架構，應當由此開始。對於「道」的名義演變及其指涉，更應先予了解，否則道來道去，胡道亂道一通，殊非學術研究所當為也。

二、道教的性質

現在一般人想到道教與道士，都認為它們的職司就是跟超自然界打交道，交通鬼神。所以要由他們來主掌祭祀之事，或主持死喪之禮。祭祀時則往往需要牲供，與佛教僧尼辦理齋天供佛及喪葬法事時僅用素菜素果不同。

但古代道士並不是這樣的。

先說齋法。據《雲笈七籤》卷三七齋戒部的序文說：「諸經齋法，略有三種，一者設供齋以積德解僽愆；二者節食齋，可以和神保壽，斯謂祭祀之齋，中士所行也。三者心齋，謂疏瀹其心，除嗜欲也」。可見道教及道士所貴，在於精神內養，祭祀僅是次要之事。而且這類祭祀之齋，也與現今一般人所理解的不同。

不同者何在？第一是目的。「除上清絕群獨宴、靜氣遺形心齋之外，自餘皆是為國王、民人、學真道士、拔度先祖、己躬謝過禳災致福之齋」，亦即為別人或自己消罪孽致福祥，是一種道德性的動作，而非報酬交換式的功利性目的，齋祭了以後就要求五穀豐登、升官發財。因此《老君說一百八十戒》第一百一十八戒就說：「不得祠祀鬼神以求僥倖」。

所謂不得祠祀鬼神，正是第二個不同點。道教所重，既然在精神內養，齋供儀式自然就只屬於輔助性的手段。因此修齋持戒，所重者仍然在於內養而非外求，並不是向鬼神祈拜。與現今一般人所理解的「拜拜」「拜神」迥然不同。故《三天內解經》云：「夫為學道，莫先乎齋，外則不染塵垢，內則五臟清虛，致真降神，與道合居」。老君一百八十戒中，第一百十三戒是：「不得向他鬼神禮拜」，更說明了拜拜非道教之禮儀。《化胡經》十二戒中也有「勿淫祀。邪鬼能亂真，但當存正念，道氣自扶身」之說。

因為不拜鬼神，所以也不磕頭。這又是另一個不同點。《雲笈七籤》卷四十《金書仙誌戒》云：「凡存修太一之事，欲有所禮願，慎不可叩頭。……古之真人，但心存叩頭，運精感而行事，不因頰顙而祈靈也」「凡修行太一之事、真人之道，不得有所禮拜，禮拜亦帝君五神之所忌也」（又見卷四六，《秘要訣法部》第二五）。因為不禮拜鬼神，因此對世俗人也不禮拜：「凡於父母、國君、官長、二千石、刺史、三公，皆設敬，不得即誤禮拜」（同上），形成道教特殊的禮儀觀，跟佛教極為不同。

換言之，道教之齋供，在目的、對象、儀法上，都和現在民間所見之拜祀鬼神迥異。現今民間拜祀鬼神雖多延請道士主法，古代道士或道教卻是不搞這一套的。不但如此，與祭祀鬼神相關的一些活動，如求神問卦、占卜、算命之類，也非道教所允可，故老君百八十戒中第一百一十四戒即是：「戒不得多畜世俗占事之書及八神圖，皆不得習」，七十八戒則是：「不得上知星文、卜相六時」。拜祭鬼神或求卜問前程、占吉凶，基本上並不被認可。

除了祭祀鬼神之外，現今道士最常做的事，似乎就是主持喪禮了。但這一點也頗有今古之殊。古道士雖常設齋祈福禳災，拔度地獄幽苦，然而他們並不臨弔喪家、不視見死尸、不主持喪葬儀式。

早期道經中已有憎見血之說，道士如果見到死尸血穢，應立刻設法禳解。如《四十四方經》就說要以硃砂一銖散入水中，以洗目、漱口、洗手腳，然後再入室正寢中，把手交叉放在心口上，叩齒二十四通，唸一篇咒語。弔喪當然也不行，去五次就入仙無望了。

為何如此慎重其事、反覆叮嚀呢？因為道教主旨，在於「貴生」。一切教義由此而發，養其生氣尚且時嫌不足，怎能親近死物？一切死事皆當忌諱，原不止臨尸弔喪而已。

例如禁止殺生。《老君二七戒》：「戒勿食含血之物」，《思微定志經》十戒第一也是：「一者不殺」。老君百八十戒中談到不殺的則包括「第四戒不得殺傷一切物命，第二四戒不得飲酒食肉，第三九戒不得自殺，第四十戒不得勸人殺，第四十二戒不得因恨殺人，第七九戒不得漁獵傷殺眾生，第九五戒不得冬天發掘地中蟄藏生物，第一百一五戒不得與兵人為伍，第百七二戒若人為己殺鳥獸魚等皆不得食，第百七三戒若見殺禽畜命者不得食，第百七六戒不得絕斷眾生六畜之命」等。蓋繁說則有許多殺生的類別，簡單講，就直接說不殺生乃道教諸戒之首。

戒法如此，自然就影響到它的齋法。道教之齋供，雖說也要「市諸香油八珍百味營饌供具，屈請道士」來行齋（見《本相經》），但跟現在殺豬公、備三牲五禮、大魚大肉的那種方式完全不同，而是以不飲酒不茹葷為主的。有些講究的祭儀，甚至禁止穿皮履、繫皮帶參加。這正是道教祭法稱之為「齋」的本義。

《莊子．大宗師》：「顏淵問道於孔子，孔子曰：『汝齋戒，吾將告汝』，顏淵曰：『回貧，唯不飲酒不茹葷久矣』，孔子曰：『是祭祀之齋，非心齋也』」，齋戒的原始意義就是要人禁斷酒與葷，道教稱其祀典為齋，即用此意。但古人齋戒，所禁之「葷」，並不是指「腥」，所以吃肉是不必禁斷的。而且齋戒主要是在祭祀之前，祭祀本身卻需要備犧牲，殺豬宰羊一番。自太牢少牢之禮，以至鄉射、鄉飲酒，都是無酒不成禮、無血食犧牲不成祭的。子貢欲去告朔之餼羊，因其無罪卻得被殺，可是孔子告訴子貢；「賜也，爾愛其羊，我愛其禮」，就是這個道理。道教卻在這一點上，與傳統儒家禮樂文化大相逕庭，直接以齋戒為典禮，稱其禮為齋，且不飲酒不食肉，不以血食之物為犧牲上供。

不僅如此，祭祀鬼神且備犧牲，乃是許多宗教共通的現象。因為它來自原始社會的人祭及吃人肉風俗。有些民族獵殺異族人頭為祭，有些民族把衰老的酋長殺了獻祭，也有些民族選人為犧牲。像「河伯娶妻」一類故事，即保留了此種風俗。「犧牲」一詞之含義，也由此而來。後來則以動物代替祭牲。祭祀之後，參與祭禮的信眾共食祭牲，也是通行於許多民族的風俗。眾人分食酒肉，乃是飲食祭牲的肉和血，以企求與神合一。宗教學上把這稱為「聖餐」。其禮儀一般包含幾個要素：㈠悲悼祭牲的死亡，㈡祭牲被認為是神與人的中介，㈢祭牲呈獻給神之後，經過占卜或歌舞降神等儀式，確信它已被神所接納，㈣人眾食用祭牲即可與神冥合，獲得神的庇佑，㈤人眾因此而狂歡。《禮記》裡記載孔子看見蜡祭時，「舉國若狂」，描述的就是這種情形。

埃及、巴比倫、波斯、小亞細亞各地也都有共享聖餐的儀式，猶太人也有。至今天主教則依然保持此一傳統，以麵餅象徵肉、以葡萄酒象徵血、以被殺的祭牲耶穌為人與上帝的中介，謂飲食聖餐者可獲永生。祆教、印度教都用一種果汁當做神血，以求陶醉，自覺與神合一。其他宗教也均舉行聖餐。聖餐的材料隨當地產品而異。希臘地區盛產葡萄，狄奧尼索的聖餐便是麵餅葡萄酒。波斯的日神教則用麵餅與水。

換言之，在一般宗教活動中，所謂聖餐，基本上就是飲酒以象徵飲祭牲之血，並吃祭牲之肉的儀式。唯道教不然。道教之「行廚」，固然具有聖餐的意義，但因不拜鬼神、不見尸、不近血穢，故不奉祭牲，不喝酒吃肉。《太平經》卷百十二：「故復有言，所戒慎矣：不效俗人，以酒肉相和」。正一道自稱正一，即真正唯一之意，指責別人殺生血祭是「偽伎」。上清道也在《真誥》中指責帛家道「血食生民，逋愆宿責」（卷四），表明了它和其他道法並不相同。至宋代，各道大抵仍保留了這種基本態度，強調精神性的道德意涵，而不向鬼神去求祈。後期道教，如全真教及南派張伯端以降之講內丹者，更是放棄或減低了齋醮、科儀、符籙的部份，而專力於用精神力量來達成「貴生」的宗旨。不進行一般宗教的崇拜活動，也不必有至上神及相關信仰，它只須信仰一種清靜自養的人生觀，以及如何養成內丹的方法，依之修鍊便可以了。

這樣的宗教，多麼特殊啊！

但歷史的發展，乃是詭譎的。反對各種民間巫俗方術、不拜鬼神以求僥倖、不殺牲祭祠、不處理喪葬事宜的道教道士，在發展中卻經常被那些它所反對的東西羼雜進來，或它本身有時也不免從俗。以致於像宋代刊刻《道藏》時摩尼教經典即溷跡於其中那樣，許多民間巫俗方術都廁身於道教之林，許多道士也臨尸誦經、殺牲主祭了。一般道教的研究者，經常看到這種情形，遂以為道教也者，即是各種民間信仰及方術巫俗之總匯，其實哪裡是這樣呢？

道教之所以為道教，它的基本結構正存在於它與其他宗教、其他民間信仰迥異之處。只有正視這些不同，我們才能真正開始進行道教研究。

道教的另一個特點，在於它對女性的態度。

大部分宗教都有敵視或貶視女性的傾向，佛教、基督教、伊斯蘭教均是如此。基督徒雖有聖母崇拜，也並未能改善這種敵視與歧視女性的態度。天主自是男性；修道的修士，地位則在修女之上。佛教經論則記載女人有五種障礙，故不能成為梵天王、帝釋、魔王、轉輪王、佛。如欲成佛，須先轉變其身為男人。如《法華經》卷四《提婆達多品》即載有八歲龍女變成男身，往生南方世界成佛的事。許多經典中也都允許女人發願變成男人。如女人往生願，為阿彌陀佛四十八願中第三五願。說若有女人聞佛名號，「歡喜信樂，發菩提心，厭惡女身」，則她壽終時，便能得男身，而往生極樂淨土。

道教的情況則比較複雜。其中也有主張男尊女卑的，如太平道。但整體說來，它對女性的態度畢竟與佛教基督教伊斯蘭教不同，主要徵象顯示在兩方面，一是至上神可以是女性，二是女性與男性一樣都能修得正果，女人不被視為罪惡或缺陷的存在物。

道教的至上神甚為複雜，因為它不像大多數宗教那樣，僅有一位至上神。它是多重至上神的信仰。原因在於它融合了各個不同的道派，所以將各派至上神以「一氣化三清」之架構重新排列，以致形成了多重至上神的情況。其後，又用「繼位」說來解釋至上神的更替，無形中又增加了至上神的數目。這些至上神，包括元始天尊、靈寶天尊、太極金闕帝君、太上老君、關聖帝君、玉皇大帝……都是男性。但另有一些神，也其有至上神之神格，例如斗姥、西王母之類。她們不是一般原始民族拜的始祖女神，乃是統領天地宇宙及諸神靈者。這樣的女性至上神現象，也影響到明清以後出現的先天道等民間信仰，產生了無極老母、瑤池金母一類講法。而與其他宗教至為不同。

此外，像佛教認為女人不能修至佛位，最多僅能修到「度母」。基督教更是把女人看成是有缺陷的人，不准講道。道教則男女都可修鍊成仙。男仙女仙也沒有位階上的差異。像上清道的創教者魏華存就是女性。因此流行於漢魏六朝時期的上清信仰中，女仙真的故事也特別多，如萼綠華、杜蘭香、許飛瓊等仙女早已騰播於文人墨客的詩文中，深致景慕。與其他宗教中鄙夷女性、燒殺女巫的態度迥異其趣。

不鄙夷女性之態度，與道教對「性」的態度是相關的。一般宗教總是忌諱性事，視為不潔、視為罪惡，且亦因此而貶抑婦女。道教中有許多派別卻自漢以來即頗講房中術，「調和陰陽」的觀念中在道教中至為重要；男女交合而生育子孫，也符合道教「貴生」之宗旨，因此對性交與生育均不排斥。

這種態度，在宗教界無疑是極為特殊的。許多宗教均仰賴不結婚不生子的出家人為其主要傳教士，道教卻不。自太平道以來，它即反對出家，雖講男尊女卑，卻仍主張調和陰陽，仍鼓勵男女媾精化育。正一道之天師也靠父子相傳。住宮觀的出家道士，乃是受了佛教影響以後才形成的。因此我們可以說：道教對性的態度，基本上採取一般世俗人的標準，例如不絕慾不禁慾但也不鼓吹縱慾。其房中術之基本精神即是如此。

但宗教中自有一些是主張通過慾望的滿足來獲得靈魂之超脫的。特別是性交的愉悅、欲死欲仙之境界，輒被比擬為得證無上真理的感受。早在原始宗教時期，人神戀愛之故事，以及祭祀時神靈降附時，女巫妖媚的歌舞儀式，就顯示了：性交正是人所以通達於神靈世界的方式之一。如今我們在佛教密宗或印度教中還可以發現大量法器、儀式，乃至神像如歡喜佛之類，透露著此種「性力崇拜」的痕跡。道教既不以性交為諱，且有專門著作及學說，教導人們如何進行性生活，自然也就逐漸會發展到這個型態，變成一種崇拜性力、以性交為入道秘法的宗教。

故早期言房中術，僅謂：「食草木之藥，不知房中之法及行氣導引，服藥無益也」（《真誥》，卷五），後來卻以房中術為成仙之唯一方法，以致發展成採陰補陽、採陽補陰等採戰之說：「指女子為偃月爐，以童男女為真鉛汞，取穢濁為刀圭，肆情極慾」「紅雪者，血海之真物，本所以成人者也，在於子宮。其為陽氣，出則為血。若龜入時，俟其運出而情動，則龜轉其頸，閉氣欲之，而用搐引焉。氣定神合，則氣入於關，以轆轤河車挽之，升於崑崙，朝於金闕，入於丹田，而復成丹」（《道樞》，卷三）。男人把女子當成工具，女道姑也把男人當成工具。

因為有人縱慾了，遂反激出禁慾的態度來。原本不禁欲的道教乃開始重新解釋性交的意義和房中術，甚至開始模仿佛教之禁欲與出家了。

重新解釋性交的意義和房中術者，可以上清道為代表。上清道的代表經典《真誥》說：

> 玄清夫人告曰：夫人繫於妻子寶宅之患，甚於牢獄桎梏。……貪慾、恚怒、愚癡之毒，處人身中。……南極夫人曰：人從愛生憂，憂生則有畏。無愛即無憂，無憂即無

畏。……愛慾之大，莫大於色，其罪無外，其事無赦。賴其有一，若復有二，普天之民莫能為道者也。（卷六）

這很明顯是把佛教的禁慾觀引進道教中了，把男女愛慾及夫婦關係均視為桎梏。因此它也開始反對性交了，或是說在某些特定的時日不准性交，或是說性交一次會減壽三十年，真是越說越恐怖。上清本是女師所傳，怎會教人絕對不可見女子呢？顯見其教義已有了演變，禁欲的態度，顯然比早期更強了。

然而，光靠貶抑或恐嚇說性交會減壽仍是不行的，上清道又積極的將性交房中之術予以「轉化」。

如何轉化呢？它將男女交合虛化，視為陰陽二氣之結合，而不是形體的接觸，就像兩個影子的參合那樣：「真人之偶景者，所貴存乎匹偶，相愛在於二景。雖名為夫婦，不行夫婦之跡也。是用虛名以示視聽耳。苟有黃赤存於胸中，真人亦不可得見、靈人亦不可得接」（卷二）。配合這個理論，《真誥》記載了一個美麗的故事，說南嶽夫人紫微夫人作媒，把九華真妃許配給乩生楊羲，並借這樁人仙聯姻之事，來申述這番「偶景」的大道理，把性交的虛化了。

後來的內丹系統，便充分發展了這個方法。謂仙丹不是靠化學藥物的合和燒煉，而是靠身體內部的元素，運用一套方法去鍛鍊。而那整套方法中最關鍵的部分，正是對性交的虛擬。

例如說以離為女，以坎為男，二者相合而生長子震，又歸於少女兌，然後採少女之氣以還精，即是《金丹明鏡篇》所描述的金丹大道。《還丹參同篇》則說：「取金之精，活石之液，合為夫婦，列為魂魄，一體混沌，兩情感激，此丹砂也」。總之，內丹之要，在於水火既濟、龍虎交媾，存姹女而結胎，胎熟丹成，嬰兒坐於鼎中。整個修煉的過程，均比擬為男女性交以致結胎生子。

這恐怕是所有宗教中最奇特的一種性態度了。起於不禁慾，繼而縱慾，以性交為入道之門、登仙之法。再則禁慾，又轉而虛慾，且復詭譎地仍以性交為修真之秘要。轉換一種方式，肯定性交，也肯定了生育。這樣的性態度，自然無法真正鄙視女性。

三、道教的研究

當代論道教，蹊徑互異，有人喜歡由少數民族風俗方面立論，有人喜歡由巫術方面解釋道教之性質與來源，也有不少人倚仗田野調查方法進行民俗學式的討論。我的看法，則完全與他們不同。

由巫術方面解釋道教起源及性質者，其態度跟喜歡由少數民族與道教之關係處著墨者實相近似，都把道教看成是非理性、原始思惟的表現，故援引神話學、民族學、人類學以為談證。而其結果，便是將道教與薩滿法術、古代神仙傳說、巫俗、方術相混，或將道教與民間信仰相混。一切巫俗、方技、信仰、習俗，前為道教之淵源，後為道教之流衍，越講則道教之面目便越模糊。遂至求神、問卜、擇日、命相、走陰、視鬼、招魂、送煞、安葬、薦亡等無不稱之為道教，什麼神祇，也都是道教所奉祀的。如此論道，豈能見道？

不只是範圍上會顯得豁闊無邊。道教做為一個宗教，其性質也並不僅僅在這些方術上。道教固然仍保留了部分巫術，如咒語、文字符籙崇拜、星辰崇拜等。但論佛教基督教的人，沒有人會只從其真言咒語上去大談彼與巫術之關聯，甚且由此論斷佛教基督教之宗旨與性質；為何討論道教者竟在此強聒不休，且自以為已經得窺真相呢？

由道教之不祭祀鬼神來看，它迥異於一般鬼神信仰，是非常明顯的。由它的齋戒內容來說，它與一般巫俗也有根本性的差異。不能掌握這個差異，不但不能抓住道教的特質，就是在一些局部的分析上，也曾出現混淆。

例如許多人認為風水說與道教關係密切，並舉《真誥·稽神樞》所述洞天福地說為證。其實道教不論風水，《陸先生道門科略》解釋其教為何名稱為「盟威清約之正教」時，即是說；「居宅安塚、移徙動止，百事不卜日問時」。《真誥》所說的洞天福地，意義也與世俗陰宅陽宅之說全然不同。又如視鬼術，原本是古代方術中極常見之一種，乃靈媒巫祝所擅長者。但它與天師道之「劾鬼術」其實也甚為不同。視鬼術，俗謂有陰陽眼，能見鬼物之情狀；或能代人入陰間與鬼溝通，民間「牽亡魂」「走陰」者皆屬此類。劾鬼則不然，主旨不賴於見鬼，也不跟鬼溝通，不代鬼傳遞訊息，要求人間滿足其需求（如遷葬、燒紙、修墓……），而是要禁制鬼物。作於東晉末年的《女青鬼律》便列出各種鬼的名字，教人怎樣呼名制鬼：「子知名，鬼不動」。其他各種術法之差別，大抵類此。

至於喜歡做田野調查、搞實證研究的朋友，理論訓練普遍不足，對現象缺乏解釋能力，對其調查工作本身則尤其缺乏方法論的反省，甚且常遺失了歷史性。忽略了他們所調查者僅為現今一時一地之現象，此類「宗教現象」未必即屬於「道教的現象」，更不能以之推斷「古代的道教狀況」。

齋醮和道士主持喪葬法事便是明顯的例子。做調查的研究人員，去拜訪烏頭道士，參觀並記錄招魂斬煞諸法事；去研究現今許多寺廟的建醮活動，考察他們如何備三牲九禮、如何拜祭。這固然是當代宗教現象之一種描述，但能以此之推論道教的性質或內涵嗎？

大凡宗教，在歷史上都是有發展有演變的，未必能據今以推古。此乃常識。何況，歷史的演變還會出現「異化」的狀況，一物（A）變成了它的對立物（非A），焉能含混不別？

道教轉而主持喪葬事，據李養正《道教概說》之分析，是模仿佛教及吸收民間信仰而成：「模仿佛教搞所謂『大破地獄、血湖』等醮事，又吸收民間迷信及地方戲曲，搞超度縊死者之『金刀斷索』、溺斃者之『起伏尸』、死於異鄉者之『追魂』、亡於分娩者之『游血湖』；還有宣揚幽冥世界的法事，如『解冤結』、五七返魂『望鄉台』、臨終『開路』、浮厝前『招魂』、柩前『斬煞』、出殯『引喪』等等，名目繁多。……這些五花八門的所謂法事道場，有很多都已遠離道教傳統壇醮經懺法事的儀法與規式。……在遵守道教儀範的宮觀，一般只依儀進行完願、祝聖、慶誕、追七、薦祖以及早晚功課、三官經懺、玉皇經懺、真武經懺等活動」（1989，北京中華書局，第十章第三節）。依此說，可以明顯看出，正宗道教儀懺壇醮應是不經紀喪葬之事的。

目前臺灣的道士，分為兩種；一種行醮儀、避邪、解厄等度生之法，稱為紅頭道士；一種兼行葬儀和追薦供養等死者儀式，即度死之法者，稱為烏頭道士。這種區別，其實即是原來的道教道士、與參雜了佛教及民間巫術信仰之術士間的差別，是 A 與非 A。

但荒謬的是：烏頭道士反而被民間視為較正式的道士。舉行法事時，紅頭法師僅簡單裝束，著世俗服，頭纏紅巾；烏頭道士則戴黑冠，衣道袍。這其實是顛倒了的。但研究道教，而從田野調查起家者，往往便弄不清楚這其中的轉折。

四、道教的資料

要研究道教，基本上文獻是《道藏》。對此不熟，而去亂扯田野、民俗、人類學，那是沒用的。《道藏》遠比佛藏數量少，因為它雖然從六朝時就開始集編，但在元朝時，佛道大鬥法，道教落敗，經典被焚，故前此諸道藏俱已不存。今存者，乃明代英宗正統年間所編，故名《正統道藏》，凡五千三百零五卷。萬歷時略有增補，稱為《續道藏》，一百八十卷。但因續藏篇幅並不多，是以一般均併入合稱為《正統道藏》。

此書流通不廣，卷帙又多，一般學者很少寓目，所以談起道教多是胡扯。民國十二年上海商務印書館涵芬樓才影印出來，後來臺灣新文豐、藝文印書館再據涵芬樓本影印。原本係梵夾本，如佛經一般，以一頁頁大型紙張疊合，前後各夾一片木板，予以固定。排序則用千字文，天、地、玄、黃、宇、宙、洪、荒……。一個字可能包含好幾部經，一部經也可能占用好幾個字，因為經或長或短，短的一卷，多的有三百二十卷，如《靈寶領教濟度金書》。總計千字文排序的這部《道藏》中收了一千五百七十一種書，可謂洋洋大觀。

這部明末以前的道教文獻總集，分類方式與其他書都不同，乃是三洞四輔十二類的。三洞，指洞真、洞神、洞玄。洞即洞達、洞明之意。洞真部主要收上清道經典，洞玄部主要收靈寶道經典，洞玄主要收三皇文道經典。四輔，指輔助、輔佐，太玄部有輔助洞真的意味，太平部有輔佐洞玄部的意味，太清部有輔助洞玄部之意，正一則有總結之意義。這是柳存仁先生的說法。

不過，如此分類也反映了南北朝時期道教的內部勢力。名為三洞的，乃是有勢力的教團，四輔則被委屈為其輔佐。太平道、正一道，原是漢代就已存在的老教團，太清多是講燒煉丹藥的。隋唐以後，道教各教團之情況當然與南北朝時不同了，可是這種道經分類體系卻沒有調整，以致隋唐以後興起的內丹各派，或全真、神霄、玄教、真大道教等等，被任意塞進這個框架中，有點不倫不類，找也不好找。就是早期的經典，因道派運用不同，也會放在許多不同的部類中，如《黃庭經》本是上清道使用的典籍，但在《道藏》中，洞真、洞玄、正一各部都收有《黃庭經》之傳本及注釋，這在使用或了解上無疑都增加了許多困難。目前只能依賴翁獨健編的道藏《索引》、日本女子大學所編的《道藏目錄》等工具書來協助。而關鍵仍是熟悉，否則很難掌握。

三洞中每一類都分為十二個部分：

1.本文：就是道經。

2.神符：符咒。

3.玉訣：等於注、疏、箋之類，也有部分歌訣。

4.靈圖：包括好幾種圖。第一種如胡愔的《黃庭內景五臟六腑補瀉圖》，為唐宣宗大中年間的書，描繪人的身體內部的情形。道教提倡「內視」，說在靜坐時可以看見自己身體的內部；這類的書就是在告訴人們關於五臟六腑內部的情形。第二種如《洞玄靈寶五嶽古本真形圖》，通常稱作《五嶽真形圖》，是描繪泰山、華山、衡山等五嶽，以供道教中人前往時參考的。有點像地理圖或路程指導圖，據云有神秘力量，可以辟邪去厄。第三種如《許太史真君圖傳》，講東晉許遜的故事，有點像現在的連環圖畫。第四種是有關藥草的圖。如寇宗奭的《圖經衍義本草》，為宋徽宗時的書。第五種是講學問、講道理的圖。比如關於《易經》的《易象圖說內篇》《外篇》，元朝時張理所撰，就是以圖解的方式來說明易理。

5.譜錄：類似家譜，例如陶弘景編的《真靈位業圖》，把道教的神分九層次排列，有高有低。乃是《漢書·古今人表》的道教版本。其他也有些是傳記，如《太極葛仙翁傳》或《南嶽九真人傳》之類。

6.戒律：與佛教戒律相似，是研究佛道關係的好材料。

7.威儀：就是道教徒每天要做的事。例如每天早上起來，必須做「早朝」，類似基督徒所作的禱告，中午、晚間也各有一次，這就是「三朝儀」。儀，就是規矩。又例如「轉經輪」，轉，相當於唸之意，因為要一面唸經一面走路，所以叫轉經儀，這和佛教的情形差不多。還有所謂寶懺，也是唸的，就是替人作法事、保佑他人平安、消災祈福等等儀式時所唸的東西。另有齋儀、醮儀……等。這類稱為威儀，因為作法事時一定要很嚴肅，並且要有種種規矩的緣故。

8.方法。

9.眾術：與方法類收的均是法術、數術之書。例如祭風之類法術。煉丹術，列在洞神部衆術類。遁甲奇門、風水等亦在此類，如《黃帝宅經》，是看陽宅的，《通占大象曆星經》是看天文的。另有一批講服氣、內丹的書，也列入方法類。

10.記傳：基本上是神仙傳記，但也不乏史地書，如《茅山志》《西嶽華山志》等。

11.讚頌：猶如基督教徒的讚美詩。

12.表奏：道士要拜表，是上奏天庭之相關資料。

《續道藏》或「四輔」中雖不分類，實際上仍似有線索可尋。例如：四輔中的正一部，似乎具有排列的層次：先是經；再來是威儀類的材料，如《法籙》《寶籙》《延生保命籙》等（道教的「籙」，是禮拜道教的神之後，道士給予信心的東西，讓人供在家中，可以延生保命、招來好運氣。）接下來是道法，也就是方法方面的材料，如《道法會元》；再來是科儀，如《道門科範大全集》。但是一般而言，這種分類仍不可靠，仍有賴自己去摸熟。

這樣一部淩亂的大叢書，據柳存仁先生〈道藏之性質〉一文說，有幾個特徵：

(一)《道藏》這一部叢書中還包含了別的叢書。如《道藏》中的《修真十書》便是一部叢書，裏面有好幾種書，收了南宋寧宗、理宗時，著名道士白玉蟾的《玉隆集》《上清集》《武夷集》等。這三部書當是元版的。元版書一般不容易見著，除非在著名的圖書館或藏書家處才能見到；可是在《道藏》的《修真十書》中，這三部集子都有收錄。不過單從目錄上的《修真十書》項裏並不能發現什麼，必須親自翻閱該書，從中去尋找，才知道它的面目。此外，《修真十書》中還收有道教其他的著作。這就是《道藏》「叢書中還有叢書」的特點。

㈡《道藏》本身雖不是類書，其中卻含有類書。如宋朝著名的《太平御覽》，原書共一千卷；在《道藏》中也有《太平御覽》。是整套《太平御覽》都收入《道藏》中嗎？還是《道藏》中的這套《太平御覽》是假的？都不是。《道藏》所收錄的是《太平御覽》「道部」中的一小部分：第六百七十四卷至六百七十六卷，而捨卻其他部分不錄。但我們卻不能因此說它不算類書。

又如《雲笈七籤》，是北宋真宗時代，編完當時大型的《道藏》之後，命道士張君房所輯的總結性的書，共一百二十二卷，類似小型的《道藏》，對入門者而言很有用。「七籤」指的就是「三洞」與「四輔」。這部書也算是類書，因為其中也有分類；雖然它的分類模糊，但若熟悉其內容，就知道它的確可用。此外，許多今日早已認為亡佚的書，年代在北宋真宗時，或唐、宋之前的，有些還可以在《七籤》中找到。這些材料的性質不一定是道教方面的，但研究道教歷史的人便知道：有許多古代道教的書，在現今可見的版本都是後出的；因為後出，所以在版本方面無大用處，不能證明原書是很早就有的。但從像《七籤》這些書中所引的材料——比如書中引到葛洪的《神仙傳》，至少可以推知它用的是北宋時期的版本。

㈢《道藏》中有許多諸子學之材料。錢大昕的《潛研堂文集》裏便提及自己曾到南京朝天宮、蘇州玄妙觀去抄、買道經。這樣做，目的在讀《道藏》中所收的儒家之書，所以他說：「皆吾儒所當讀之書，而科儀、符籙不預焉。」（《潛研堂文集》卷二十九〈跋道藏闕經目錄〉）。其實《道藏》中不只儒家，還有《老子》《莊子》

《墨子》，甚至《韓非子》（至少是明版的《韓非子》）等。所以若要研究古書，作校勘，常常需要引用《道藏》的版本，比如孫詒讓《墨子閒話》註解中就常有「《道藏》本曰」（見柳先生《和風堂新文集》）。

也就是說：《道藏》不只對研究道教的人有用，一般研究傳統學術的朋友也十分必要涉獵一番。想研究道教，更須以此為津梁。

《道藏》以外，或明末以後未及收入《道藏》的道教資料，則可去查我與陳廖安所編的《中華續道藏》。

第十三章　佛

一、中國的和世界的佛教

佛教起源於印度，於漢代傳入我國，歷史比爾後傳來之外國宗教，如祆教、摩尼教、伊斯蘭教、基督教等都要久遠。雖說仍是客人，但住得久了，相對於後來者，它倒已像是個主人了。中國人對它也遠比祆教、摩尼教、基督教等更為熟悉，亦更覺親切些。恰好，這位客人的老家印度，又因歷史及社會原因，佛教已由盛而衰，瀕臨絕滅之境。它在原生地既已不能存活，自然也就只好在此安心落戶，權把他鄉當故鄉。兩相孚湊，佛教竟寖寖然有點屬於中國本土宗教的味道，算是我們的宗教啦！

由於心理上把佛教視如本土宗教，算是自家人。所以中國人往往忘了它的外邦人身分，也會忽略佛教的世界性傳播，很少從「世界的佛教」這個角度來看它。談起佛教，就只知道在中國的漢傳佛教，並以中國佛教為典型去理解佛教。

例如在中國，一般佛教徒與非佛教徒最大的差別，是吃不吃素。信徒受了戒，大抵就要茹素，或至少在某些時日或場合要戒葷腥，平時則以護生不殺生為號召。豐子愷先生不就出過一本《護生畫集》嗎？可見戒殺茹素乃佛教徒最基本最重要的倫理要求。至於出家人，那就更嚴格了，除了戒殺茹素，還要戒色，不能結婚的。否則叫什麼出家人呢？

但持此標準去看佛教，乃大大不然。從地域上說，全世界佛教徒其實都不吃素。就算是在中國，西藏、蒙古的佛教，雲南上座部佛教，也都無吃素的戒律。吃素只是漢傳佛教非常特殊的倫理，起於歷史因緣中。

由時間看，佛教初起時就不吃素，因為是乞食托鉢，別人施捨什麼便吃什麼，不能挑揀。更因佛陀認為嗜欲之戒須循中道，苦行並不可取，故不嚴格戒食肉類。其所謂戒葷，葷指的是香菜、如蒜葱之類，而非指魚肉。早期來中國傳法的僧人因而也不戒食肉。到梁武帝時才頒布〈斷酒肉文〉，禁止僧人飲酒食肉。唐朝信佛教的皇帝也屢有斷屠之詔，於是漸漸形成佛教徒就該吃素的社會心理。可是仍不甚嚴格，以致摩尼教等嚴格吃素的宗教常以此譏嘲僧人戒律不謹。為了競爭，佛教不得不也在吃素這方面講究。到明末，更有雲棲株宏等幾位大法師極力提倡放生戒殺之倫理，於是不但僧人要嚴守不吃葷腥之戒，凡居士信佛者也以此為律身修福之要津。此即所謂特殊的歷史發展與機緣。

但一般中國人並不曉得我們是如此之特殊，以為此乃佛教之通相或基本性質。同理，僧人出家、守色戒，在某些地方亦不然。韓國有「帶妻僧」；日本許多宗派更是可以結婚的，寺廟猶如家產企業；藏傳佛教亦有雙修法，或以佛母持家嗣後，形態均與漢地迥異。只以漢地佛教去看佛教，於此便難以理會。

這種情況，不只在一般社會認知上會有差誤，對學術研究也常形成干擾。例如楊憲益《譯餘偶拾》裡談到漢哀帝元壽元年博士弟子秦景受大月氏王令太子授浮屠經返國，他認為這就是佛教傳入中國之始。所以以下幾件事他覺得恐怕都與接受了佛教信仰有關，一是桓譚《新論》云：「王翁好卜筮，信時日，篤事鬼神，多作廟兆潔齋祭祀犧牲餚膳之費」，二是《漢書・王莽傳》說王莽「每有水旱，公輒素食」（見〈桓譚新論裡的佛教思想〉）。他只知佛教是主張吃素的，卻不知那時的佛教並不吃素，提倡吃素是幾百年以後的事。且因心有此茹素之成見，故看見「潔齋」便以為也就是後來那種供僧的素筵，未及注意潔齋底下分明說是「犧牲餚膳」，可見乃是殺牲祭祀。古代齋祀本來就不盡為素席，有殺牲為祀者，也有如王莽或後來天師道那樣反對殺牲祭祀的。可是不論如何，佛教之茹素皆在其後。王翁信仰的，也明明是鬼神、時日忌諱、占卜那一套，跟佛教是沒關係的。

又，法藏《梵網經菩薩戒本疏》卷一說：「斷生命業道重故，負此重業，不堪入道，是故大小二乘道俗諸戒皆悉同制」（〈初篇・殺戒・第一〉）。意思是說犯了殺戒是極為嚴重的事，大小乘及道俗都應戒此。這就只是某些中國大和尚的看法了。其實佛教四分律中規定的正食或時食都有魚有肉，《僧羯摩》卷中則說食生肉血或盜一錢，都是下品罪，只須對一比丘懺悔即可。

這是教相或教律教儀的問題。在佛教宗派方面，中國人都強調是大乘佛學，看不起小乘。本來稱大稱小，就已意存褒貶。可是在印度、斯里蘭卡、東南亞一帶的佛教，卻是以小乘為主的。為何人家不就大而就小，要信小乘佛學呢？原來佛陀入滅後，佛教分化成上座部、大眾部。大眾部，顧名思義，即與上座部之由長老掌權不同，是為大眾說法，較接近低階層的。後來這一部自謂大乘，便把上座部貶稱小乘。在南傳佛教地區，大乘不流行，上座部也不承認他們就是劣於大乘的「小乘」，對於大眾部佛教，他們自有一個與中國人不甚相同的評價。

就是在大乘佛教中，一些流行的宗派，如天台宗、華嚴宗、禪宗，其實也都是我們自己創造的，在印度本來無之。這些宗派所講的佛法，中國以外的佛教徒未必認同，因此才會有「大乘非佛說」或指中國佛教只是根據一些「偽經」杜撰出來的批評。

在佛教史方面。中國人相信「金人入夢，白馬西來」，說是漢明帝夢到金人，所以派人迎佛法，和尚摩騰、竺法蘭才以白馬馱了《四十二章經》等來中土，在洛陽建了白馬寺。現在洛陽白馬寺做為國家重點文物保護單位，即緣於此。事實上竺法蘭是三國時人，摩騰是劉宋以後人，白馬寺名始見於晉，整個故事形成於齊梁，本非史實。漢明帝永平年間，漢與西域交通中絕，亦不可能遣使求法。因此這中國佛教史上第一件大事便是偽託的，此後的佛教史更是偽託不斷。如禪宗說世尊拈花、迦葉微笑，固是託寓。就是達摩一葦渡江，九年面壁，創少林寺；慧可斷臂求法；歷代以衣鉢相傳，五祖弘忍半夜傳法給慧能；慧能與神秀各作一偈，慧能以「本來無一物，何處惹塵埃」獲弘忍賞識……等，也全是偽託。而這些偽託的故事，卻形塑著我們對佛教史的認知。

還有人與菩薩的關係，中國亦自有特色，與其他地方的佛教不一樣。如佛教的護法神，一般就是韋陀，可是中國加上了一位伽藍神，誰呢？關公！這不是中國特色嗎？又，觀世音固然是佛教中的大菩薩，可是中國人相信的那位「觀音佛祖」，而且是手持淨瓶楊柳枝的慈祥婦女，卻絕對不是佛教中原來的觀世音菩薩。

也就是說，我們的佛教和世界的佛教，往往需分別觀之。中國人要理解佛教也不能不有世界佛教的視野。

二、佛教的理論

1921 年，以創辦支那內學院而為國人景仰的佛學大家歐陽竟無，曾有一著名演講：佛法非宗教非哲學而為今時所必需。歐陽氏是梁啟超、熊十力的佛學老師，對佛學當然有極深之造詣。他說佛法非宗教，因一切宗教皆具四條件，佛法都不然。一是宗教必信神，不論一神或多神，宗教又皆崇拜創教教主，信仰之、依賴之。佛法則否。心、佛、眾生，三無分別，即心即佛。從前的佛，只不過像是導師、善友一般，並不是權威，也不能賞罰我們或保佑我們，故一切宗教均不免屈折人的個性，佛法卻不如此。二、凡宗教必有其信持之聖典。對此聖典，只能信從，不能討論。佛法頗異於此，故云依義不依語，不必需是佛說才是究竟之語。所以是容許思想自由的。三、凡宗教，必有其信守之信條與必守之戒約。佛法又不然，並無一定非守不可的繩墨，並不是非要讓自己受苦才行。四、凡宗教，必有其宗教式的信仰，不容理性的批評，佛法則云無上聖智，要從自證得來。

他又說佛法非哲學，原因是：一、哲學家追求真理，但總有所執，不執於心就執於物，所以非但得不到真相反而生出許多妄見，佛法則是破執的。二、哲學所探討的，是知識問題。佛法則認為世間的知識只是一套假名、一種設施，來自人對物的規定性，說到底，只是虛妄分別。因此佛教依智不依識，要追求的是智不是識。三、哲學家總想對宇宙有所說明，佛法則又說識不說宇宙，宇宙只是識心之變現。

他的結論當然是佛法最高，遠勝於哲學與宗教。我們現在看，佛教有沒有他所說其他宗教的那些性質呢？其實是有的。也信教主、也信「聖言量」、也有戒律和教規。理論上固然說無上聖智均要從自證得來，但若自證得來的結果，脫離了佛陀所悟得的十二因緣、四諦等等，就不會被承認仍是佛法。佛法之所以為佛法，仍是以佛所說法為依據、為標準、為範圍的。形式上雖可以呵佛罵祖，但理論之歸趨，畢竟要在這個範圍或路線上。這是佛學或佛理方面。在教儀教相上，佛教徒建寺廟、拜偶像、誦經、禮懺、持名、守戒，規矩也是極多的，與其他宗教並無不同，甚或有過之而無不及。因此，我們只能說佛教有與一般宗教相同之處，也有其特色，至於說佛法與哲學之不同，那又只不過佛法亦是一種哲學罷了。

例如其他哲學家皆想對宇宙做一說明，故或說唯心或說唯物，或尋找原子、電子、夸克，佛家則說你們都錯了，宇宙不過是識心所變現，三界唯心，萬法唯識。這不是哲學嗎？依然是對宇宙的另一種說明，雖然它的答案跟其他人有些不同，破執得智等等，亦是如此，乃是以否定的方式來講知識論與存有論。

因此，佛教只能說是一種特別的哲學、一種特別的宗教。

這套哲學據說由釋迦牟尼所創。釋迦牟尼的身世，當然有許多屬於宗教信仰式的、屬於神聖教主的神話。例如說他出身高貴，乃是王子，生而天賦異稟，落地就會走路，而且走了七步，步步還會生出蓮花，又一手指天一手指地說：「天上地下，唯我獨尊」。長而發大慈憫，出家求道。九死一生，最後在菩提樹下悟道云云。此等家譜世系行誼，其實皆不必當真。

有些研究者明說這只是個虛構的人物，是太陽崇拜的隱喻，卻也太忽略了信徒的心理需求。對宗教來說，某些神話乃是必要的。而且重點根本不在於是否真有歷史上這樣一位王子，而在於他所悟到的理。是那個道理形成了佛教，而不是王子。

這個道理即是三法印、四聖諦、十二因緣。諦（satya）指真理。佛陀所認為的四個真理是什麼呢？苦、集、滅、道。苦，人生是苦。集，造成苦的理由。滅，若想不苦，唯有寂滅，進入涅槃。道，涅槃之方法。亦即苦是現象，集為原因，滅是理想，道為方法。

人生之苦，佛陀總說有以下幾項：生苦、老苦、死苦、病苦、怨憎會苦（和不可愛的東西會合）、愛別離苦（跟可愛的東西分開）、五取蘊苦（一切身心之苦）。也就是人生的本質是苦。為何人生會有如斯之苦？因為人有貪、有欲、有愛取之心。那要怎樣才能消滅苦呢？佛陀說：根除欲望，去掉愛與貪求。若問怎麼能去掉？佛陀便指出了八種方法，又稱八種途徑，故名八正道。一、正確的見解，正見；二、正確的意念或意志，正思惟或正志；三、正確的語言，正語；四、正確的行為，正業；五、正確的生活，正命；六、正確的努力，正精進；七、正確的想法，正念；八、正確的精神統一，正定。如果你再追問，怎樣才是正確的？答案乃是一種循環論證式的說法：就是要知道人生是苦，知苦的原因，這就是正見。你說，這不是循環論證嗎？是的，但可以略加補充，那就是十二因緣。也就是要知道人之所以苦，係因十二因緣之故。

十二者，人生下來就有與生俱來之盲目意念，佛家稱此為無明，因無明而有行動，因有行動而有意識，因有意識而知外物之名色，知外物之名色而有耳、目、鼻、舌、身、意六處與之相應地有感覺有認識，有六處感覺而有了與外界之接觸，有接觸而有苦與樂之感受，有感受而有愛，有愛而有所取，有取便有了擁有占有，這些有，構成了我們的生存生活，有生而有老死。這無明、行、識、名色、六處、觸、受、愛、取、有、生、老死，合起來就稱十二因緣，或稱十二緣起，為佛教之人生觀。

緣起同時也是佛教的世界觀。緣指關係或條件，因什麼條件而有了什麼，名為因緣，亦名緣起，表示它不是自己生起形成的。依佛教看，諸法（一切事物）皆由緣而起，皆因緣所生，此有則彼有，此生則彼生，此無則彼無，此滅則彼滅，條件消失、緣滅，它當然也就滅了。因此一切法均無自性，亦即沒有自己獨立存在的性質，所以說萬法皆空。

佛教乃因此而又說「三法印」。諸法無自性，故說諸法無我。因緣變滅，故說諸行無常。面對這樣的人生、這樣的世界，人只能追求寂滅，故說涅槃寂靜。

三法印、四聖諦、十二緣起，彼此環環相扣，相互證明，為佛教義理之核心。凡合乎這幾點的，才是佛教，反之便否。與之相關的，還有一個業力流轉的觀念。

我們知道，靈魂存不存在是宗教上的大問題。在佛陀時代，印度各派對靈魂是否存在，一派認為人死後即「斷」，沒有了；一派認為死後仍「常」，仍有某種永恒常在的精神、本質、原理或靈魂。佛教則認為諸法無我，既無我，當然無起主宰作用的靈魂、主體等。可是它又不是「斷見」，不認為人死後此生因緣散了就什麼都沒有，而是說人此生的身心行為，在因緣中起活動起作用，這些作用（業力）就會具體存在著，人雖不在了，業力仍會延續著起作用，形成新的生命（新的五蘊），展開未來之種種現象。舉例來說，我在某個場合說了一番話。說話時自有其因緣。但造此「口業」之後，我人雖不在場了，離去以後，聽到這番話的人卻仍可能受這話之影響，未來幹出一番事業來。此即所謂業力流轉。人活在因緣中，但由於也不斷造業，此業又為因，因便又有果報，不斷滾動，於是就形成因果輪迴、業報不斷的人生。

若想斷了這種業報輪迴之局，跳出因果，唯有涅槃一途。永斷煩惱，究竟寂靜。這到底是種什麼樣的境地，實在難以形容，只知它不是死，也不是不死。恰切的形容，毋寧是不生。因為生即是苦，永離一切苦，唯有不生。故有些經典把不生當做涅槃之異名，也有人形容佛教追求的是無生法門。佛教的「無生」和道教的「貴生」，恰好也是個理論的對比。

三、佛教的歷史

三法印、四聖諦、業力流轉、十二因緣這一大套觀念，跟其他偉大事物一樣，初始總是簡單的，後來推闡發展，才越來越複雜。

印度人與中國人不同，他們缺乏歷史觀念，也不重文字。佛陀在世時所講的教義和制定的戒律都沒有文字紀錄。如此當然易引起紛爭，所以佛陀逝世後弟子五百人聚集在王舍城，推舉出最有學問的人擔任上座，向大家誦出經典，大眾認同了，就算是佛所說的教義和戒律了。又隔了一兩百年，又結集一次，有七百人參加；第三次結集，有一千人參加。但參加的人雖多，分歧卻越來越厲害，在第二次結集時就分裂成了兩派。

其實佛教的分裂早在佛陀時代即已有之。佛陀的堂弟提婆達多，本為釋尊門下十大弟子之一，後來因主張修苦行，認為修行者一生都應在樹下住，不可居屋，也不可以吃肉、吃酥乳，草木也不准傷害，頭髮指甲亦不可剪剃，在戒律上與釋尊分歧，率五百人離開了僧團。此後的分裂，也仍與戒律有關。例如食物可不可以第二天再吃、食鹽可否放在角器中供日後使用（稱為角鹽淨）；是過了正午就不能進食，還是太陽影子不偏過兩個指頭，仍可以進食（二指淨）；吃還了還能不能再坐下來吃（復坐食淨）；食後，能否再去別村聚落再吃（他聚落淨）；坐具大小可不可以隨意（無緣坐具淨）；可不可以接受金銀錢財（受畜金銀錢淨）……等等，彼此意見不同，故分裂成上座部與大眾部。認為上述十件事都不合法，不應做的，成為上座部，代表由佛教長老為中心的正統派。覺得都可以做的，是大眾部，屬於非正統派。

依教外人士看，這些都是雞毛蒜皮的生活儀節，跟可不可以吃肉一樣，和教理教義其實關係不大，何至於洶洶然就鬧分家了呢？但從教內看，一個宗教，除了教理教義之外，更重要的是僧人們要過一種集體生活，所以組織化的規律、作息生活形式的一致化，乃是十分必要的。何況僧人出了家，加入僧團，要彼此同居共財，焉能不協同一致？試想我們一般家庭中人生活食衣住行若總總不協調，住起來可有多痛苦？僧團也是如此。佛教結集經典時，經、律、論三大部分，律獨占其一，就是這個道理。歐陽竟無是居士，不能體會此理，故說佛法無戒律。「佛法」通圓不執，當然無必守之信條戒規，可是「佛教」卻是有的。即使是爾後禪宗呵佛罵祖，也仍有《禪苑清規》一類著作及制度，以規範僧人生活。清規戒律一詞，即源於此。

當然，分裂也不會僅只因戒律儀節有異，對教義體會不同，也是分裂之原因。例如佛教徒修行達到的最高果位，稱為阿羅漢。修證至此便不墮輪迴，斷盡煩惱。可是也有人說，阿羅漢還有其局限性。例如仍有生理欲望，所以夢中還會遺精；還會對教理教義存疑；還需要前輩的指導；還會被無明覆蓋等。因此阿羅漢不是究竟位，佛才是。到底要不要在阿羅漢果位上面再加一佛之果位，便引起了爭論，各地佛教徒見解不一。住在都市中的「龍象眾」和住在邊鄉的「邊鄙眾」，就有分歧。又據說講梵語的部派形成說一切有部；講俗語的形成大眾部；以雜語誦戒的形成犢子正量部；以鬼語，即非雅利安系的地方語言誦戒者形成上座部。這意味著佛教因傳播於不同地域、不同人群，已逐漸開始分化。

到西元一世紀中葉，大乘佛教正式形成。它認為修阿羅漢果只能是自己得到解脫，還不能像佛菩薩般廣化眾生，所以稱自己是大乘，把原先歷史的佛陀，上升到信仰的佛陀，對佛身佛性進行崇拜。小乘各派一般主張「我空法有」，即主張我是非實有的，所謂諸法無我，但客觀物質世界確實存在。大乘則俱空之，稱為法我二空。

大乘崛起後五六百年，到西元六、七世紀時，佛教進入密教時期。相對於密教，原先的大乘就被稱為顯教。也有人說密教只是大乘後期，是在大乘基礎上發展起來的。不過它有幾個特點：一、崇拜對象更多。除主尊毘盧遮那佛（大日如來）外，修法者各依所持儀軌而各有崇拜，兼且有明王、護法等甚多，多為大小乘中所未見者。二、重在修持，不像大乘較重視理論，修持方法較複雜。三、修持方法有法術傾向，以真言、印契、曼荼羅、護摩（火供）等法，加上對氣脈、身輪的講究，形成迥異於大小乘之修行體系。四、所依據經典也與大小乘迥異。五、即身成佛之理念，也是大小乘所無的，故才有所謂活佛。

佛教初入中土時，乃是小乘時期，後來才有大乘，密教則到唐代才傳入。但因中國佛教多經中亞傳來，故是印度佛教、中亞佛教和中國文化融合而成，並非單純的印度移植物。像中亞出身的鳩摩羅什，譯經貢獻厥偉；三論宗的吉藏是安息人、華嚴宗的法藏是康居人；而《華嚴經》六十卷本和八十卷本都來自中亞，印度只發現其中一兩品。可見中亞佛教因素不可小覷。此外，大小乘及密教雖均曾移植過來，但在印度的二十種部派佛教中，只以說一切有部佛典最多；在大小乘中，又以大乘為主，密教只短暫流行過一段。大乘中，中觀與瑜珈二系是印度之主流，真常唯心（如來藏系）是旁支，在中國恰好相反。這些，都是中國佛教的特點。

佛教確定傳來，是在東西漢之間，開始發展是在三國時期。東漢時已有安世高所傳小乘禪法，也有支婁迦讖所傳的大乘般若學。接著傳來《維摩詰經》和阿彌陀佛淨土信仰的《大阿彌陀經》《無量壽經》等。到晉代，般若學因與玄學相發明，竟有六家七宗之盛。東晉時，南方有法顯西行求法，慧遠在廬山成立僧團，倡言「沙門不敬王者」，開中土蓮宗淨土一派；北方則有鳩摩羅什在長安大開譯場，所譯《成實論》成為成實宗主要經典，《中論》《十二門論》《百論》成為三論宗主要經典，《法華經》成為天台宗主要經典，影響深遠。佛教的「空有雙輪」，即中觀、瑜伽兩大系統，基本上都在此一時期及稍後具體形成。

所謂中觀，或稱空宗，因為他們是利用中觀來達到空的。何謂中觀？譬如 A 是一邊，非 A 又是一邊，中觀就是既非 A 又非非 A，如《中論·觀涅槃品》云：「非有，非無，非亦有亦無，非非有非無」，又如《大智度論》卷四三云：「常是一邊，斷滅是一邊，離是二邊，行中道，是為般若波羅蜜」。這種非 A 又非非 A 的方法，叫雙遮（否定），或雙遣（去除）。如此排除一切相對性，才能看清一切因緣法都是空。三論宗或後來的天台宗，都是以此為基礎形成的宗派。

所謂瑜伽行派，則是以對空提出一套解釋為主的。這世間萬物皆因緣生，因緣所生法，本質是空。但它在我們意識中卻都是實實在在存在著的。沒錯！所以他們就說萬物均由我人之意識中變現出來，萬法唯識。那麼，識如何運作，又如何變現萬物呢？此派重點就在分析這個。據他們說，人有眼識、耳識、舌識、鼻識、身識，以及綜合知覺的意識。靠著這些識，我們形成了對外物的知覺。這些認知背後還有一個主體意識：我，稱為末那識。因此識之作用，人才會執著認為我有、法也有。而人之所以有以上這些識，還有一個根據或是根源，那就是阿賴耶識。此識又稱藏識，是人積聚、含藏一切潛能及一切雜染而形成的種子。這個種子逐漸發展成熟即會顯出果報的功能，地論宗、攝論宗及後來的華嚴宗、玄奘慈恩宗，都屬這一支的發展，又或稱為有宗或唯識學體系。

除這空有雙輪之外，南北朝時期竺道生提出了佛性論及頓悟說，云眾生皆可成佛。本來在印度，小乘以阿羅漢為究竟，所以不甚談佛性；大乘雖談佛性，但只有少數認為眾生均可成佛，如瑜伽行派就是說「五性各別」的，以為無性有情、聲聞、獨覺三種眾生都不能成佛。但在中國，眾生皆有佛性竟逐漸成為共識，接上了在印度原本不甚流行的真常心系思想，並利用可能是中國人自己造的經典，如《大乘起信論》之類，遂形成了最具中國特點的一些宗派。例如天台宗大抵就是空宗加真常心，華嚴宗大抵是有宗加真常心，禪宗所謂明心見性，立地成佛，更是佛性及頓悟說之極至。

禪宗號稱「教外別傳」，其實就暗透消息，表明它雖號稱是佛教，其實與佛教頗不相同。不只禪宗如此，天台華嚴亦然。玄奘當年就已有此感覺了，所以不辭勞苦，立志西行求法。果然帶回了原汁原味的瑜伽行派學說，開創了以《成唯識論》為主的慈恩宗。但這一宗由於太忠實於印度佛教了，在中土反而賞音甚少，傳了兩代便已斷絕，明代才稍稍復興。晚清民初，經歐陽竟無等人之宏揚，才再大顯於世。

四、佛教的資料

佛教是傳播廣遠、宗派繁多的老宗教，相關文獻當然至為豐富，要想研究它，有些基本文獻必需掌握。

要掌握佛教基本資料倒不難，主要材料都在《大正藏》中。佛教編集經典，夙有傳統。以經、律、論為三藏，歷代集編，各有優點，現今可以看到的就有幾十種，如《磧砂藏》《嘉興藏》《乾隆藏》《高麗藏》等等。但學界通用最廣的，是日本大正年間修的這一部，故名《大正藏》。1934 年編成，凡一百冊，收錄印度、中國、日本、韓國佛典三千三百多部。基本上是漢文，少數日文及悉曇字母，其內容為：

①阿含部：包含四部《阿含經》及其相關佛典（同本異譯或節譯）。

②本緣部：佛陀及其弟子等人之傳記或前生故事的相關經典。

③般若部：以《大般若經》為主的般若系的經典。

④法華部：以《法華經》三種譯本為主的《法華》類相關經典。

⑤華嚴部：《華嚴經》的各種譯本（含同本異譯及節譯）。

⑥寶積部：《大寶積經》及其相關經典。

⑦涅槃部：大乘《涅槃經》及其相關經典。

⑧大集經：《大方等大集經》及其相關經典。

⑨經集部：顯教經典之未被收入上列各部者，則匯集於此。

⑩密教部：漢譯密教經典的總匯。但不含西藏密教經典。

⑪律部：大小乘律典及相關典籍。

⑫釋經論部：詮釋佛經之印度論典。

⑬毘曇部：以說一切有部論典為主的小乘論書。

⑭中觀部：印度大乘佛教中觀學派論典之匯集。

⑮瑜伽部：印度大乘佛教瑜伽行派論典之匯集。

⑯論集部：不能歸入上列（⑫至⑮）四種論典的其他論書。

⑰經疏部：中國人（及部分韓國人）對印度經典的註疏。

⑱律疏部：中國人（及部分韓國人）對印度律典的註疏。

⑲論疏部：中國人（及部分韓國人）對印度論典的註疏。

⑳諸宗部：中國歷代各宗派的重要著述。

㉑史傳部：佛教之歷史、地理、及傳記類著述。

㉒事彙部：佛教工具書。為古人所編的佛教百科全書、辭典或字典。

㉓外教部：印度宗教、道教、摩尼教、景教、祆教之相關資料。

㉔目錄部：中日韓三國之古代佛典研究所撰的佛典目錄。

以上廿四部分，前十六種是印度著述，包含經（一～十）、律（十一）、論（十二～十六），後八種是中國及日韓佛學研究者之漢文著述。另外，史傳及外教部分也有一部分印度人撰述。《大正藏》還有續編三十冊，分七部，前五部為日本人著述，後兩部為敦煌出土佛典。另有《圖像部》十二冊，以日本真言宗或天台密教為主；《昭和法寶總目錄》收歷代藏經目錄等。

以上《大正藏》系列，收書之多，為歷來大藏經之冠，編輯及分類方式也遠勝歷來各藏，符合學術規範與需求。且校訂精審，收集的古逸佛典又多，極具史料價值，因此學界使用最廣。這是中國人當感到慚愧的。不過，因書是日本人所編，收書當然會有所偏，日本人的著述約占四十二冊，中國人之著述約僅廿四冊，頗不平衡，要查中國佛教資料，往往找不齊全。這時就要輔之以《卍續藏》。

此書也是日人所編，但所收書有九百餘部係《大正藏》所無，大部分是中國人著述，且多是重要論著，故人或稱其為中國佛教集大成之書。唐代以後的佛典，主要就要查此書。另外，查明清佛典，尤其是明末清初禪宗史料，應查《嘉興藏》。此藏編於明末，是中國人所編藏經中收書最多的，且有二二八部未被其他藏經所收，內中又有二四〇部為明清禪宗典籍，故很可參用。其他的藏經，學術上的作用均不甚大，如乾隆大藏經，俗稱「龍藏」，寺廟請回來供養可也，學者很少用它。

漢文佛典之外，也應稍微注意藏文佛典《西藏阿藏經》。其體例與漢文不同，分兩部分，一稱甘珠爾，為正編，包括經、律、咒；一稱丹珠爾，為續編，收論疏。內中收了沒有漢譯的密教類佛典三千多部，也有不少顯教的資料，如中觀派在月稱以後，瑜伽行派在法稱以後的佛典，都絕少漢譯，因明類尤其罕見。若要知道西藏大藏經跟漢譯的異同，可以看元代的《至元法寶勘同總錄》。

這幾部書，再加上《敦煌寶藏》一四〇冊，對於研究中國佛教就大體夠用了。《南傳大藏經》《韓國佛教全書》等，若非專治佛學，便可稍緩。梵文、巴利文之修養，能有最好，若無，則治一種國學領域中的佛學，也非缺點。畢竟，漢文佛典仍是主要的依據。某些宗派，例如禪宗，幾乎與印度毫無關係，所以只要善於利用上述資料書（或加上藍吉富編的《禪宗全書》）就可以了。

五、佛教之研究

在國學領域中講佛學，目的與信仰的或佛教的不同。為信仰而研究佛教佛學，應著重其修持解脫之法，以其義理為人生覓一歸趨。為佛教而研究，旨在說明整體佛教之狀況。可是在國學領域講佛學，佛教在印度或世界其他地區之傳播，便只需做為參照而不必深究；佛教內部宗派間的義理爭辯，也無關宏旨；非為求解脫而問津梁，故亦無庸證悟。重點應在佛教傳入中國後與中國社會、思想、文化之互動關係。

例如佛教在印度，是與政權結合的。孔雀王朝的阿育王、巽伽王朝的達那提婆王、羯陵伽國的伽羅維拉王，都被佛教稱為轉輪聖王（Cakravartin）或法王（Dhāmarāja）。大乘佛教形成於印度南北分立階段，貴霜王朝統一北印度，也同樣推舉佛教。佛教在這些時期均具有國教之性質，政教是統合的。在中國，則除了蒙元時期和西藏地區，基本上均不如此。梁武帝想成為菩薩皇帝、轉輪聖王而不可得。武則天依託佛教，假借轉輪聖王以登基，也不旋踵而滅。其他的時代，帝王固多信仰佛教、護持佛教、推崇佛教者，但佛教迄未如道教般成為一些時代之國教。

晉代慧遠退而求其次，倡言「沙門不敬王者」，也就是與王權成為敵體，不俯從於王權之下。這個立場，造就了中國僧人「方外」的身份，在政權底下擁有相對獨立性。因此寺院常有自己的田產，可以減免稅賦，罪犯出家亦可免予追究等等。但這種相對獨立性也很脆弱，在一個政權底下，豈能存活著如此多化外之民？因此不但儒者時有「裁汰沙門」之議，以此來增加稅賦與力役；政府對僧人也有一套管理制度，將之納入體制。南北朝時期後秦就已建立了僧尼管理機構，形成了完整的僧官制度。故看起來僧人四大皆空，可以方外雲遊，其實僧有度牒、有僧錄，不准私自出家；犯了罪則依「僧道格」處理，依然在國家掌控之下。與在印度之情況不可同日而語，跟日本佛教也不同，其政教關係，大堪推考。中國佛教的「三武之禍」（北魏太武帝、北周武帝、唐武宗滅佛），及唐代韓愈之闢佛，宋歐陽修之主張「人其人，火其廬」，皆與此有關。

在倫理態度方面。中國佛教禁色欲、禁食肉，前面已說過了，另一特色就是重視孝道。佛教本來是提倡捨離人世的宗教，認為人生之所以苦，根源正在於人有愛（Tanhā），有愛故生欲取執著，故有貪有嗔有痴，修行之法，關鍵即在斷愛。出家人捨離最親愛的家人父子兄弟夫婦，即為其修行之始。這樣的宗教，傳進中國，碰到中國所強調的宗族倫理，特別是孝親的觀念及社會倫理規範，自然就會產生大齟齬。歐陽修說要驅逐佛教，使和尚們「人其人」，即是說要讓這些出家背棄人倫者還俗，回歸到人的生活，重新像個人。

換言之，在中國傳統觀念中，如此出家、棄父母，是大不孝的行為，簡直就不是人。佛教面臨這種情境，只能竭力因應。因此一方面從佛經中去找證據，說佛教也同樣是講孝道的。這些證據當然不太多，於是就自己造了一堆《父母恩重難報經》之類。另一方面則提出一套說法，來解釋僧人出家與孝道並無衝突。說僧人出家是大福報，可以報七世父母之恩，還可以為父祖超薦，故出家不僅是孝，且是大孝、最孝。這，誰都看得出是牽強的曲說，但佛教大力推動此種佛教孝道運動，像敦煌所出各種孝道文書、父母恩重難報經，就有幾十種，可見其推行之力。這其中影響最大的，是盂蘭盆會，亦即目蓮救母故事。這個故事，以俗講、變文、戲曲的各種方式，深入人心，相應地每年中元節舉辦盂蘭盆會，普渡亡故之親人，乃成功地轉換了它的倫理困境，反而成功地深入中國社會的核心——因為它恰好結合了中國傳統社會的核心價值。

在生活上。印度僧人以剃頭袒右臂為常，趺坐冥思，過午不食。傳入中國，也引起過不少爭論。中國本以衣冠上國自居，對服制十分講究，孔子更說過：「微管仲，吾其披髮左衽」，把衣服左衽右衽看成是華夷之辨的徵象。佛教是印度傳來的，本來就是「夷」，在服制上亦顯示其為夷，自足以激發對立，所以後來佛教在服制上就做了折衷。一般僧人穿的海青或僧袍，其實就是宋代士民之常服，有正式場合或要主持佛事時，則外加袈裟。袈裟就仍是袒右臂的。只不過這時因裡面已穿有海青，所以並不會真袒露出右臂來，只是斜穿著由左至右，右臂不受袈裟罩住而已。中國人本來也不喜袒胸露乳，認為露出身體十分可恥或無禮，因而如此處理，可謂兩全，中國僧人一般也都不會像寺裡雕塑及繪畫的佛像菩薩像那般袒胸露乳。

再說剃頭。中國人本來是重視頭髮的，所謂「身體髮膚，受之父母，不可毀傷」，故剃頭具有不孝的涵義。而趺坐更是中國人本來沒有的坐姿。古代所說的坐，乃是跪。跪而腿直立，稱為跪，古詩所云：「長跪問故夫」，即是跪。跪而把屁股放在小腿上，就是坐。兩腿皆併立而不分開。古人上衣下裳，兩腿叉開而坐，便稱為「箕踞」，會露出底褲或不雅私處，因而極不禮貌。佛教傳入後，盤腿趺坐，使人聯想到箕踞，故很受排斥，後來才逐漸流行。宋代以後，中國人不再跪坐了，盤腿趺坐乃成為修道人常用的姿態，道教徒也多採用之。至於過午不食，一般中國僧人是不守的。

在信仰方面。中國佛教突顯觀音與彌勒。觀音且由男身逐漸轉為女性，其地位亦由菩薩上升為「觀音佛祖」。神性神格則與水神相混，因此其道場據說在東海的普陀山上，其形象也常以魚籃觀音，踩波濤、持楊柳淨瓶遍灑甘露等為主，脫離了佛教原有框架。彌勒則分兩路，一成為造反者的招牌，自南北朝後期以來，打著這個招牌起兵的，不知凡幾，還形成了許多民間宗教，如白蓮教、一貫道等均與之甚有淵源。另一路的彌勒形象，南宋以後也變成了大肚和尚之造形，民間商家供為招財迎客之神。這都是與印度大不相同的。另一位財神，則是關公。關公成為佛教之護法伽藍，又是武財神。這也非佛教原貌，但在中國民間卻獲普遍之信奉。因此佛教與中國民間信仰之關係，是非常值得探究的課題。

與此有關的，是儒道佛三教關係。佛教傳入中土，初頗借助道家道教，例如以道家的「無」去說明佛家的「空」，稱為格義。亦即利用人們已經曉得的觀念、語言、事物，去說明人們還陌生的東西。如此格義，當然本是假借以相比附，故力求其同。後來佛教逐漸站穩了腳步，就開始申明其異，跟道教競爭信徒。三武之禍中，北魏太武帝北周武帝皆因信道而汰裁佛教。佛教得勢，遂亦傾軋道教。至唐，帝室雖奉道，對佛教也頗禮遇，但佛道競爭仍然激烈。當時每年朝中都要舉辦「三教講論」，原先是道士排序在前，武則天時因依賴佛教建立女主登極的正當性，故改由僧尼在道士前。諸如此類競爭，無時無之，是中國佛教史中重要部分。宗教在理論上固然談空說無、無執無相，在現實上則無不打成一團，從來是不寬容的。

佛教與儒家間，同樣也有競爭排斥關係，儒家以華夷之辨及國家政經權益去批判佛教，佛教則說孔子是孺童菩薩，故儒家義理其實含賅於佛教中，佛說則更勝於儒家云云。

三教除競爭排斥關係外，更多的是融合關係。中國佛教強調真常心，講眾生皆有佛性，明顯吸收了儒學，或因在儒學環境中發展，故有此特點。儒學在宋明時期因與佛學互動頻繁，所以或謂儒家已「陽儒陰釋」，或云中國佛教其實就是儒家化的佛教。其間關係至為複雜。佛教道教同樣有許多融合狀況，如道教內丹各派都講性命雙修。以道教重命、佛教見性，兩者相合為性命雙修。

宋代以後，思想史上的一大趨向，便是三教融合。把儒道釋混而同之，不僅是許多民間信仰的學派兼教派之共性，就是在三教內部也有此趨向，如王陽明就說：「道大無外，若曰各道其道，是小其道矣。心學純朗之時，天下同風，惟求自盡。就如此廳事，原是統成一間，其後系統分居，便有中有旁。又傳漸設籓籬，猶能往來相助。再久來漸有相較相爭，甚而至於相敵。其初只是一家，去其籓籬，仍舊是一家。三教之分，亦只是此」（朱得之《宵練匣》，引自《明儒學案》朱得之語錄）。在這種情況下，三教間如何互融互動，自然更堪矚目。

這些佛教傳入中國後與中國社會、思想、文化的互動關係，其實亦是了解中國文化時不可或缺的部分，要講國學，不能不懂它！

第十四章　餘　論

研究國學的相關知識問題，大體說過了以後，我想略談治國學的人的精神意態。

一、

國學一詞，在近代似乎是尊隆的，因有個國字，彷彿得了國家代表隊的榮銜，與國術、國醫類似。但冠上一個國字，往往也就遭了鄙夷，猶如國術在體育界、國醫在醫療體系、國貨在商品業、國畫國劇國樂在藝術圈，其實都居邊緣地位。年頭好時，自有人敲鑼打鼓，呼喝著要保存這些國字頭的東西；年頭不好，則找它們晦氣，認為非翦除不足以見文明。

對國字頭的東西，有此態度，並不難理解。「中國」在近代本來就是個令人愛恨交織的字眼。而說它壞話的人，恐怕更要多些。

2006 年遼寧一出版社要出版「中國人系列」叢書時，做了個市場調研，找出流行於國外的中國人論述，主要有下列幾種，今且多有中譯本，拿來給我看，我看其中有以下幾本：

1. Arthur Henderson Smitch《中國人德行》（*Chinese Characteristics*）；Ross & Perry, Inc.出版社；新世界出版社。

2. L. Carrington Goodrich《中國人簡史》（*A Short History of Chinese People*）；Dover Publications 出版社。
3. Virginia Schomp《古代中國人》（*The Ancient Chinese*）；Franklin Watts 出版社。
4. Lung-Kee Sun《中國人的民族性格：從全民到個體（當代中國）》（*The Chinese National Character: From Nationhood to Individuality (Studies on Modern China)*）；M.E. Sharpe 出版社。
5. 林語堂《中國人》，出版日期：2003.1，學林出版社（原名《吾國吾民》）。
6. 辜鴻銘《中國人的精神》，出版日期：2006.3，廣西師大；陝西師大。

第一種是英國傳教士所寫，1890 年出版，介紹清朝末期中國社會生活及中國人之性格。第二種乃概論性圖書，描述二十世紀初之中國概況，內有地圖、插圖及年表。第三種是《古代世界人》系列之一，主要講商周秦漢。第四種屬於國民性研究，其書也概括介紹了西方歷來關於中國國民性研究的成果。第五、六種乃中國人自己所寫，是針對洋讀者介紹中國之作。林著風行海外甚久，迄今仍是洋人了解中國文化之基本讀物。辜著又名《春秋大義》或《原華》，強調傳統文化的價值，解說中國人受儒家學說影響的文化性格。

這些中國人論述，大體是所謂印象研究，亦即討論某一類人在西方社會中給予人們之印象（impression）為何。例如黑人、矮子、胖子、商人、農民，所給予人的印象各各不同。中國人，對洋人來說，亦可為此一認知對象。這個印象，在某一時期、某一社會群體中是會形成定型視野（stereotype）的，比如過去常說戲子無情、婊子無義　、農民淳樸，商人則是無奸不商，此即定型視野。洋人看中國人有其定型視野，中國人看外邦人亦然，如一般總是說德國人嚴謹、法國人浪漫、日本人拘謹、高麗棒子火爆、俄國佬則如北極熊等等。大凡一類人被此定型視野框住，就不再具有個性，只有類性，顯示的只是觀看者腦海中對某事物或某類人之標準化印象。

這個印象怎麼來的呢？來自一些簡化的意見、片斷的認識、未經審慎研究就已存在的判斷。就像我們常說猶太人小氣、上海人勢利、河南多騙子。猶太人、上海人、河南人何嘗如是？或至少不是個個如是。也許有幾個猶太人小氣或河南人行騙被人記住了，這個印象便留存於記憶中，然後逐漸放大，變成概括所有猶太人上海人河南人的定型視野。這個定型視野預存於心中，我們可能從沒見過任何一位猶太人，卻也「知道」猶太人是小氣的。在我們要去跟一位上海人會面前，我們也可能已先認定了此君必是精明勢利的。因此，此類印象，差不多就是先見或偏見的同義辭。以一種簡化的印象，將千變萬化、各個不同的人物、事例，簡化納入某一「原型」中；或以我們過去某些個別特殊經驗去認定新遭遇或即將遭遇之事。然後又以這個定型視野去左右他人，使其採取這個觀點，造成感染與說服功能。

這些書不斷在西方出現的邏輯，大體如此。但不幸的是：這些印象之渲染、傳述、說服，例如 A.H. Smith 說中國人好面子，所以自覺不自覺的有表演意識，會使一切問題都成為形式之爭，人生成了大戲臺等等，後來竟發展為「國民性」研究。把這些印象當成一件真正存在的事實，認真討論中國人為何如此好面子？好面子又形成了哪些社會現象、哪些文化心理？美國牛津大學出版社 Michael Hamis Bond《中國人面子的背後：心靈洞察》（*Beyond the Chinese Face: Insights from Psychology*）一類書，均是如此。臺灣中研院過去還做過一個集體研究計畫，以行為科學、心理學、人類學各種理論，去討論中國人講面子、重人情之狀況，配以實證分析，煞有介事（可詳李亦園、楊國樞主編《中國人的性格》或楊國樞《中國人的心理》等書）。

可是所謂中國人好面子，不過是一種西方人的印象而已。若要研究，首先就該問此一印象從何而來？它在西方社會中是如何形成的？其次，應問西方人組織印象、接收訊息之心理結構為何？為何會從「好面子」這個角度去理解、去認識中國人？也就是說，對於定型視野或印象之研究，主體並不是觀看對象，而是觀看者。國民性研究卻完全弄顛倒了，不但不去問觀看者為何有此印象？如何建構此一視野？反而直接把洋人之所見，視為中國人實際存在之國民性，然後據以分析中國人為何如此？

若說中國人假如完全無此性格，洋人恐亦不會無的放矢，對中國人之印象，總有些事實依據，則印象研究理應進一步考察此等印象符合實際否？其事實依據為何？經此考察後，泰半就會發現那些概括的印象，大抵只是來自不完全之事例、時空社會環境不同之誤解、高度簡化之概括描述方法，以及原有觀念之投射複製。

怎麼說呢？就說「中國人好面子」好了。洋人不好面子嗎？中古之決鬥、上層社會之鋪張、行事之禮儀化，哪一點不是好面子的表現？只不過他們可能稱為「愛榮譽」或什麼，原非中國人才好面子或特別好面子。中國人做事固然有好面子之一面，亦另有不要臉之一面，則非好面子云云所能盡窺奧妙。再說洋人看中國人，為什麼會格外注意到面子問題？難道不是由於洋人在社會上正需十分重視面子嗎？

民國初年的一些賢達，在特殊社會環境下，沒考慮到這麼多，他們一方面蒿目時艱，想藉洋人之說以改造中國，一方面也因留學東洋西洋，西洋有上述各式中國國民性論述，東洋也不乏渡邊秀方《支那國民性論》、原惣兵衛《支那心理之解剖》一類書。留學者學習著以東洋西洋人的眼光來看中國，因此也逕說中國之國民性如此如此，然後再據以「改造國民性」。

改造國民性之文化運動，始於梁啟超，盛於魯迅，衍於柏楊《醜陋的中國人》一類書，而總結於文化大革命之所謂「破四舊」。

為何改造國民性竟會發展到文化革命？因為國民性是由傳統及文化造成的，故若想改造它，就得打倒中國之封建社會與醬缸文化，革掉文化之老命。漢語、漢字、國學等等，皆當廢棄。

二、

在這樣的潮流中，林語堂與辜鴻銘的中國人論述，恰好就是另一番風景。

他們的書，都是寫給洋人看的。與洋人描述「一個遠東奇異國度」，當然有本質之不同；和國人藉洋人之見以改造中國，同樣有本質之異。因此，在其筆下，中國人以及中國人浸潤的文化自有其異於西方之價值與尊嚴。

辜鴻銘《中國人的精神》主要從儒家王道這一面，來闡述中國人和中國文化是怎麼回事。說明：儒家不是宗教卻具有宗教職能，漢語簡潔且適於傳情，真正的中國人擁有童心和智慧，故「永遠有一種帶詩意的寧靜，而具有幸福感的精神狀態」。並由此進而認為：在西方文明危機日益嚴重時，「將在中國這兒找到解決戰後文明難題的鑰匙」。

辜氏的書，又名《春秋大義》。相對而言，林語堂之書，就主要是從道家說。強調中國人重直覺之思惟方式、樂天知命的生存態度、文學藝術崇尚自然的審美情趣，以及重視「生活的藝術」的生活方式。

兩先生之書，均是在西方語境中，為中國文化及中國人之形象發聲。與洋教士、漢學家描述「一個跟我們不同的古怪國度及其人民」固然不同；與中國境內，批判國民性及傳統文化，以追求中國之西化、現代化者，亦截然異趣。故因時代因素，不為國人所重，要待九十年代以後才重新被譯介回大陸。

今天講國學，那種洋教士、漢學家、激進改造國民性人士、現代化鼓吹者所倡言的「中國性」，當然不足以據為典要，無須繼承下去。辜鴻銘、林語堂所宣傳的中國精神，亦非治國學者之精神起點。為什麼？

辜先生的言論，乃是基於民族自尊而抗議西方的「傲慢與偏見」，故以辯護的姿態出之。他對中國文化的總體精神雖有洞見，也就是「能識大體」；可是這種精神具體落到中國人之生活世界時，那些八股、太監、辮子、小腳、納妾等，卻是不好辯護的。要勉強辯護，就會變成自大自蔽，或竟流為笑談（如流傳關於他以茶壺須配許多茶杯，來替納妾制辯護那樣）。此等事，不能從精神面談，應由具體的婚制、禮制、社會結構等典章制度、社會儀俗方面去做分析比較，而辜先生在這方面卻並不擅長。這就不免予人理不甚直之感了。

林先生論生活的藝術，同樣是針對西方現代化社會中生活之機械無聊而發，故在西方大獲共鳴。可惜林先生對中國文化的解釋，一樣是偏至的，那種道家式生活態度，殊不足以說明中國立國之精神與制度。具體解析文獻、解釋歷史、解說文學作品時，林先生亦多錯誤（詳見張之淦先生《遂園書評彙稿》中對林先生《蘇東坡評傳》的評析）。

治國學，不是為西方人講述中國文化，而是檢點自家無盡藏，故態度與語境，本不同於辜先生林先生。此種研究，須仔細嚴密，故亦不同於辜先生林先生之凌空總攝，攬其大體。自虐、自艾、自嘆、自暴、自棄、恨鐵不成鋼，如現代化論者及文化革命論者那般，固無必要。自尊、自亢，以解救西方文化危機者自任，也有些奢望。在國民性論述中形成的論學風氣，無論是魯迅式或辜鴻銘式，又都有個不好的習慣，凡事喜歡概括、籠統而說之，然後一棒打死，或一捧捧上了天。說中國文化不好的，一句「醬缸文化」，似乎便足以概括；說中國國民性不良的，亦一句「中國文化之根柢全在道教」，似乎亦足以解釋。實則問起儒家經典、道教科儀、佛家宗派義理，十九茫然。大罵理學道學的人，大抵也對理學一竅不通，只會搬弄幾個「禮教吃人」「道學冬烘」的術語。捧中國文化的，前面講過，他們對典章制度、經典文獻、史事思潮，往往也一樣理解有限。此等學風及精神狀態，均不是我們現今治國學時所應有的。

但我的意思，也不是說治國學就應從事所謂的中立客觀之了解（人文學術本無客觀中立這回事，凡自命中立客觀者，都是隱藏著立場的，或以中立客觀為其論述策略的）。而是說治國學既不須竭力論證中國人中國文化如何醜陋，亦毋庸辯護道它如何優越、如何足以拯救西方。治國學，主要是詮釋的工作。說明中國學術到底是甚麼樣，又為何會如此，才是我們的事業。詮釋了，才能發展之。

三、

詮釋亦非易事。先前的一些先生們，不能說對中國學術便無詮解，無奈其詮析往往失中。故詮析者之精神與方法，尚須講求。

1938 年馬一浮先生與浙江大學師生南下避日寇侵襲途中，曾在江西泰和與廣西宜山講學，其「國學講座」後來刊為《泰和會語》。裡面曾揭櫫「治國學先須辨明四點，方能有入」之說，曰：

> 一、此學不是零碎片斷的知識，是有體系的，不可當作雜貨。
>
> 二、此學不是陳舊呆板的事物，是活潑潑的，不可目為古董。
>
> 三、此學不是勉強安排出來的道理，是自然流出的，不可同於機械。
>
> 四、此學不是憑藉外緣的產物，是本心自具的，不可視為分外。

馬一浮先生對國學的定義，是指六藝之學，以六藝統攝一切學術。例如以六藝統攝經史子集諸子九流；或說自然科學可統於《易》、社會科學可統於《春秋》等等。故他講國學是一種總提綱領式的講法，跟我散開講經史子集儒道釋不同。且言國學、論六藝而云六藝統攝於一心，治國學宜先立志，須為天地立心、為生民立命、為往聖繼絕學、為萬世開太平，亦頗有宋明理學家氣味，今日或為學者所厭聞、所懼聞，故我們也可暫時不去說這些。但不管如何，馬一浮所揭示這幾點，仍可以做為今日治國學者應有之心理準備。

一云國學不是零碎片斷的知識，不可當作雜貨。是針對清儒以來講考據、民國以來講學科專業分化而發。考證之弊在餖飣、在瑣屑，支離而不見大體。學科專業分化，弊在切割，只有專家的一孔之見、一得之愚，而無通識，學問又無法通貫。這些毛病是極明顯的，無須申說。治國學，首先就要在心態和知識結構上避免成為專家狹士，由整體上去掌握中國學術的格局、氣脈、性質，尋找文史哲藝術宗教社會各領域通貫的氣韻精神或觀念。而不是瑣瑣屑屑地檢點家當，如雜貨舖掌櫃一般。至於專家狹士，則連雜貨挑子的貨郎兒也算不上。

二云國學並非古董。此理亦甚明，只是今人不知，老是把講國學視為復古；老以為古就不是今、今就不應古。殊不知古人云：「學而時習之，不亦樂乎！有朋自遠方來，不亦悅乎！人不知而不慍，不亦君子乎！」今人難道就可以不如此，偏要學以為苦、學不時習？偏要有朋自遠方來則不悅？偏要人不知而大慍？馬一浮說治國學要知它不是呆板陳舊的事物，而是活潑潑的，孔子這段話不就是活潑潑的嗎？英人笠頓（Lord Lytton）嘗云：「你想得見新意嗎？請去讀舊書。你想找舊見解吧？請看新出版的」。讀古人書，往往令人念及此語。

或曰：此不過是講一種人生態度，豈能代表整個國學？這又是強不知以為知了。

談中國文化，一般較常從道德說，又或如徐復觀先生之說「憂患意識」，由此處說人文精神之發展，乃是由《易經》乾卦云：「君子終日乾乾，夕惕若厲，無咎」（〈九三〉）「天行健，君子以自強不息」（〈象〉）而來，確可以闡發儒者生命，知其「先天下之憂而憂」之故。但中國文化中另一重要面向或精神，也許就不易覺察了。

那一種面向或精神是什麼呢？我姑稱其為樂感文化。比如《論語》一開頭就是孔子說：「學而時習之，不亦樂乎！有朋自遠方來，不亦悅乎！人不知而不慍，不亦君子乎！」獨學自樂；有朋友能了解，能來共學，最好，也很快樂；若人不知，亦不慍，仍是樂。君子之學的本領即在於此。樂，就是孔子自處的真精神，故他又說：「飯蔬食飲水，曲肱而枕之，樂亦在其中矣」。葉公問孔子於子路，子路不對，孔子便不太以為然，提醒他說「汝奚不曰：其為人也，發憤忘食，樂以忘憂，不知老之將至云爾」（均見〈述而篇〉）。他自己是這樣的人，所以才格外欣賞顏淵，說他一簞食一瓢飲，人不堪其憂，而顏回獨能不改其樂。爾後有位詩人，頗窺此境，亦深受後人推崇，以為能得孔顏樂處，那就是陶淵明。其詩云：「樂天知命復奚疑？」

儒家以外，道家也一樣講樂，但莊子獨樂樂的意味多，老子眾樂樂的意趣深。莊子一開篇就是〈逍遙遊〉，後面則是要知魚之樂、要得天地之至樂。老子的理想卻在於小國寡民，要使老百姓「甘其食、美其服、安其民、樂其俗」（〈八十章〉）。二者雖若不同，內在之精神仍是通貫的。

細細想來，此亦非孔孟老莊之創見創舉，《詩經》裡便時時表現這種樂。開卷第一首詩，同樣也是講樂：「參差荇菜，左右芼之，窈窕淑女，鐘鼓樂之」。鐘鼓是禮樂，以鐘鼓樂人，而人亦樂之，這不正是整個周文化之精義嗎？孔子云「興於詩，立於禮，成於樂。」其奧豈不在是？〈小雅·崇丘〉：「樂只君子，邦家之光，樂只君子，萬壽無疆」；〈南有嘉魚〉：「君子有酒，嘉賓式燕以樂」；〈由儀〉：「既見君子，我心寫兮，燕笑語兮，是以有譽處兮」……這些詩，即表現著周代的禮樂文化之美。

美這個字，也是與樂相關的。字從羊從大，羊大為美，意思是美味。猶如甘，也以口中含著糖來形容。吃到美味的東西，心中之樂，可想而知。現在我們口語中還常說：「看你美得！」美，指人心裡喜滋滋的。《國語·國語下》注即曾說過：「美謂滋潤也」。現在我們也常說「生活過得很滋潤」一類話，形容過得愜意、愉悅。

凡此美感、快感、樂感之義，恐怕也是《易經》所重視的。如果說憂患意識可以上溯於孔子所說：「作易者其有憂患乎？」，而取驗於乾卦；則我們從乾卦坤卦中一樣可以看到和《詩經》《論語》相同的美樂精神。因為《易經》乾卦是說元亨利貞四德的，「君子乾乾夕惕若厲」，只是九二的爻辭。若就整個卦看，則「乾元者，始而亨者也。利貞者，性情也。乾始能以美利利天下」。由性情之美進而美利天下，才是乾卦整個卦的精神所在，乾元之德，旨在於斯。坤卦情況相似，《文言》釋坤曰：「君子黃中通理，正位居體，美在其中，而暢於四肢，發於事業，美之至也」，也是希望能由內美發皇至外，由獨樂樂到眾樂樂，美利天下的。

「黃中通理，美在其中」類似莊子說的「德充符」，或孟子說的「充實之謂美」。指的是一個人內在生命充實、豐盈、自足而顯示的的美。孔子說君子坦蕩蕩，又說君子不憂不懼，指的就是這樣一種狀態。這樣的君子，文質彬彬，當然也就能予人以一種美感。詩云：「其人如玉」，又云：「既見君子，云胡不喜」，便是說此等人因有內在美，故表現出來的美感，能令別人看得也歡喜，蘇東坡詩：「腹有詩書氣自華」，即指此。莊子講德充符的符字，說的也是內在德充者必可符應於外。這種美，便是生命美。

但個體生命活在社會中，其個人家居和群體生活，也一樣有美的問題。如孔子無疑是具內在美的人，因此「子之燕居，申申如也，夭夭如也」（〈述而〉）。燕居的燕，即「嘉賓式燕以樂」的燕，《禮記》也有〈仲尼燕居〉〈孔子閑居〉二篇，形容孔子退居家中閑逸燕樂之狀。申申、夭夭，乃和舒、美暢貌，猶如說：「桃之夭夭，灼灼其華」。此等家居閑逸之美，要如何獲致呢？《禮記·內則》等篇，頗說其理則。

至於群體生活，則子曰：「里仁為美」，《禮記·少儀》也說：「言語之美，穆穆皇皇；朝廷之美，濟濟翔翔；祭祀之美，齊齊皇皇；車馬之美，匪匪翼翼；鸞和之美，肅肅雍雍」。荀子更形容道：「井井兮有理也，分分兮其有終始也，厭厭兮其能久長也，樂樂兮其執道不殆也，昭昭兮其用知之明也，修修兮其用統類之行也，綏綏兮其有文章也，熙熙兮其樂人之臧也」（〈儒效篇〉）。這都是指群體生活的風俗美。孔子說讀詩可以興，可以觀，可以群，可以怨。群與觀，就針對這種人文美而說，故《易》曰：「觀乎人文，以化成天下。」

換言之，《論語》開篇這段話，正是足以通貫理解《論語》乃至儒家道家精神之所在，為國學之要義。而其義，至今亦仍是活潑潑地。舉此一例，不難隅反，讀古人書豈可輕忽淺視哉？

馬先生所講的第三點，云國學乃自然流出，非勉強安排出的道理，故不可私意造作，穿鑿附會，應如量而說。也很重要。

所謂自然流出，可以理解為在歷史發展及相關條件中自然形成，因此不可隨便附會。例如說《易經》具有現代科學乃至超科學之成分；耶蘇曾來中國求道；墨子是印度的黑人婆羅門；《尚書》裡的上帝就是耶和華；老子是月神崇拜；《楚辭》顯示巴比倫文化乃中國文化之源……等均是附會。穿鑿，則是刻意求解，要解得深、解得奇。在古書文句簡略、記載不詳盡處，刻意穿鑿以顯小慧，沾沾自喜。這些，都不是治國學應有的態度。

馬一浮所說第四點，云治學應向內體察，不可徇物忘己，向外馳求。也是值得重視的。中國學問自來強調是成己成物之學，能否開物成務，須待外緣；成己卻是自己可以掌握的，故亦特需著意努力。所謂成己，是說做學問並不徒為口耳記誦之業，也不是要用這些知識去換學位、換衣食、換利祿、換名聲。做學問，是希望讓自己明是非、具見識、有能力，成為有文化的人。此即所謂成己成人，學問是落在身心實踐上的。

如讀「學而時習之，不亦樂乎……」，只知考證「學」是指覺悟、指讀書、還是指明善而復其初；研究時習之「時」是指人中時（少年、中年、老年），年中時（春夏讀詩樂、秋冬讀書禮），抑或是指日中時（早中晚）；討論說與悅哪個是俗體字；辨析時習之「習」是泛指學習，還是專指誦習；辯明慍與怒、怨有何不同……，而對讀書治學無真誠之喜好，老是抱怨學這些老古董不獲社會重視，反對兒女選考文史科系，對別人學問不如自己而居然升等較快且常獲獎心生不滿……。那麼，這樣讀《論語》又有何益？縱然考證精確、論述警闢、甚或著書滿家，能稱得上是讀過書的人嗎？

另外，從前梁遇春在北大求學時，寫過一篇文章，叫〈還我頭來及其他〉。說：他與同學們談話，感覺他們是全知的，對一切問題都有一定的見解，說起來滔滔不絕，「他們知道宗教是當『非』的；孔丘是要打倒的；東方文化根本要不得；文學是蘇聯最高明；小中大學都非專教白話文不可；文學是進化的，因為胡適先生有一篇〈文學進化論〉；行為派心理學是唯一的心理學；哲學是要立在科學上面的；新的一定是好，一切舊的總該打倒；以至戀愛問題、女子解放問題……他們頭頭是道，無一不知」。但梁先生發現他們「觀點總是大同小異——簡直是全同無異。有時我精神疲倦，不注意些，就分不出是誰在那兒說話」。因此他要大聲呼籲：還我頭來！

還我頭來，也是一種不徇物忘己的表現。治學者當時時捫捫腦袋，大好頭顱，勿為他人劫去！

乙、登堂篇

第一章　國學之書目：胡適與梁啓超

《國學入門書要目及其讀法》是 1923 年梁啟超應編《清華周刊》的學生之邀而作。深入淺出，對現今社會上一般毫無基礎而又想略知國學門徑的人，尤其適用。

目前大陸的氣氛，跟五四新文化運動之後頗有些相似，整體社會是在發展現代化，可是大家又覺得有增加傳統文化認識的需要。當年也是如此。兩種力量的相互激盪，一是向西方學習，迎接德先生與賽先生以促進現代化；一是以科學方法整理國故。這兩種力量看起來彷彿是矛盾的，可實際上相輔相成，且彼此脈絡潛通。這只要看五四新文化運動的代表人物如胡適之作為，便可知道了。

當時清華學校甫由清華學堂改制，學生大抵皆是準備再出國去留學的青年，符合第一項方向。但只是出去留學，學習別人的東西，並不符合整體的社會期待及自我之期許。當時的大學生，希望自己雖未必將來就要從事整理國故的工作，但至少不能不對國學有點基本認識。因此就去請胡適先生開一個書目，好讓他們得到個國學入門的門徑。

胡先生明白這些年輕人的想法，所以擬書目時聲明：「並不為國學有根柢的人設想，只為普通青年人想得一點系統的國學知識的人設想」。不過，胡先生野心太大，開書目時還附帶了一些別的目標，例如設想該書目「還可以供一切中小學校圖書館及地方公共圖書館之用」，這便不免把將出國留學的青年家中看成公私機關的書庫了。他又還想藉這個書目，教人一種歷史的國學研究法。這也不免把一般人的國學知識教養，和準備從事國學研究者的學力混為一談了。

因此胡先生《一個最低限度的國學書目》刊載在 1922 年《讀書雜志》第七期上時就立刻引發了爭議。向胡先生提問的學生首先表示不滿。《清華周刊》一位記者寫信給胡先生，認為範圍太窄，只限於思想史和文學史；可是單就思想史和文學史而言，又顯得太深，舉書一八四種，包括工具書十四種，「我們是無論如何讀不完的」（收入《胡適全集》第二卷）。胡先生對此，亦有一答覆，略謂國學之最基本部分便是思想與文學二部，書目則可再精簡為卅九種。

顯然學生們對胡先生之說仍未盡愜意，故轉而請教梁啟超先生。梁先生對胡先生之書目也不贊同，覺得胡先生有些文不對題，且不顧客觀現實。客觀現實是什麼呢？就是一般青年對國學根本不了解，也不是要做國學家，所以胡先生開的書，沒必要都讀，甚或「十有七八可以不讀」。其次，梁先生又覺胡先生範圍太偏，選了一堆小說而把《史記》等史部書全都拋開，實有不妥（見《清華周刊》281 期：書報介紹附刊三期，1923 年 5 月）。

所以梁先生的擬目，一是範圍比較完整，凡分五大類：甲、修養應用及思想史關係書，三十九種；乙、政治史及其他文獻學，廿一種；丙、韻文類，四四種；丁、小學及文法類，七種；戊、隨意涉覽書，卅種。共一四一種，總體上包含較廣，符合所謂「國學」之涵義，而書目卻較胡氏所列精簡。二是每列一本書，大多有導讀式的說明，對初學者極為有用。三、列的書雖然仍是不少，例如廿四史，卷帙浩繁，只算一種，一四一種合起來，一般青年人恐怕仍是看不完的。不過，梁先生在其中均有針對讀者設想之斟酌。比方將此目再精簡成廿五種，廿四史只讀前四史，算是四種。或者在隨意涉覽類中即表明此為隨意自由翻閱之書，不必照頁次讀，也未必要讀完。又或說小學及文法類書，若不是有志就此深造，也可不讀。其他還有《樂府詩集》只須讀漢古辭，餘不必讀；《楚辭》屈宋以外亦不必讀；《廿二史札記》中論校勘者也不必讀等等，七折八扣下來，讀者之負荷大為輕減。這便可以顯示梁先生有「優柔善入」的詩人氣質與為讀者設想的體貼之意。

由於梁先生的書目有這許多長處，加上梁先生胡先生分別開列書單且又形成爭論，在社會上具有話題效果，故影響甚大，即使到今天還令人津津樂道。一般社會人士，若想接觸國學、增加些傳統文化認知，梁先生這個書目也仍是必備的入門指南。

其實入門指南一類書最為難作。專家之學雖然專精，卻常缺乏接引後學的本領，而且容易陷在專業框套中，不見大體。胡適所開書目不列《易經》《尚書》及各朝史書，而列了《綴白裘》《兒女英雄傳》等十三部小說，便是一例。他開列的大型總集，如《全唐詩》《宋六十家詞》《元曲選一百種》等都也不便初學。梁先生對此予以矯正，自是因梁先生對國學有比胡先生更通博的根基，且與他早年辦報以啟迪民智的經歷有關。為初學者說法，梁先生較胡先生更有經驗。

故梁目除上文所述各點之外，還有幾個重要的長處，一是通博，不拘限於本身專業和學派觀點，二是接引有方。以下分別做些說明。

梁先生是康有為弟子，在經學立場上是今文經派。此派疑《周禮》晚出，不信《左氏》是《春秋》的傳，對於屬於古文經學派的《毛詩》也不以為然。但梁目在政治史及文獻學類中不僅將《周禮》《左氏傳》列入，在介紹《詩經》的注解時，唯一推薦的也是古文家系統的陳奐《詩毛氏傳疏》。對於康有為批判古文經學的名作《新學偽經考》或今文學派崔適的《史記探源》，胡適都列入了，梁目卻刪去。只收康氏學派氣味不強的《大同書》，以及曾是論敵的章太炎《國故論衡》。這些，均不僅可以徵品格，且足以覘識見。

因為這不是枝節問題而是整個書目的平衡，他在舉《論語》時，就推薦宋學派的朱熹《集注》與漢學派的焦循《論語通釋》，兼及顏李學派的戴望《論語注》。胡適未列《墨子》，他也以為：「孔墨在先秦時兩聖並稱，故此書非讀不可」。凡此等等，可見他處處留心，要提供給初學者一個通博寬廣的空間。他自己在清華教人辨偽，開講「古書真偽及其年代」，可是列書目時並不排斥偽書，告訴人偽書也可以看、該怎麼看，亦是本於此一態度。

此外，胡目列了佛書廿四種，在真正最低書目中也還有四種，梁先生則只在隨意涉覽類中列了一本《大唐三藏慈恩法師傳》。梁氏佛學造詣不弱，著有《佛學研究十八篇》等書，可是他覺得那是專門之學，「其書目當別述之」，故未納入。又，小說類，胡目甚多，梁氏也不列。是他不重視小說嗎？非也。梁先生曾說：「小說為文學之最上乘」，並認為其感人之力最大，故倡言「欲改良群治，必自小說界革命始；欲新民必自新小說始」（〈論小說與群治之關係〉，1902 年，《新小說》，1 號）。對於小說，梁先生自然是極重視的，但放在整體「國學」之比重中，小說該占什麼位置呢？梁先生這便不得不有所權衡了。因此，他說：「一張書目名叫國學最低限度，裡頭有什麼《三俠五義》《九命奇冤》卻沒有《史記》《漢書》《資治通鑑》，豈非笑話？」「文學範圍，最少應包含古文及小說。……苟非欲作文學專家，則無專讀小說之必要」。

凡此等等，亦皆可以看出梁氏比胡適善於接引。胡先生雖企圖藉著書目來示人以門徑，以歷史的線索做為治國學的歷程。可是具體說時，卻又自違其例。像思想史部，按理說在康有為章太炎崔適之後才該是胡適自己的《中國哲學史大綱》，胡先生卻把自己那本列在《四書》及先秦諸子之前，做為第一本，這豈是歷史的順序？且就算次序不錯，依著歷史的順序讀書，恐怕也未必就是好方法，因為從先秦讀下來，讀到清代，鬍子都要白了。何況胡先生還主張讀總集，無總集的時代才讀別集，這就更令人望而生畏了。相較之下，梁先生的書單雖也大體依歷史順序排列，但一因有分類，二因各書底下說了讀法，三因並不強調歷史研究法，故在接引初學方面確實較平易可行。

以上介紹梁氏書目，都是對比著胡適的書目說，這固然與其緣起有關，但也想趁此機會略談一種時代風氣。

胡先生梁先生都是引領時代的文化巨人，梁先生對胡先生擬的書目，如此不客氣，直言批評，且另提了一個書目，這在人情上是犯大忌諱的。我們現在學界中人，若非仇敵，斷不會幹此等事。可是兩君並不以為嫌。在此之前，梁啟超去北大三院大禮堂講演，就曾以「評胡適之《中國哲學史大綱》」為題，這幾乎是上門罵陣了。但胡適只理解為：「這都表示他的天真爛漫，全無掩飾，不是他的短處，正是可愛之處」。梁雖對胡適《哲學史大綱》有所批評，而仍列入思想類必讀書目中，亦是如此。這一方面可以看出兩位學人的修養，一方面也可以看到一個真誠論學的時代。

梁先生曾在〈治國學的兩條大路〉中強調：除了用客觀科學方法去研究文獻外，更應用內省躬行的方法去砥礪德性的學問。這個提醒，不僅可以彰明梁先生治學何以能有如斯胸襟，更對今日學人深具啟發。

據吳世昌和周傳儒記錄的《梁先生北海談話記》，梁先生在清華執教時，每於暑間約學生同遊北海，並邀名師同來講學。有一次，約的友人未來，梁先生遂自己講，而且集中討論了當時的教育制度。認為現在的學校，完全偏於智育；老先生嘛，又偏於修養。因此梁先生期望新一代學人在做學問方面，能創造一種適應新潮的國學；在做人方面，能在社會上造就一種不逐時流的新人（本文，《飲冰室合集》失收）。

這兩面兼顧，「兩者打成一片」的說法，也就是他治國學的兩條大路之說，路雖有二，人卻是一，今日讀先生書者，切勿歧路亡羊才好！

第二章　國學的講說：（一）康有爲

一、口說

《南海康先生口說》二卷，黎祖健光緒丙申年錄，有北大、復旦、中山大學諸抄本，亦有 1985 年中山大學出版社印本。民國七十六年，蔣貴麟取諸本重加校訂，由臺灣商務印書館刊行，最便誦讀。康氏學問博肆，著作亦夥，唯本書提要鈎玄，足以見平生學術之大凡，宜其門人珍而重之也。

且康有為乃今文經學名家，今文家特重口說，康氏尤然，而其弟子遂以學派之故，亦推尊其師傳口說。觀其恭敬抄錄、敬謹刊行之情，即可見彼等對此口說什襲珍重，非比等閑。黎祖健抄本前面且有識語謂：「諸君借抄借讀，切不可轉手交與別人，恐有遺失；尤不可塗汙摺縐，以昭珍重」，蓋視此書為微言大義所存，重視更在康氏其他著作之上。

康氏嘗云：「春秋之義全在口說」（上，〈孔子改制〉）「董、荀、孟三子皆傳孔子口說」（同上），其重口說，在近代學人中獨樹一幟。但口說為何較文字更為重要？西方語言學傳統中有幾種說法，或以為文字只是仿擬複寫語言，故不及語言；語言較接近真理，文字則為間接。或以為口語代表「在場」，文字代表「不在場」。康有為重視口說，與上述關於語言「邏各斯」的爭論無涉，他強調口說，大抵所重在於語言的秘密性。文字竹帛傳寫，是公開的宣揚、闡述、記錄。口說卻是私底下口耳授受的，它有局限性，也就有了私密性，而且同時也因這種私人口耳傳授，暗示了它更接近真理與真相。

然而，如此認定，也只是獨斷的，並無足以符驗的理由，或足以說服他人信受。因為康有為在談及口說時，其態度只是「宣稱」，而非論證或說明。在他，大約以此為自明之「事實」，忽略了需要對口說為何比字更重要、更真實做些解釋。

而且，在指認某事乃孔子口說時，他同樣也缺乏說明與論證。比如他說：「緯，即口說，當時未著之竹帛」（上卷，〈學術源流七〉）「五行傳皆孔子口說」（上卷，〈洪範〉）「青、黃、赤、白、黑，謂之五帝，甚有據，見緯書，孔子口說也」（上，〈禮制〉）「三重，三統也。康成之說，必有所本，當是孔門口說，相傳如此」（上，〈中庸一〉）「正名篇，首段為孔子立名確證，必口說也」（上，〈荀子〉）「董子『性之名，非生歟』，與告子同義。又謂『性者，質也』，又與孝經緯『性者，生之質也』同，多是孔門嫡傳口說」（下，〈春秋繁露〉）。這些所謂孔子口說，不僅都是推測語，無其他文獻或歷史的證據，本身也都充滿著爭議。似乎三統、五行、正名、重緯、以生為性，這些都是康有為所著重的，故他即以此等皆為孔子口說，用以強調它們的價值。

可是這樣的宣稱，其實只會帶來更多疑惑。例如緯書都是孔子口說嗎？若有些是有些不是，如何判定？若都是，諸緯書之內容頗不相同，如何解釋其駁雜矛盾之處？若說此乃孔子口說時，記者各尊所聞，則其說均有同樣的價值嗎？鄭玄之說三統，自是漢人之說，何以知其必有所本，且必為孔門口說？口說之傳，須有師徒授受，鄭玄此類說法，傳自何人？❶五帝之說，不只見於緯書，亦見於其他戰國文獻，甚且墨子逢日者時已有帝殺黑龍於北方之說，何以知五方五色五帝之配，本於孔子？……凡此等等，幾於不可究詰，康氏云云，恐無以自立。

其所以如此，一方面是康氏學問本身的問題，一方面則是因為這本書乃是他對門弟子的講說之辭。一時口談，且發之於告知門人的情況下，若門人不大叩大鳴、執經問難，通常就只是如此告知一番而已。缺乏推論證明的程序，實在也是情有可原。

不過，這便也可以看出口談紀錄的缺點。康門篤信口說，其實口語多鬆散、膚泛，徵文考獻亦輒不嚴謹。古人語錄，多記交往問答或述心得語以相印詮，此類毛病尚不明顯；康有為此書多涉學術源流，牽聯及於典制史事，隨口敷說，便多未妥之處。門弟子習於師說，且尊奉若神明，故抄纂排錄，未遑責疑申難。吾人讀此口說，就頗有些不以為然了。

---

❶ 康有為在《偽經考》中把鄭玄歸為古學，見〈偽經傳於通學，成於鄭玄考第八〉。在本書中則謂：「鄭康成兼傳今學。……鄭學雜揉古今，然今日披沙揀金，微言猶賴以存」（〈孔子改制二〉）。

二、道教

康先生學問當然極好。但聖人氣象，過於恢宏，其學既已博涉多優，又係面對門人後輩，遂不免河漢其談。其間論佛教道教，大抵就都是錯的。

上卷〈諸子二〉云：「道藏八百卷，膚淺」。想當年康門弟子聽聞此語，殆鮮不以為其師高出《道藏》萬萬也，不會去懷疑康有為可能根本就沒讀過《道藏》。但康氏沒通讀《道藏》的可能性，遠高於讀過。昔年此書並不流通，除劉師培曾在白雲觀閱藏外，讀過此書者其實絕少。康氏恐怕也未讀過。因此他說其書八百卷。實則正藏五千三百零五卷、續藏一百八十卷，遠多於他所說。若康氏真讀過，就不致於說得如此離譜。

他未通讀《道藏》的另一個證據，是他對道教之源流頗不明白。如〈諸子三〉說：「齋醮自寇謙之始」，甚謬。寇為北魏新天師道，寇氏之前，靈寶道士舉行齋醮已有數百年歷史。〈諸子二〉云：「老學大盛於漢文景間，其後張道陵創為五斗米道。北魏寇謙之為丹鼎，與張道陵稍異。張言符籙，寇言丹鼎」，亦誤。寇不言丹鼎，他仍是天師道，但號稱新天師，其道法是對張道陵舊法的改革，奉太上老君，以《雲中音誦戒經》為主。康有為根本弄不清新舊天師道的關係，也不知丹鼎系統之底細，故如此亂點鴛鴦譜。

同篇又說：「道陵一派傳最久，今之張天師是也。金朝王存真，即張之後學，為最盛。其弟子有邱、張、劉、馬。邱氏長春最盛。今之道士，王存真派也。神仙家本與道家不同，自抱朴子著書，始合而為一」。這依然是錯的。金王重陽，乃全真教，與張道陵一派道法迥異，係內丹學，又出家為宮觀道士，豈可牽合為一，謂彼為張道陵後學？全真七子，無張姓者。今之道士，門派眾多，亦不盡歸全真。而抱朴子言丹鼎，殊薄老莊，云其始合神仙與道家為一，亦非。故此一段可謂無一不誤。

神仙家與道家不同，又見〈學術源流七〉，云《漢書・藝文志》已分兩派。但又云：「今世所謂道家，不出於老子」。似是嚴道教與老學之分，然而〈學術源流一〉卻稱：「老教分兩門，一言丹鼎，葛稚川是也。一言符籙，張天師道陵是也」，又以老學總攝道教二門。〈孔子改制二〉更謂：「老氏亦託於三清」，下卷〈春秋繁露〉亦有「佛託之七緯，老託之三清，孔託堯舜以大同」之說，竟皆以老氏為道教，且逕指其託古，託於三清。這不但自淆名義，老學一下子與神仙家不同，一下子又指道教；更直稱老子自託於三清。三清乃南北朝以後的說法，老子怎麼能託古改制奉三清為教主呢？何況，三清之中的道德天尊，一般即指老子。老子託三清，豈非自己託自己？

上卷〈易〉又說：「朱兼數學，主張漢易。即數學出於魏伯陽，皆老氏之學」「唯陳摶邵雍言圖者，則全老氏矣」，此老學皆當指道教，故下卷〈宋元學派〉云：「周子頗得老學」講的就是：「太極圖不可謂偽，此圖全出參同契。老氏之學，乃孔子一體，不得謂孔子無之」。但如此說老學，無論怎麼講它是孔學之一體，實在還是混殽的，康氏在此，自多支絀。而朱熹論易，固然談象數，卻並不「主張漢易」。邵雍陳摶之學與老子無關，乃道教中說；可是邵雍之數與《參同契》其實也無關係，不得強指淵源。〈宋元學派〉說邵雍「先後天本九宮出」，亦是錯述宗枋。後天卦就是《易經》本來的卦位，先天卦才是邵雍所定。易卦先於九宮之說，怎能說它出自九宮？先天卦卦序卦位也與九宮無關，且非由九宮出。康有為對於這些學術源流，都不免有信口開河之嫌。

同篇述道教宗旨云：「老氏之學，專在元神、主魄。佛氏專鍊魂」。此與上卷〈列子〉：「禪者說專為證明其魂，道家說專為養成其魄，純氣之守，即『載營魄抱』一也」，〈諸子二〉：「老子於佛之意，亦有領會，然以守魄為主」，〈諸子一〉：「谷神不死，數句見於老子，而列子引以為黃帝之書。或上古有是學，至老子乃大發之世。然老子一書，莫精於此語。老子是養魄之學，後世以為胎元、以為丹鼎、以為命門火，似未足盡谷神之義」相符，雖混老子於道教，但以老學重魄，甚為顯然。

但這真是一團混亂。因為〈諸子一〉同時又說：「老子專講養魂，近佛也。力宗太古，亦欲矯孔子」「莊老皆有火盡薪傳之說，既云不死若存，則固合靈魂而並養之」，不但說老莊都養魂，且說其近於佛，更說老之重魂是宗太古而反孔子。這不僅與前面矛盾，亦與其論孔子重魂相戾：

> 古制皆立廟於墓，孔子則家中立廟。孔子重魂不重魄。（上卷·〈禮〉）
>
> 孔子重廟祭，不重墓祭，墓祭者古制也。古制重魄，孔子重魂。（〈王制一〉）
>
> 孔子不封不樹，重魂不重魄。重葬者，舊制也。（〈王制二〉）

這些都是說孔子改制，重魂不重魄，怎麼又說老子以養魂為復古以矯孔子呢？這是顯然乖剌的。何況，「魂，陽也。魄，陰也」「孔子扶陽抑陰」（均見〈春秋繁露〉）故不重魄是講得通的；老子若重元神，說他主魄，卻怎麼講得通？魄為陰，又豈能為胎元、丹鼎、命門火？再者，「魂為主，魄次之。魂為君、魄為臣。狂夫有魄而無魂」（同上）「學者能以魂制魄，君子也；以魂奪魄，小人也。魂善而魄惡」「智者魂用事，愚者魄用事」（〈荀子〉），魂魄云云，在康氏是與修養工夫相關的。既然如此，老氏豈不是「專為養成其魄」的小人之學了嗎？康氏立說之不善，竟至於此。

三、佛教

佛教部分，〈學術源流五〉引雲南李澄中〈孟子與佛同時考〉稱佛生於周莊王三十一年。〈學術源流六〉卻謂：「佛生於周穆王三年，或云周莊王十七年。佛先於孔子數十年而生」，顯然矛盾。

〈學術源流七〉則說：「佛學在今已無教矣。達摩如儒之劉歆，六祖如康成。日本佛尚有教，中國宗耳，宗有十派」，亦誤。佛教在中國淨土最盛，其餘天台華嚴也各有流衍，豈可說當時已無教？以達摩比劉歆、康成此六祖，也嫌擬喻不倫。康成融合古今，非只承劉歆之學。中國當時既不只有宗，禪宗也沒有十派，不知康氏如何計算。雲門法眼等派，至清皆已絕嗣，禪門連唐宋時的五家七派都湊不齊，哪來十派？至於說日本佛教，下卷〈漢晉六朝唐宋學派〉說：「日本僧，天台派也，中國僧，六祖派也」，誤解與前引文相同。日本僧，有淨有密有台有禪，何嘗皆是天台派？

這是佛教史的問題。教理教義方面，則多此附儒說，如「佛氏地、水、火、風即儒家五行」（〈禮運〉）「以佛釋儒書：天命之謂性，清靜法身也。率性之謂道，圓滿報身也。修道之謂教，百千億化身也。不睹不聞是本體，戒慎恐懼是工夫，所謂『時時勤拂拭，莫使惹塵埃』也。戒慎恐懼是本體，不睹不聞是工夫，所謂『本來無一物，何處惹塵埃』也」（〈中庸三〉），此亦皆為妄說。地水火風，自是四大，非屬五行。天命之性，擬為法身；修道謂教，擬為化身；率性為教，擬為報身。亦嫌不倫。人秉其天性，率性而行，豈遂為報身？修率性之道，為何又竟是化身千億？而且，依康有為的看法，天命之謂性，根本沒有性善義，只是說天生之質而已：

△性即理也，程子之說，朱子採之，非是。

△中庸「天命之謂性」三句，若子思既有性善之說，則必無「修道之謂教」一語，以性字乃是生之質之也，為確詁。

△孟子言性善，特為當時說法。（以上均見〈中庸二〉）

△性者，生之質也，未有善惡。（〈中庸一〉）

△受之天者謂之性，就天說。率勉也，王充說言人道。修道之謂教，聖人以道教人也，荀子所謂「其善者偽也」即此義。

△孝經緯、繁露，皆言性者生之質也。言性以董子為至。

△孟子言性善，行權耳。（以上〈中庸三〉）

△孟子但見人有惻隱辭讓之心，而不知人有凶殘爭殺之心也。

△言性，告子是而孟子非，可以孔子折衷之。告子為孔子說。

△性無善惡。惡者聖人所立也。

△善謂其出於性也，可；謂其出於智也，可。（以上〈荀子〉）

△性只有質，無善惡。

△董子「性之名，非生歟？」與告子同義。又謂：「性者，質也」，又與孝經緯「性者生之質也」同，多是孔門嫡傳口說。

△荀悅《申鑒》《金樓子》《論衡》，皆言性為生之質。

△朱子以為有氣質之性、有義理之性，非也。（以上〈春秋繁露〉）

由這些地方，都可以看到康有為反對孟子性善說，謂天命之謂性只是講天生的材質，這種材質無善惡可言，善惡是後天聖人所立。聖人以此教人，化性起偽；人亦以行善自勉，此即率性之謂道，修道之謂教。依此說，故他反對孟子，也反對朱子以天理說性，而贊成告子荀子董仲舒等人，認為若像孟子那般以惻隱辭讓之心證明人有本心善性，則吾人亦可說人有凶殘爭殺之心故性惡。這番見解，正確與否，姑且不論。先說性既無性善義，「天命之謂性」怎麼能比擬為清靜法身？康有為這不是自相矛盾嗎？〈孟荀〉說得很清楚：

孟子性善之說，所以大行者，皆由佛氏之故，蓋宋時佛學大行，專言即心即佛，與孟為性善暗合，乃反求之。儒家得性

> 善之說，極力發明之，又得《中庸》「天命之謂性」，故亦尊中庸。然既以性善立說，則性惡在所必攻。此孟所以得運三千年，荀所以失運三千年也。

此處說宋儒因受佛教影響故尊孟子。但宋朝至今不過千年，云孟荀因而得運失運各三千年，亦誤。不過，這且不管。依此處所說，可見康有為認為性善說是合乎佛教心性論的，〈學術源流四〉說：「佛言性善，宋人惑之，故特提出孟子」，即是此義。性善為何合乎佛說呢？這就是前文所舉清靜法身之說了。倘依如來藏清靜心說，此清靜心是合於性說之云本心善性的。但問題在於康有為這裡是在解釋《中庸》，而他又反對性善說，謂天命之謂性只是生之質。既如此，怎能用清靜心來比附？

若再進一步說，佛教的心性也只與儒家之本善性貌似，它的心性是個空性，亦非實有一本心、實有一良知之實體，故「佛言性善」也仍是錯的。

「不睹不聞」與「戒慎恐懼」一段，亦復問題重重。一、勤拂拭，勿使心地蒙塵的勤拂拭，可用戒慎恐懼之工夫為喻；但塵埃既去，明鏡便晰，焉能說心之本體不可聞睹？二、心性本空，故無一物。既是無物，塵埃便無所著。此時心已不可聞睹，如何說不睹不聞只是工夫，戒慎恐懼才是本體？三、康有為大概很自喜他這種比擬，所以〈中庸二〉又說：

> 中庸之說是不睹不聞是本體、戒慎恐懼是工夫。王陽明謂戒慎恐懼是本體，不睹不聞是工夫，已入佛學。此陽明兩種道

理，括盡二教大義。

這一段與〈中庸一〉所云：「王陽明謂戒慎恐懼是工夫、不睹不聞是本體。徵以《易》之『終日乾乾，夕惕若』，可知陽明翻案，已入佛學」，其實不同。一說陽明為佛學，已畔儒道；一說陽明兼儒佛。但無論如何，二處均只以「不睹不聞是工夫」屬於佛教，並不像上文把「不睹不聞是工夫」和「戒慎恐懼是工夫」都歸為佛教，只是一頓一漸。參合起來看，就會發現康氏把《中庸》這兩句牽合著佛教說，徒然治絲益棼。

這樣徒亂人意的比擬還很多，如〈孟荀〉：「莊子『知其無可奈何而安之』，是堅若老僧。孟子『莫非命也，順受其正』，是羅漢境界。『君子無入而不自得焉』，正如佛氏地獄天堂皆成佛土，是菩薩境界。孔子『天下有道，某不與易』，正如佛所謂『我不入地獄，誰當入地獄？』此佛境界也」。乍看新警，但諸語本不難解，比合於佛義之後反而可能生出葛藤。因為君子既無入而不自得，既天堂地獄皆已成佛土，更何有入不入地獄之別？此時又為何不是佛境界？「莫非命也，順受其正」，乃孔子知天命後的耳順境界，何以只到羅漢地位？〈中庸三〉說：「舜，正命也。顏子，遭命也。大德必受命。專言命學，不過借舜為模樣」。顏子之遭命，不也就是知其無可奈何而安之嗎？他只是堅若老僧工夫嗎？舜之遭逢虐父悍弟，為何又是正命而非遭命？其「順受其正」，是否又是羅漢境界？諸如此類，均難究詰。

康有為不但喜歡拿儒學比附著佛教講，也常把先秦諸子或自然科學比合到佛教去，例如：

△萬物之生，皆由於地動。地動者，輪迴也。

△血脈之輪迴，我氣人，人亦氣我，氣質之輪迴也。

△地面之水，為日熱力所吸，上而成雨，雨變為水，亦輪迴之義。（以上〈學術源流一〉）

△莊子發揮輪迴之說，與佛氏合。如「火滅薪傳」「蟲臂鼠肝」之類是也。（〈學術源流七〉）

△莊子心學最精，直出六經之外，《齊物論》之「與接為構，日與心鬥」，即楞伽之識浪。

△莊子之學……其言「火盡薪傳」，即佛輪迴。其言「虛室生白」，即佛氏十方世界見大光明。（見〈諸子三〉）

這些也無一不誤。佛教的輪迴說，講的是業力流轉，跟地動、血氣、水氣蒸發、火傳薪盡、蟲鼠相變都不一樣，牽合比附，殊為無謂。「與接為構，日與心鬥」，自是講心。莊子無「識」之觀念與區分，也不應以唯識說解之。

以唯識釋莊，乃晚清風氣；以佛學比附儒說，也不乏健者。試看與康氏同時代的章太炎乃至稍晚的馬一浮等，皆是如此。但比得好，自多博通之趣，比不好，便顯得夸誕不經。康有為的情況，殆近後者。

四、西學

且不只佛教，他比附的範圍極廣，例如「西學多本墨子」「通部《墨子》，無一言養心之學，故不能行。外國耶氏似之。然耶氏能養魂，故大行於天下也」（〈諸子三〉）。西學多本墨子，衍晚清西學出於中國論，其誤至今已不必再談。基督教似墨子，則不知康氏何所見而云然。墨家明鬼、非樂、節葬、非命，基督教哪一點似之？如此論西學、論基督教，不是夸誕不經嗎？

康有為壯遊萬里，對西學及歐洲政教社會情狀，按理說，應有相當的了解。可是看上引文字，就會發現他的了解與光緒年間不甚知兩洋情事者其實相去不遠。只是別人也許因不太懂就盡量少談，康氏則以見過世面自居，不時放言高論，以駭其生徒，結果就是亂扯了一氣。請看：

△羅馬之政教，出於波斯，波斯出自印度。（〈學術源流一〉）

△亙古開國莫大於波斯。（〈學術源流二〉）

△苗人名目，同於歐洲。（〈學術源流三〉）

△外國七日禮拜，出佛印度，開國早故也。（〈學術源流五〉）

△人之聰明大略相彷，各國政教皆多從印度出。（〈學術源流七〉）

△外國以未為第二日，俄國以十二月為正月，歐洲以夜半為第二日。（〈孔子改制一〉）

△耶氏言神，佛氏言鬼，孔子並言鬼神。（〈孔子改制二〉）

△孔子之祭六宗，有方明，即十字架也，耶氏行之。（〈禮制〉）

△孟子用賢、用殺，皆聽國人曰可，亦與眾共之義也，西

人議院即是。

△計地球各國，以地而論，日本人最多，每里卅人。比利時亦多。

△臺灣一年三熟或四熟，小呂宋四熟，多者六熟。

△外國有重扁頭者，其人每用石壓頭，猶中國之纏足耳。（〈均見王制二〉）

△印度之文甚多，皆從佛之文。（〈中庸三〉）

康有為喜說外國制度情事，本有其學術理由。因為他相信孔子之道是人類的公理，外國也會行、能行或曾行孔子的制度，故曰：「外國之學，改制之學存焉」（〈中庸三〉）。在這個基礎上，西學當然應該講，且應發展出比較文化的論述來證成其理。無奈他對此未遑深入，所以一部分像海客談瀛，蒐奇獵異，講些壓扁頭、稻幾熟的事。一部分則顯得夸誕多誤。如羅馬政教出於波斯，波斯出於印度，自古開國莫大於波斯；苗人名目同於歐洲；「古之夷狄，即今之客家也」（〈王制一〉）……等都是。洋人七日禮拜，本於上帝創世七日安息之說，乃竟謂其出於印度。印度佛教早衰，歷史上也僅一小時期占主流，竟稱印度之文皆從佛教來。此均屬妄說影響。

比附者，則如「耶氏言神，佛氏言鬼」之類。耶氏之神、佛氏之鬼，與儒家之鬼神並不相同。儒家的鬼神，乃二氣之良能，魂魄所示；佛家之鬼，係輪迴之報；基督教的神，是人格神第一因。豈可因鬼神字樣而率意鈎比？六宗方明即十字架云云，更是荒謬。〈禮〉康有為曾釋方明曰：

> 六宗主陰陽之德，上不及天，下不及地，中不及四方。今文歐陽說所謂方明也。用木為之。此外皆偽說也。六宗之說紛紛，劉歆以為乾坤六子；賈逵以日月星為天宗、河海山為地宗；馬融以為水旱坎壇夜明，據祭法；鄭君以為六星，雨師風師司中司命。

在祭六宗的架構中，方明之用，無論怎麼解釋，會「即十字架也」嗎？同理，孟子用賢用殺，徵諸國人，也與英美議院制度不同。比附之跡，甚為明顯。

之所以論世多附會，是因康有為不是一種比較文化的態度。其論世界、談西學，旨不在參取他邦優長，也不重衡較彼此之是非、異同、高下，僅想將歐西攝於印度，再以孔子攝佛氏、統萬國，謂孔學乃萬國公理。

因此他才會說耶教禮拜、波斯羅馬政教都出於印度：「印度波斯與三代制度相類」「蒙古滿洲皆天竺餘音」「印度開國甚古，當堯舜時，義理政教文字已可觀」「以風水論，即度開國最先」（〈學術源流五〉）「外國名號皆出印度」（〈春秋繁露〉）「回教印度皆行夏時」（〈律曆〉）。

在他的世界觀中，「中國、印度、波斯、小亞細亞共為四大域，是開闢之始」（〈學術源流一〉）。四大域，就是四大文明，創造了各自不同的政教文字。可是，小亞細亞部分，他甚少討論，然後又把波斯歸入印度一系，如此，事實上就只剩了中國與印度兩大體系。兩大之中，印度文明又常先簡化為佛教文明，再以儒佛關係的架構處理之。以佛理都可被孔學包攝為主述形式，佛教文明可補孔學之缺為輔論述。中國周邊民族文化也都以佛教文明來指認，所以才會說蒙古滿洲皆天竺餘音。

這種世界觀，反映了康有為對世界幾大文明的看法，足以證明歐西之學術及至整體文明成就，他都不甚措意。過去研究康有為的人，老喜歡說他改制變法係受西學影響而然。又或以為他壯遊寰宇，於歐西政教文化必有所受，或有所感會。其實不然。由這本書看，不說西學源於印度源於中土，就說彼有合於中學，另外則是批評，如說：「歐洲樂太大，非中聲」（〈樂學〉）「歐洲當元朝始刻書」（〈禮運〉）「西人甚美中國舉士之制」（〈王制一〉）「諸教皆主天人相合，其義至淺」（〈洪範〉）等，抑揚之意，甚為顯然。❷

五、史地

世界觀如此，歷史觀自然也非常特殊。

康有為是氣化論者，認為：「凡物皆始於氣，有氣則有理。生人物者，氣也。所以能生人物者，理也」（〈學術源流一〉）。如此說理氣，是本於他對經學的見解，故云：「易：『大哉乾元為統天』，春秋以元統天，元即氣也。有氣自有轉運，自有力，亦動靜起而形德成矣」（〈孔子改制一〉）。元到底是不是氣，或理氣關係能否如此說，當然大可討論，但此處無法深談，也無必要，因為康有為說氣只是要就此說陰陽生化：「有氣即有陰陽，其熱者為陽，

---

❷ 康有為的變法思想主要不來自西學而本於經學，詳龔鵬程〈康有為的書論〉，收入2001，佛光人文社會學院出版《書藝叢談》p.107-130。

冷者為陰」（〈學術源流一〉）。他不採陰陽合和以化生之說，只就陽說生。陽為熱、為動，所以說：「天地之大德曰生，生生之謂易。聖人只做得生生二字，天下之理只一生字。聖人扶陽而抑陰、尊生而抑死」「有熱而後生，學者熱極，則可以生生矣」（〈學術源流三〉）「萬物之生，皆由於地動」（〈學術源流一〉）。這都是極特殊的講法。

陽氣生物，始於苔，動物則始於介類。剛生的東西，都較粗糙無靈，故「蟲類為生物之始，故其愚與草木等」「草木與人，相去不遠，觀其骨節可知。人與禽獸之相近，更不待言，不過有豎立橫行之別耳」「倒生者最愚，橫生者始有知覺，立生者始有靈魂」「蟲變化多，然愚矣。凡智物則不能有變化。造化之技，亦止於此矣」（〈學術源流三〉）。亦即造化生物，由苔介蟲草禽獸而至人，人為最靈，人類之出生，則在五千年左右：

> △現考人類之生，未過五千年，總之去洪水不遠。或者洪水以前之人皆為洪水所滅。以列國史記考之，人皆生於洪水以後。（〈學術源流一〉）
>
> △荒古以前生草木。遠古生鳥獸，近古生人。人類之生，未過五千年。
>
> △洪水以後方有人，無五千年以上死人骨。（〈學術源流六〉）

最早的人類，或說在印度，〈學術源流三〉：「印度之白摺額，為人類之始」；或說在中國，〈學術源流五〉：「人類始自黃帝，中國皆黃帝子孫」。古時人體態高大，勝於後世，〈樂學〉：「古人甚高大，今則地皮日厚，其力弱，故人短小。今人之指，其長短亦異於古」。但古代文化頗為疏蕪，「洪水以前，政教無可考」，至堯舜時，堯舜也不過「如今之滇黔土司頭人」（〈學術源流五〉）。

對於上古情狀，康氏以為不可考，故也說得模糊，大體是認為：「伏犧當是黃帝從祖」、「中國黃帝一大姓，中國皆黃帝子孫」「禹將黃帝制度行之九州」（〈學術源流六〉）「中國始於黃帝，而實開於夏禹。皐陶言蠻夷猾夏，諸子傳記言華夏、諸夏」（〈學術源流五〉）。

不過古事難稽，康氏自己也說：「三代上果不可考矣」（〈學術源流二〉）「凡太古之事宜傳疑。后稷有母無父，或人倫未定，故託之天，未可知也」（〈學術源流六〉），對於伏羲、黃帝、夏禹的年代及關係，說得不準確或矛盾，似乎也無傷。他強調的只有兩點，一是孔子以前的這些古代政教狀況既難考也不重要，乃文明樸鄙之世，許多人文創制，均須等孔子；二是堯舜之盛世，僅僅是孔子託古改制的一套說辭罷了。前者如：

△孔子未改制以前，皆淫佚無度，而孔子以布衣整頓之。故孟子稱周公，則只曰兼夷狄、驅猛獸。至稱孔子作《春秋》，則曰天子之事也。

△太古時亦崇尚鬼，至孔子始定祭祀之禮，故後世淫祀頗少。

△凡《公羊》所譏者，皆舊俗也。（以上〈學術源流二〉）

△現在曆學天文學皆出孔門。（以上〈學術源流二〉）

△孔子以前，未有過萬里長城外。〈禹貢〉之方域，與周無異，知孔子作也。

△獵為孔子所定之制，因人與獸爭也。古時禽獸逼人，故如此。（〈學術源流三〉）

△孔子以後始有姓。（〈學術源流五〉）

△古極尚鬼神，至孔子而翻案。

△古極淫佚，如衛靈公衛宣公等，皆孔子未改制故也。必知舊俗之亂，乃知孔子之功。……孔子改制之功大矣，天不生仲尼，萬古如長夜，信哉！（〈學術源流六〉）

△南洋諸小島無學校，何疑於三代無學校？

△以天下分三等，一等為混沌洪濛之天下，一等為兵戈而初開禮樂之天下，一等為孔子至今文明大開之天下，即《春秋》三世之義也。（〈學術源流七〉）

△今有族姓，所以別男女，孔子制也。（〈孔子改制二〉）

△孔子之制祿，全在井田起。……命數為孔子之制，即今之品級。（〈王制一〉）

因上古樸鄙，孔子才創立許多制度。這個講法就關聯到「孔子改制」之說了。孔子改制的另一個含義，在於孔子是以託古的方式來改制，所以康有為又要叮嚀：切不可把假託之古代聖王治世看成實事，堯舜等等，無非是孔子託古而已：

△六代之樂，皆孔子之樂所託者也。咸池、韶武，豈隔二千年尚有存乎？宋樂曲十六字調，今只得七字，況當時

乎？。（〈學術源流二〉）

△堯舜皆孔子創議。（〈學術源流六〉）

△中國開於夏禹。《書》二十八篇，惟〈堯典〉一篇言堯舜，餘只稱夏殷。周公不知有堯舜，可知堯舜乃孔子追王耳。（〈孔子改制一〉）

△孔子最尊禪讓，故持託堯舜。（〈孔子改制二〉）

△孔子祖述堯舜，《書》是也。憲章文武，《詩》是也。《春秋》亦託始文王，終道堯舜。（〈洪範〉）

△孔子託堯舜，用其中於民，隱言改制。（〈中庸一〉）

△聖人所言禮制，皆託於周公。所謂託先王以明權也。

△孔子法堯舜文王，於《尚書》《春秋》託之。故有兩種治法。行文王之法，小康也。法堯舜之道，大同也。（〈中庸三〉）

由天氣生物講起，說苔介蟲禽之生，文明逐漸進化，人類亦由樸鄙走向人文，至孔子而託古改制，文明大開，澤被於今。這就是康有為的歷史觀了。可是，這只說得中國一部分，其他印度波斯巴比倫諸文明呢？大抵也是同樣這個架構，說古代雖有文明，但未甚足觀，真正的文明，差不多均在孔子那個時代出現，故曰：「地球諸教皆起於春秋時」（〈學術源流五〉）。

地球諸教皆起於春秋時這一講法，頗似雅斯培由世界史的角度說「軸心時期」。但雅斯培只是說世界歷史有同一個進程而已，康有為更進一步，要讓世界史由世界的地理關係統合起來。怎麼統合呢？他講了一個以崑崙為中心的世界觀：

△崑崙者地頂也。知地頂之說，而後可以知人類之始生。

△崑崙有四大金龍池，一條額爾濟河，流入俄國；一條阿母新頭河，流入波斯；一條印度河，流入印；一條黃河，流入中國。（〈學術源流一〉）

△崑崙為地頂，即今伊犂。崑崙既起之後，大雪山離地至三千餘丈。……出天山、杭海山、大金山，走興安嶺，走大加海。四川亦近崑崙。……山西為中國地頂。（〈學術源流五〉）

△《漢書》諸西國皆在今崑崙山，不只蔥嶺也。佛之阿彌即崑崙。（〈學術源流七〉）

此即崑崙說。此說之妄誕，不足辨。❸人類始生，只五千年左右；始生於印度或中國，而族姓、廟制、曆法、樂章、祭禮、田賦、學校、畋獵、婚制，無不不由孔子創立，這類宏論，也不足辨。但因他口說一條條地，頗無倫紀，所以我得費些氣力將替它整理說明一番，以免讀者讀來一頭霧水。

此外，還有一點須要補充：康有為論世界史，關聯於地理；論地理，則又以地圓說溝通中西，說中西都講地圓和地有四游：「曾子〈地圓篇〉《管子·地圓篇》《周髀》地繞日一周，地斜故有寒暑，地一轉為晝夜；緯書『地有四游』，皆通西學」（〈洪範〉）。

---

❸ 案：崑崙，應是用莊子說。〈知此遊〉：「若是者，外不觀乎宇宙，內不知乎太初，是以不過乎崑崙，不游乎太虛」，王敔注：「崑崙，地之極高處，過乎崑崙則太虛矣」。

案：地有四游，西漢緯書《考靈曜》，云：「地有四游，冬至地上行北而西三萬里，夏至地下行南而東三萬里，春秋二分其中矣。地常動不止，譬如人在舟而坐，舟行而人不覺」。又，〈勵志詩〉：「大儀斡運，天迴地游」李善注：「大儀，太極也。……斡，轉也。《春秋元命苞》曰：『天左旋，地右動』。〈河圖〉曰：「地有四游……」引文全同《考靈曜》，若非李善誤引，便是另有一本〈河圖〉記了相同的話，或許是指河圖緯《括地象》。但不論如何，它說地動是很明顯的。康有為將它與哥白尼的發現等量齊觀，正基於此。爾後不少人也同樣的看法，如朱文鑫《曆法通志》亦引此文，說它講「春星西游，夏星北游，秋星東游，東星南游，一年之中，地有四游。其言地球自轉公轉之理甚顯。然而自東漢以來，無一人注意及之，而此說遂泯沒無聞。不然，由此推求，中國之天學何至反落人後哉？」

無論是說它通於西學，或言地球自轉公轉之理甚顯，其實都不恰當。因為哥白尼以來，說地動者，是言地球繞日而轉，太陽不動。地有四游說卻不然，是地與太陽都游動。亦即：在整個天的覆蓋下，地在天之中央十九萬三千平方公里處，浮沈升降著。地之外，是星辰列宿；「地與星辰四游升降於三萬里之中」，這就是所謂的四游了。地與星辰之外萬餘里，是太陽，太陽也有運行的軌道。故曰：「日道出於列宿之外萬有餘里」。再外面，稱為四表：「二十八宿以外，上下東西，各有萬五千里，是為四游之極，謂之四表，天旁行於四表之中，冬南夏北春西秋東，皆薄四表而止，地亦昇降於天之中」（均見《考靈曜》鄭玄注）。天就貼著四表，這也即是宇宙的界限了。整個宇宙觀與現代看法均不相同。

這是《周髀》「天如倚蓋，地若浮舟」的說法，屬於蓋天說的一種。與另一種地動說，《春秋元命苞》又有不同。那是渾天說之一類，謂「天左旋，地右轉」。康有為未詳辨其差異，逕稱其相通，頗滋誤解。

此亦可見康有為雖喜談天學，〈學術源流三〉甚且說他曾製曆書：「康先生重定曆，以春分為主」，但他的天學與其地學一般，皆多鶻突之談。

六、天文

其書有〈律曆〉一篇，他也很重視孔子「行夏之時」云云，且謂「通經義而不通天人之理，皆無當也」（〈春秋繁露〉）。但他於曆學殊非專門，說「中國言曆者凡二十三家」「古曆一變，太初曆至姚信一變，授時曆一變，西曆一變」「高惠文景皆用十月為歲首，秦制也，武帝太初元年始用夏正」（〈律曆〉）等，均誤。

首先當知中國言曆者甚多，遠不只廿三家。其次，曆法之變，不是古曆一變，太初曆又一變，授時曆再變。古曆，是指黃帝、顓頊、夏、殷、周、魯曆。這六曆之前，曆法不明，故六曆無所謂「一變」。而古六曆到太初曆，是否又經過了一變呢？亦不然。

古六曆跟太初曆其實一樣都屬四分曆系統。什麼叫四分曆？就是把一回歸年分為 365 又四分之一日。古代最後一個四分系統的曆法，是東漢的四分曆。東漢靈帝熹平年間劉洪的乾象曆以後，就不再用四分法了，把回歸年縮小為 365.246 日，且由《易經》卦數推尋參數。這才是曆法上的變革。在此之前，三統曆雖以一元含三統

（天統、地統、人統），算法頗與四分不同，但其回歸年仍是 365.25 日，仍屬於四分系統。因此非太初曆至姚信輔為一變，乃古曆至劉洪為一變。

劉洪以後，曹魏明帝時楊偉的景初曆，採用了乾象曆的架構而更精密之，故亦有人認為曆法應是至楊偉才為之一變。在此之前的古曆階段，朔望月、歲實、節氣、閏月的算計，都是用平常數算出，年、月、節氣均只是近似值。此後則曆法有系列改變，如閏法的改變、定朔的採用、歲差的發現都是。所以由景初曆至清初改行西法，可統視為一個時期，也可以就曆法之變，分成許多個時期（例如祖沖之改變閏法、設立歲差，也可稱為一大變），絕不只是授時曆一變。

再說歲首。秦以十月為正月。漢武帝改為一月是不錯的。但曆法上說歲首卻不是這個意思。太初曆以元封七年為太初元年，以前一年的十一月朔日夜半為計算曆法的起點，稱為「天正月」。這才是歲首。這種「歲首建子」的慣例，要到劉宋元嘉曆才改變，以建寅一月為歲首，以一月中氣雨水為初氣。康有為於此，實不甚了了。

康有為又說：「周朝歸餘於終，則均閏十二月。至今論廿四氣，無中氣，皆謂之閏月」，也講倒了。無中置閏，乃古曆如太初曆等之辦法。歸餘於終，如指古代，是月朔甲子日法的計算數，以天正月朔日至數為水餘，並非置閏之法；如指祖沖之以後的辦法，則是章歲 391 年，章閏 144，每年朔望月 12 又 391 分之 144，把這一四四分入十二月中，每月閏分 12 分，才是所謂均閏十二月。

康有為的說法甚誤，他說：「歐洲無閏月，回回曆亦然，元朝用之九執曆是也」，也一樣奇怪。因為他又說：「回以太陽太陰于兼閏日月而成歲」，怎麼回回曆又無閏月了呢？謂回回曆無閏月，元朝九執曆亦然，是以九執曆為回回曆或受其影響者。可是，九執曆也根本非元朝曆，乃唐玄宗時瞿曇悉達譯的印度曆，故其序文明言：「九執曆法，梵天所造，五通仙人承習傳授」。而其淵源，卻又是希臘的天文學，採 360 度圓周劃分、60 進位制計法、黃道坐標、正弦函數計算法，但無行星運動之內容。❹

被他認為受回曆影響的，還有一位郭守敬，康氏說：「中國言天學，元郭守敬為第一人，郭太史每度分為一百分」「郭守敬得於回曆為多」。實則郭守敬是否得於回曆為多，在曆學史上是一爭論。郭所採用的簡儀與高表，或許僅能視為受回回曆學間接影響之物❺；而其成就亦不在「每度分為一百分」上。郭的重點，在於定回歸年為 365.242 日，廢棄上元積年法，創立「平立定三插法」，以及創立類似球面三角公式之算法，計算天體黃道坐標與赤道坐標的相互變換。❻故康有為雖推崇郭，實非郭氏知音。

推許而推許錯的，還不只郭守敬。例如沈括，康有為說：「《夢溪筆談》謂用二十四氣，不論月。二十四氣見易緯《通卦驗》」，而其實沈括並不主張二十四氣，他是主張十二氣的。《補筆談》卷二〈象數〉載其「十二氣曆」，是把二十四氣分兩組，節氣置於每月的開頭，中氣置於每月月中，不置閏。故非廿四氣，乃

---

❹ 見江曉原《天學真原》，1991，遼寧教育出版社，第六章，p.371-374。

❺ 見江曉原《天學外史》，1999，上海人民出版社，第九章，p.183-187。

❻ 見徐傳武《中國古代天文曆法》，1991，山東教育出版社，p.101-107。

十二氣曆。康有為只有「不論月」講對了。沈括這個曆是純陽曆，廢除了陰陽合曆的辦法，不以月之朔望定月份。❼

凡此均可見康有為於曆學一知半解。但他論曆也並非全無干係，像他主張「五星無會」，就是因為他反對劉歆。劉歆三統曆以十九年七閏月為一章，為小周期；大周期是「太極上元」，也就是日、月、五星交會之日，是整個曆數的起點，定在 23639040 年。這個五星交會的講法，在天文學上並非無稽，但科學作用不大，後來五代時七曜符天數曆就主張廢棄，郭守敬也不採用。康有為則可能是基於反對劉歆才不同意五星交會。但這個主張在曆學上卻是有價值的。

但經學上的爭論也因此困擾著他，例如他相信《論語》上說孔子是「行夏之時」的，因此他要說：「回教印度皆行夏時」。可是，以《春秋》看，孔子並不見得就是行夏之時，或春秋時原本也就三正並用，並不統一。康有為據此，也主三正並用，云：「於〈豳風〉可見孔子三正並用。四月維夏，夏正。十月蟋蟀入我床下，周正。七月流火，夏正。一之日觱發，周正。二之日栗烈，殷正。於此可見三正並用，非孔子作而何？」這就是完全被三正問題搞糊塗了。

且不說把〈豳風·七月〉的著作權歸給孔子，有多麼可笑；一首詩，三正並用，不更笑死人嗎？三正並用，不是一個人或一首詩同時用夏正、殷正、周正，而是指春秋戰國時曆法不統一，《春秋》和《孟子》多用周曆，《楚辭》《呂氏春秋》用夏曆，《左

---

❼ 同注❹，p.95-100。

傳》也多用夏曆，《詩經》中，〈小雅·四月〉中的四月、六月，是夏曆，而〈小雅·十月之交〉的十月就是周曆。這種曆法上不統一，同時有用周正夏正殷正的現象，後來被漢人運用來講三統，如《春秋緯·感精符》：「天統十一月建子，天始施之端也，謂之天統，周以為正。地統十二月建丑，地助生之端也，謂之地統，商以為正。人統十三月建寅，物生之端也，謂之人統，夏以為正」、《春秋元命苞》：「夏以十三月為正，息卦受泰物之始，其色尚黑，以寅為朔。殷以十二為正，息卦受臨物之牙，其色尚白，以雞鳴為朔。周以十一月為正，息卦受復物之萌，其色尚赤，以夜半為朔」。三正、三統、三建，均依此而說。由歷史說，三統是遞運的，但在公羊家，卻主張通三統，這就變成了三統三正並用。❽康有為的講法，即本於此。但拘泥家法，不悟一詩豈可並用三正，遂成笑枋矣！

七、樂律

與天學曆法相關者為樂律。康有為是反對把律與曆牽扯在一塊的，所以說：「以律立法，歆之說也。律學不可以通曆，易學則可以通曆」「《史記》律曆書分為二，《漢書》合律曆志為一，此則歆之謬也」。可是律曆相關乃古之傳統，《史記》雖分律曆為兩

---

❽ 論曆有根本反對三正說的。見劉朝陽《中國天文學史論文選》，2000，大象出版社，p.120-134。〈左傳與三正〉〈三正說之由來〉〈三代火出之時間〉。

書，不像《漢書》合而為一志，論律還是與曆相關的。康有為認為易學可以通曆，而易學中與曆相通的主要是京房的易學，京房恰好就是以律說易的。因此，他要一舉推翻律與曆的關係，認為以律論曆都是劉歆搗的鬼，恐怕辦不到。

就算是把律與曆分開，康有為〈樂學〉一篇也多錯誤，如說：「毛詩謂雅頌入樂，餘不入樂。詩皆入樂，孔穎達說亦然」。詩中雅頌入樂沒問題，二南應也入樂，其他風詩卻多徒歌，不盡入樂。故此說便可商。其餘，條辨如次：

> 姜白石集，今不解其工尺等音。

案：姜白石集收詞曲十七首（自度曲十四，古曲填詞二，為范成大填詞一），旁注的是宋代俗字譜；神曲〈越九歌〉十首，旁注律呂字譜；琴歌古怨一首，旁注減字譜，都與工尺無關。康有為殆不知其非工尺譜也。又，姜白石諸譜，現在不懂的，不是它的音，而是它的速度。

> 〈禮運〉：「五聲、六律、十二管，還相為宮也」，此句為古今主樂主腦，黃鐘律也。

案：這句話並非音樂主腦理論，而是講轉調。轉調包含兩個觀念，一是旋宮，指調高的變換；一是轉調，指調式的改變。漢代轉調，依據的是五音十二律之架構，故十二管指十二律，一律五音，十二律生六十音，又詳《淮南子》。康有為稱此為黃鐘律，就是以黃鐘為首的半音結構十二律。

十二管，每管五聲，合六十聲。加變宮、變徵為八十四調，梁至今，尚八十四調。

案：這個問題與前個問題相關。康有為拘於《禮記》說，不知《禮記》說的是五聲音階的調式，八十四調卻是隋代萬寶常、鄭譯等人在龜茲蘇祇婆五旦七調的理論上發展出來的，兩者完全不同，後者是以七聲與十二律旋相為宮。當時鄭譯作〈開皇樂議〉時，蘇夔就反對云：「《春秋左氏》所云：『七言六律，以奉五聲』，準此而言，每宮應立五調，不聞更加變宮變徵二調為七調。七調之作，所出未詳」（《隋書·音樂志》）。也就是它與古代五音階旋宮之法，在樂理上迥異。康氏熟於經而闇於史，於此爭論蓋未及知。

四聲二十八調，今之花旦，從二十八調之某某旦始。

案：二十八調，是唐代宮廷燕樂的體系。宋元以後成為俗樂，詞曲、說唱、器樂多用之，故又稱為俗樂二十八調。但對其調性，有二解，一認為有七均，七種調高，每均各有宮、商、角、羽四種調式，合為七宮四調；凌廷堪《燕樂考原》另主張是四均七調或說四宮七調。康有為未必知俗樂與唐代燕樂的關係，也未必注意到凌廷堪的研究，但他談花旦的淵源源於二十八調，已觸及這個問題，只不過二十八調無論是四宮還是七宮，都不是四聲。

二十四調至宋得十八調。

案：十八調，嚴格說，是十八律，且非由二十四調變來，乃宋代蔡元定所創。康有為甚薄蔡元定，謂：「宋儒發明義理而不甚言樂，朱子與蔡元定嘗學而未精」。其實蔡著有《律呂新書》《燕樂書》，樂學造詣遠在康氏之上。其十八律理論，是以古三分損益法算出十二律做為正律，再以六變律合而為十八律。變律比本律高一個音差，十二律皆可為宮，六變律則不可。

古人以竹聲叶調，故律亦從竹。

案：古計律之法，以《管子》所載考之，所謂三分損益法，實乃以弦長計算，非以竹聲叶調。《呂氏春秋·音律篇》所載相同。以管定律和以弦定律之不同，則漢代京房已有討論。嗣後以竹定律，著名者為晉朝荀勖的管口校正法。

唐以琵琶為主。琵琶四弦，一弦四調，故為宋十六調。

案：琵琶有漢胡兩類，胡琵琶又有二類。四弦曲項琵琶，傳自天竺；五弦直項者，傳自波斯。今傳敦煌曲項琵琶譜，有二十個譜字，表示它有二十個音位：散打四聲、頭指四聲、中指四聲、名指四聲、小指四聲。

以上這些都是康氏說錯的部分，另一些則是宗旨攸關，不好說對錯。如其云：「樂是孔制」「六代樂皆孔子作」「孔樂行之漢，修之梁武，而亡於今」「墨子謂孔子弦詩三百、歌詩三百是」。孔子時，已有詩三百可歌，且康氏認為當時詩已皆入樂，既如是，怎能說黃帝以來六代樂皆孔子所作？這與論曆而說：「一切曆學皆自孔子出」（〈洪範〉）一樣，都是過尊孔子了。但康氏的學問，目的就是在尊孔，因此這兒就不好說了。其實，若非於此太過執著，康有為倒也不是佞古的人，他說：「復古學弊，在於律度過求古人尺」「蔡邕謂以人聲為主，求其可感發人情性。總之求其加法相生，不必泥古尺，尺無定也，要之有度便是」，就很中肯。

八、餘論

康有為是晚清經學大師，其論佛、道、西學、史地、天文、樂律諸事，無不本於其經學見解。故以上所論，每一項都涉及其經學。如今文家立場、重口說、重緯、說改制、說假託、通三統等等。也有些是康氏個人的哲學，如性無善惡、理在氣中、扶陽抑陰、以魂制魄等等，透過其論佛道論天地論律曆等處來看，也都與其經學主張相呼應。

正因如此，故由其所說，便可見一位經學家思想學術之局限所在。康先生論佛論道談天說地，就顯示了他經學家的拘墟之見，實在不免於固陋。康氏以天人之學自負，自許為廣大教化主，以孔學總攝諸子、總攝佛老、總攝西學。而實於諸子、佛老、西學、天人之義均不甚了了；論世界大勢、萬國公理，亦頗闇於事情。此固由其性格及知識領域所限，而亦不能不說是他經學家的立場和知識資源不足所致。只因康聖人有大名，讀其書者眩其博悉，往往莫測其底裡，所以我略做考辨，以見端倪。

晚清以來，公羊學一向被視為具有改革意義，公羊學家也代表著中國由「傳統」走向「現代」的中間過渡者角色。殊不知，晚清公羊家雖講改制，在客觀學術史社會史的意義上也確實曾引起過巨大的衝擊，但其意識型態和見解觀念卻多是閉塞保守的。如皮錫端、蘇輿、廖平、王闓運，若細按之，就會發現都是如此。反而講古文經學的人，如章太炎、劉師培等比較激進，也較通新局大勢。這個問題非常有趣，但少人注意。康有為早年維新，晚而保皇，論者多疑其為轉變、為墮落、為後退、為報光緒知遇之感。其實昔之康有為，猶日後之康有為也，其學術並無早晚期的分別。那種閉塞保守的觀念和意識型態，恐怕正與其經學有關。

由制度說，康氏主張：「封建、學校、井田皆孔制，皆從仁字推出」（〈孔子改制二〉）。封建、井田、學校再加上科舉選士，大約就是其平治大法。但「封建、勢也，非孔子本意」（〈王制一〉），可以不執著，僅井田、學校與選士等，便足以為晚清時的中國開一局面嗎？由義理說，仍在理氣、性善性惡、魂魄、儒佛關係中打轉，又能打開一個新境界嗎？康先生崇拜孔子，推崇孔子之能改制創制，可是他自己欲學孔子，卻僅能反覆說孔子曾經改制創制，略略介紹孔子改制之制而已；不能從孔子的改制精神去發展，如孔子般地去創制。講那些老制度，也不能據其制度之原理發展出新的制度思考。這其實就只是個經生，而非今文學家要道孔子、說改制的精神所在。說今文學，而說成如此，實令人感到遺憾莫名。

但換個角度看，康有為講得好：「人莫不有雜質，如大黃性涼，而有補質。物尚爾，況人乎？」（變化氣質，檢攝威儀），誰的學問真能純粹無瑕？以上所談，只是針對他的錯誤與缺點說，也就是他書中的雜質。其餘粹美之處實仍不少，亦不當一概抹殺。而就是那些雜質，善用者，也依然可以獲得大黃涼補之功能。譬如經生的毛病多在於瑣碎，辨訓詁、校蟲魚，無當大體。而康先生之長則為綜攝、為創通大義。前面我指出的他那些錯誤以及誕妄，對一般治經學的人來說，其實適為對症之藥。尋常經生，想患這些毛病，還辦不到呢！康氏的夸誕，正顯示了他的博綜，氣象恢宏，可為餖飣瑣屑者藥石。

康氏論經學孔學還有一個長處，即合綜漢宋，強調學者要在身心上做工夫。前文談到他說養魂制魄、扶陽抑陰，講的就是這種工夫。沒有這樣的工夫，儒學云云，就只是一個知識系統，非踐履有用之學，偏離了儒學的根本。清朝乾嘉以來講經學樸學漢學，即存在這樣的問題，康有為說：

> △江藩人品甚劣。所著《國朝宋學淵源記》，左袒漢學，於宋學則收其劣者。為諸生時，阮文達延之修《廣東通志》，賄賂風行。然其挾文達之私書，文達無如之何也。
>
> △段金壇為巫山令，貪劣特甚。孫淵如為山東糧道，受賄三四十萬。可知漢學家專務瑣碎，不知道理，心術大壞，若從宋學入手，斷無此事。
>
> △東原晚年自悔曰：「平日讀書，至此都不復記憶」，乃知義理之學，足以養心。（〈國朝學派〉）

他相信學術攸關人心，乾嘉以來學術之壞，也導致了社會的敗壞，故曰：「廉恥壞於乾隆，風俗靡於道光」。改善之道，也須從學術或學人做起。怎麼做？他服膺朱九江之教，云：「朱九江先生以『四行五學』教人。四行者，惇行孝弟、崇尚名節、變化氣質、檢攝威儀。五學者，經史、義理、掌故、詞章也」（同上）。

《南海康先生口說》整本書就是依「四行五學」來安排篇章。〈學術源流〉七篇、〈孔子改制〉二篇可視為導論；自〈洪範〉到〈國朝學派〉是經子；〈正蒙〉〈通書〉以下，論格物，厲節、辨惑、據德、主靜出倪、養心不動、變化氣質、檢攝威儀、孝弟、任恤、宣教、同體飢溺，是義理；〈漢書百官公卿表〉〈史記儒林傳〉〈史記兩漢儒林傳〉〈漢書藝文志〉是史；最後論理策、文章源流、文學、八股源流、駢文、賦學等，是詞章；談律曆樂學等則是掌故。康有為所有著作中，也只有這一本書最能全面顯現朱九江以來的康氏一脈學風。其論義理、子史、掌故、詞章者，皆非清朝樸學一路經學家所能到。

第三章　國學的講說：（二）章太炎

章太炎先生為國學大師，世無異辭；章先生本人也頗以此自許。1906 年他在日本，便發起國學振起會，對魯迅、錢玄同等人講說之，而且在自家門口堂皇地寫為：章氏國學講習會。1913 年，他在北京，遭袁世凱軟禁時，亦以講國學自遣。講堂門口貼上告示說：「余主講國學會……專以開通智識、昌大國性為宗」。傅斯年顧頡剛等人都跑去聽，後有吳承仕整理的講錄《菿漢微言》行世。1922 年居上海，又作國學系列講座，分治國學之方法、國學之派別、經學之派別、哲學之派別、文學之派別等八講次，後來曹聚仁整理成《國學概論》，張冥飛也有一個《章太炎先生國學講演集》的記錄。《申報》經辦此次講會，有廣告謂：「念國學之根柢最深者，無如章太炎先生。爰特敦請先生蒞會，主講國學」。可見當時人心目中國學家之代表，就是他。晚年章先生還在蘇州成立國學講習會，一直講到病逝為止。近人昌明國學，很少人像他如此長期一貫努力，他自稱「獨欲任持國學」，確乎弗愧其所言。

但是太炎先生所講的國學，內涵究竟為何？

他曾有與鍾正楙書云：「僕國學以《說文》《爾雅》為根極」

（1909，見《章太炎書信集》）。因此看來是以小學為主的，許多人的印象也是如此。章氏門人多研治小學；他在日本開始講國學時，也以講《說文解字》段玉裁注為主。1907 年他與劉師培函謂：「鄙意提倡國學，在樸說而不在華辭」（同上），亦可見其微旨。他這一路數，跟梁啟超胡適等人講國學之不同，最顯著者，即在於此。

梁啟超所擬〈國學入門書目及其讀法〉，小學類只列了七種，且聲明：「若非有志研究斯學者，并此諸書不讀亦無妨耳」。胡適〈一個最低限度的國學書目〉在工具部中，文字聲韻之書也完全沒列，訓詁書只列了一本《經籍纂詁》、一本《經傳釋詞》。可知在梁胡諸人心目中，小學工夫只要能查字典、查書目便可，談不上是「根極」，恐怕連「根基」都不算。

不過，在世人眼裡，評價乃因此而恰好相反：梁胡諸人由於不談小學，或無小學工夫，故根基只怕就不如章先生了。《申報》說：「念國學之根柢最深者，無如章太炎先生」，便是此意。

章先生這樣的路數，既為世所重，後學者承流接響，當然也就都往小學裡鑽。如今章黃學派遍天下，大都秉此宗風。

但我以為欲由此見章氏國學之奧，其蔽有二：一、章氏小學，實與清儒不同，亦非今所謂語言文字之學，其後學專意於語文訓詁之間，失之遠矣。考章氏《國故論衡》第一篇〈小學略說〉即云：「小學者，國故之本，王教之端，上以推校先典，下以宜民便俗。豈專引筆畫篆、繳繞文字而已？苟失其原，巧偽斯甚！」小學為什麼是王教之端呢？又如何可以宜民便俗呢？這不是只鑽在筆畫語音上的人所能懂的，斯乃孔老夫子之云「正名」也。其詳當看我的《文化符號學》，此不具述。總之是由小學看章太炎的人，大抵不能懂他的小學。二，由小學看章氏國學，亦難以知其大體，不能見其整體規模。太炎是複雜的人，小學為其根基，固然不錯，但其文學經學並不能只由小學這一路去推求。且就算兼綜了太炎先生的經史文學，恐怕也仍未盡窺其所謂國學之底蘊。

為何如此說呢？且由個故事看：太炎 1914 年在北京遭幽禁期間，曾經絕食，而且準備絕食至死。時弟子朱希祖侍之，太炎語曰：「余為國絕粒，雖以身殉，亦無遺憾。余沒後，經史小學，傳者有人，光昌之期，庶幾可待。……惟諸子哲理，恐將成廣陵散矣」（朱偰《朱君逖先生年譜》，二〇〇二年學林出版社《文史大家朱希祖》）。此為絕命之詞，最能見其深衷。依此說，小學就不是「根極」，而是「根基」；真正太炎先生自認為最重要的學問所在，亦即其「極」，或許應在諸子哲理方面。而這一部分，他是遺憾沒有傳人的。

太炎之諸子哲理，何以竟無傳人？此理難知。依我看，係因其頗雜於佛學之故，或至少是原因之一。太炎門人，無究心佛理者，最高弟如黃侃，亦僅能略說魏晉玄風而已，此便不足以知太炎。

且太炎雖講國學，但對於什麼才是國學中最高之理，他恰好就不是個本土國粹派。黃侃序其《國故論衡》說：「夫見古人之大體者，不專於鄒魯；識形名之取舍者，無間於儒墨」，指的是太炎先生並不專宗儒家。此一立場，與一般人之想像或預期其實頗有距離。許多人以為既講國學，尤其是從經學小學來講國學，大概就是儒家或以儒家為主的，太炎先生正好不是如此。早年推崇諸子過於孔子，末年雖重新推尊孔子，但他說孔子之所以高於諸子，實際上卻是說孔子合於佛法。此中曲折，要弄明白，當然就很費勁了。

首先，佛學到底能不能算是國學，於今觀之，或不能無疑。不過，在清末民初，可能恰有一種社會風氣，知識人頗以論佛學為時尚，且亦將之視為國學或國故中的重要部分。梁啟超胡適論國學，就都曾把它列入範圍。

胡適〈一個最低限度的國學書目〉裡，曾開列了《四十二章經》《佛遺教經》《異部宗輪論述記》《大方廣佛華嚴經》《妙法蓮華經》《般若綱要》《般若波羅蜜多心經》《金剛般若波羅蜜多經》《阿彌陀經》《大方廣圓覺了義經》《十二門論》《中論》《三論玄義》《大乘起信論》《小止觀》《相宗八要直解》《因明入正理論疏》《大慈恩三藏法師傳》《壇經》《古尊宿語錄》《宏明集》等廿一種佛書，外加一本梁啟超的《大乘起信論考證》。講國學，且是最低限度必讀書目，佛經居然開列如此之多，不能不說是怪事。問他要書單的清華大學學生首先就質疑：「做留學生的，如沒讀過《大方廣圓覺了義經》……當代的教育家，不見得會非議他們，以為未滿足國學最低的限度」。胡適答辯，則說將這些列入，乃是要留學生知道這些都是應該知道的書云云。

胡適的回答固有其道理，但也還是令人不解，因為佛書比例太高了。相對來說，道經就一本也沒有。且既列了《大乘起信論》，又把梁先生的考證也算最低限度書目，便顯得跟其他領域輕重失調。因此這個書目大抵只能說是顯現了胡先生個人的興趣，或民國初年知識界對佛學十分重視之氣氛。

梁啟超的〈國學入門書目及其讀法〉並沒有列佛書，看起來似與胡先生不同，但他在〈治國學的兩條大路〉一文中卻明白說過：「我們國學的第二源泉就是佛教」。第一個，當然是儒家。可是梁先生說佛為儒之外一大源泉，佛家「所講的宇宙精微，的確還在儒家之上」，推崇亦可謂甚至矣！

依胡先生梁先生這樣的看法，佛學自然是國學領域中該仔細研究的部分了。

由此進而觀察章太炎的情況，則更有趣。太炎先生《國故論衡》上卷小學十篇、中卷文學七篇、下卷諸子學九篇，連史學都沒談，佛教問題當然更未廁列其間。章先生另有一本《國學略說》則是分小學、經學、史學、諸子、文學五部分，佛學亦未專門討論。既如此，在章氏觀念中，佛學不屬於國學領域囉？是又不然。

章先生在具體闡述國學內涵時，屢以佛理說之，情況就如他作《齊物論釋》時那樣。同時他還與梁啟超一樣推崇佛學高於儒學。《國學略說·諸子略說》云：

> 《中庸》之言，比於婆羅門教，所謂參天地、贊化育者，是其極致。乃入摩醯首羅天王一流也。儒釋不同之處在此。……若全依釋氏，必至超出世間，與中土素重世間法者違反，是故明心見性之儒，謂之為禪，未嘗不可。惟此所謂禪，乃四禪八定，佛家與外道共有之禪，不肯打破意根者也。昔歐陽永叔謂孔子罕言性，性非聖人所重，此言甚是。儒者若但求修己治人，不務談天說性，則譬之食肉不食馬肝，亦未為不知味也。

這一段話，可視為他論儒佛關係的總綱，重點一是區分儒佛，儒只重世間、佛超出世間，因此佛境界高於儒。其次，儒者有一種只重在修己治人的，這種也很好，與從佛者可以各行其是；另一種則受佛教影響，喜歡談天說理，或講明心見性，但此種其實仍不及佛。所以他說王陽明、鄒東廓、歐陽南野、聶雙江、王塘南等皆明心見性，日事宴坐，見解都很高。王塘南云一念不動，念念相續，更是被他認為就是佛家講的阿賴耶識。可是「釋家欲轉阿賴耶識以成涅槃，而王學不然，故僅至四禪四空地」。

其宗趣如此，故儒家中最高者為孔子顏回，孟荀以下大都只在世間，未超出人格。

這兩句話，須再做些解釋：章氏之學，本原在經學小學，這是一般人之印象。但經學可能只是他自「詁經經舍」學來之一套知識，對這套知識研練雖精，卻不見得具有價值上的認同感。因此他說：「《春秋》言治亂雖繁，識治之原，上不如老聃韓非，下猶不逮仲長統」（《國故論衡・原經》）。又說：「《尚書》不過片斷史料而已」；《易》則只能用來清談，若施之於人事，必導至《禮記・經解》所云：「易之失賊」，為什麼？「施之人事，必用機械之心；用機械之心太過，即不自覺為賊也。蓋作《易》者本有憂患，故曰其辭危。危者使平、易者使傾，若之何其不賊也？」《儀禮》安上治民、《周禮》治太平，看起來好像較有價值，但這種價值仍然是有限的。由經學發展下來的儒家，成就因而也是有限的：「儒者之書，《大學》是至德以為道本、〈儒行〉是敏德以為行本、《孝經》是孝德以知逆惡。此三書實儒家之總持」「儒者之業，本不過大司徒之言，專以修己治人為務」（均見《國學略說・諸子略說》）。修己治人，這不是很好嗎？是，章先生也說這很好，不過並不是頂好。

因為修己治人都屬於人間事，依章先生說，這就叫未超出人格。整個儒家體系中，自周公以下就都未能超出這個格局，只有孔子顏回例外：

> 孔子平居教人，多修己治人之言。及自道所得，則不限於此。……蓋有超出人格之外者矣。「子絕四：毋意、毋必、毋固、毋我」，毋意者，意非意識之意，乃佛法之意根也。……欲除我見，必先斷意根。毋必者，必即審慎思量之審。毋固者，固即意根之念念執著。無恆審思量，無念念執著，斯無我見矣。然則絕四即是超出三界之說。六朝人好以佛老孔比量，謂老孔遠不如佛，玄奘亦云，皆非知言之論也。
>
> 孔門弟子，獨顏子聞克己之說。克己者，破我執之謂。……顏子之事不甚著，獨莊子所稱「心齋坐忘」能傳其意。……謂「如有所立卓爾，雖欲從之，末由也已」，此即本來無物，無修無得之意。然老子亦見到此，故云：「上德不德，是以有德；下德不失德，是以無德」。德者，得也。有所得非也，有所見亦非也。……皆超出人格。……佛法立人我二執，覺自己有主宰，即為人我執。信佛而執著佛、信聖人而執著聖人，即為法我執。推而至於信道而執著於道，亦法我執也。絕四之說，人我法俱盡。「如有所立卓爾，雖欲從之，末由也已」者，亦除法我執也矣。此等自得之語，孔顏之後，無第三人能道。

孔顏之外，依他看，老莊也均嘗道及此境。不過那不是儒家，暫不說。就儒家言之，孔顏之後，子思甚高，可以超出人格，但超出而不能斷滅，故只入於佛法之所謂天趣。天，在中國人看來是最高了，但以佛法衡之，佛境界又更在天上。基督教所說的上帝，只居佛法的欲界天；子思所說的「上天之載，無聲無臭」，則相當佛教說的色界天，與印度婆羅門崇拜梵天王相似。到孟子，又比子思更高。不說天，只說我，以我為最高，萬物皆備於我。此說若一轉而入佛法，就可成為三界皆由心造之說。可惜孟子只如印度之數論，立神我義，以為一切萬物皆由我流出。這就容易形成我慢，比不上孔顏了。但他不論天，由色界天入無色界天，又比子思高了一層。他們都是超出人格的，然主要用心畢竟仍在修己治人，故又與婆羅門及數論不同。荀子則反對思孟，專務人事，有人趣而無天趣，故論政優於孟子。

此後儒家就分兩派，一派修己治人，一派明心見性。前者不超出人格，後者超出。前者如曾子、荀子、王通、范仲淹、胡安定、葉水心、陳止齋、呂東萊、顧亭林、顏習齋、戴震等。後者如李翱、周敦頤等，宋明理學家大抵歸於此派。

但明心見性之儒，並不是由孔子顏回那裡直接學到這樣一條思路的，乃是由佛教那兒「陰襲」或「改頭換面」而來。其中程明道陳白沙都近於四禪八定工夫。對陽明，先生亦不甚推崇，謂彼拖沓，不如心齋直截了當；王塘南胡正甫則所見高於陽明。「正甫謂天地萬物皆由心造，獨契釋氏旨趣。前此理學家謂天地萬物與我同體，語涉含混，不知天地萬物與我孰為賓主，孟子萬物皆備於我之說亦然，皆不及正甫之明白了當」。至於劉蕺山講誠意，先生更不以為然，說：「誠其意根者，即墮入數論之神我。意根愈誠，則我見愈深也。……誠之為言，無異佛所稱無明，信我至於極端，則執一切為實有，無無明則無物，故曰不誠無物」。因此總括起來看，明心見性之儒，亦可稱為禪，只不過乃是佛與外道共有之禪，尚未打破意根。

太炎先生論儒佛關係大抵如此。從究極處說，佛與孔老都到達了超世無我之境界，但因社會條件與需要不同，中國人平常只講世間法，宋明有講明心見性者，見地亦不甚高。

如此說，乃以孔老合佛也，亦以佛說論判諸儒境界。諸儒論心論性，便指其襲禪或竟是禪。如此崇佛抑儒，雖不廢孔學，謂儒者修己治人，符切中國之需，且不食馬肝未為不知味，未必人人均要去說心性云云，但在理趣上確是宗佛而非宗經徵聖的了。馬一浮嘗云：「佛氏判儒家為人天乘，老莊為自然外道」（《復性書院講錄·卷一·讀書法》），太炎先生差不多就是這個態度。

論儒家如此，論道家亦然。云老莊之善者，在於能契佛法，以老子說「滌除玄覽」、莊子說「心齋坐忘」為證，而對此後道家道教之徒殊為不屑，作風頗類其師楊仁山。仁山作《孟子發隱》《道德經發隱》《南華經發隱》等，講孔老佛一源，大體亦是如此。

對於楊仁山章太炎這樣的說法，我並不贊成，其詳可參看我的〈楊仁山箋釋道書考〉，此處只能略說其問題。其問題一是價值選擇及文化認同上的。太炎先生講國學，係以「昌大國性」為念，不同於一般純知識之講說，故能動人。然而佛法玄談，太炎先生自己也說非目前用世所急，否則流弊即是清談，非惟禍及國家，抑且有傷風俗，有決江救涸之嫌（以上均見〈諸子略說〉）。既如此，一定要合孔老於佛，什麼用意呢？昌明國故，而令人知國故之最高者僅合佛法之一端，其餘不過爾爾，又如何昌大國性呢？

其次，是如此說在知識上入不入理的問題。例如把孔子之「毋意」解釋為斷意根，把老子的「上德不德，下德不失德」解釋為無得亦無不得，都可說是附會。〈諸子略說〉中還說莊子有近於佛家輪迴之說；儒家云無極、道家云無始，則近於佛教之說無盡緣起；又謂明儒萬思默云靜坐之功，若思若無思，便是佛法中的非想非非想……等，也都是附會。附會最嚴重的，則是以唯識學去解釋儒家之說性。認為佛說阿賴耶識本無善惡，故告子說性無善無不善；意根執著阿賴耶為我，乃生根本四煩惱：我見我痴我愛我慢，故孟子亦有見於我愛而說惻隱之心、說性善；荀子有見於我慢，所以說性惡；揚雄見我愛我慢交相用，故說善惡混等等，不但對荀孟性論皆頗多誤解，牽引唯識，大談阿賴耶，亦殊無必要。

在《國故論衡》裡，太炎先生論因明、唯識、輪迴及無生宗旨亦甚多，但主要問題相似，故此處不另予分疏。這裏我要說的是：太炎先生努力以儒合佛，並用佛義來解孔解莊，除了附會之外，還顯示了另一個大問題。那就是他花了許多心血，想超越宋明以來儒者闢佛與陰襲佛學各偏一端之格局，走出一條新的綜合之路，把佛教納入國學中，並強調儒佛本源不殊，只是方法因地制宜故有不同而已。這條新路向，不能說不具特識，其苦心孤詣是極值得佩服的。不過，如此作法卻恰好顛倒了一個真正的學術問題。

什麼是真正的學術問題？那就是：儒佛在本源上可能正是相異的。特別是從太炎先生精熟的唯識學來看，唯識與儒家乃是根本的不同，不容混為一談。可惜楊仁山章太炎他們那一輩人，格於時代氣氛，又受真常心系理論之影響，未發現這一點，或雖發現，例如太炎先生已由唯識學看到了孟子性善說與唯識迥異，但他未由此繼續深入去看，太快就將孟子歸攝於佛法之下，判其為我執、神我，而以告子之論性合於佛法。於是這個問題就滑過去了，一直要到熊十力《新唯識論》出，這個問題才被彰顯出來。熊先生與支那內學院為此大開筆仗，儒家「性覺」、佛家「性寂」之不同才得闡明。也就是說，太炎先生雖看到了儒佛不同這個問題，但他對佛學較為推崇的價值觀及附會以求合的解釋方法，卻令他未能真正去處理它，以致在《國故論衡·辯性》中縱橫博辯以說無生宗旨的那些宏論，在歷經儒佛大辯難以後，回過頭來看，感覺格外可惜。惜其但為先生染於佛法之性論，而非國學史上論性諸說之平議也。深染佛法，於先生固無傷，然儒佛同乎異乎，恐先生終不能明也！

第四章　國學的講說：（三）馬一浮

章太炎先生於 1911 年有信給吳承仕，說：「僕輩生於今日，獨欲持任國學，比於守府而已。」守府，就是保守庫房的人，猶如老子為周之守藏史。孔子，在太炎先生看，也屬於這種人，功在保存。故《訄書·訂孔》說：「孔氏，古之良史也」，拿司馬遷父子和劉歆去比擬。他本治古文經學。此派經師，將六經視為史書，謂孔子有保存刪述之功，不贊成把孔子尊為創制立法的聖人，故說孔子為古之良史。關聯到自己身處的時代，他也會覺得自己對國學，情境相彷。都是在一個禮崩樂壞的社會中，刪述以存古。

這種心情與認知，使得太炎先生講國學偏於文獻的、知識的。六經本係史料，存古並不是因古道仍堪適用，只因它是自家的東西，故存之足以令人對這個家保持文化認同及傳承之統緒罷了。

1906 年他到日本時發表的〈東京留學生歡迎會演說辭〉，說要喚起民眾，首在感情，其途徑有二，一「用宗教發起信心」，二「用國粹激動種性」，即是此理。就像我們保存一本先人的著作，時時玩索。其著作之內容不見得就一定至精至粹，但因是先人遺澤，讀來別樣感奮、別樣親切，特別能激發人立志向上。國學對現代人來說，情況大抵即是如此，故他說：「說經者所以存古，非以是適今也」（與人論僕學書）。

只不過，今人要看得懂那些古代先人手澤，首先就得要有訓詁小學工夫，因此他講國學從文字聲韻的小學工夫開始，以此為門徑。據此言之，章先生的國學，既是知識的，也是感性的，以國族主義喚起人們對國學的保存鑽研之情，以及對國族的歷史記憶。

由於對國學之認同，只因它是歷史性的知識，並基於民族感情，故章先生在人生哲理上是另有歸趣的。此一歸趣，即是佛學。這在前文分析章先生之國學與佛學關係時已然說過了。

一、馬一浮的六藝之學

相較之下，馬一浮論國學就與章先生大相逕庭了。章君如今歸葬杭州西湖「花港觀魚」之畔，恰與蔣莊馬浮先生紀念館衡宇相望，二氏平生宏闡國學，俱稱宗師，而取徑互異，適可並參。

馬先生講國學，時代較晚，1938 年避兵江西泰和時，才為浙大師生講國學講座，刊為《泰和宜山會語》，次年又在四川樂山開辦復性書院。其所謂國學，範圍頗與胡適梁啟超章太炎不同。《泰和會語》楷定國學名義時便明確說：「時賢所講，或分為小學、經學、諸子學、史學等類，大致依四部立名。然四部……猶今圖書館之圖書分類法一耳。……依時賢所舉，各有專門，真是皓首不能究其義，畢世不能竟其業」。這時賢，指的便是章太炎。因對章的國學範圍不滿，故馬先生只以「六藝之學」來界定國學。說六藝之學而不說是經學，也就是為了要避免人家又把經和史、子、集各部割裂開來看。依馬先生之見，六藝是總攝一切固有學術的，因此不能把經跟其他各部平列分類。

但國學只講六藝，範圍會不會又太窄了呢？馬先生認為不會，因六藝可以總攝一切學術，六藝之教是可以貫通到一切學問裡去的。例如文學藝術可歸入詩樂範圍，凡教人溫柔敦厚、廣博易良者皆屬於詩教樂教；政法經濟統於書禮，凡教人疏通知遠、恭儉莊敬者皆屬書教禮教。他講國學而一定要講六藝，是總攝地說，是「統之有宗，會之有元」地說，為國學立本。故反對平列地、分解地說。但六藝之學又並不只是六本書或只是經學本身，而是由六藝通貫到諸子四部的。

故馬先生〈通治群經必讀諸書舉要〉之分類，仍然是：群經（四書、孝經、詩、書、禮、樂、易、春秋、小學、群經總義）；諸子（儒、諸子異家）；史；詩文總集（見《復性書院講錄》卷一）。這不是跟章太炎一樣嗎？不，注意，這不是胡適梁啟超章太炎所說的那種「國學書目」，而只是通治群經的必讀書目。但要通治群經，也就是要能知六藝之學，卻必須通貫四部。

這豈不又太寬了嗎？馬先生亦以為不然，他說：「本書院意在養成通儒，並非造成學究。時人名學，動言專家。欲務賅通，又成淩雜，此皆不知類之過」（同上）。他反對專家，所以治經者不能只讀經，成為專業經生。而一般所謂淹貫四部、博通九流者，他亦以為未必能通，只是淩雜。如何才能通？四部九流均總攝於六藝，才能令人「知類通達」，六藝者，六類也。

二、馬一浮學術之特點

此為馬浮論國學之大本，其與章氏不同，甚為顯然。其次則反對六經皆史，反對從史學角度看六藝。《泰和會語·論六藝賅攝一切學術》云：

> 《學記》：……君之所不臣於其臣者二：當其為尸則弗臣也、當其為師則弗臣也。……此明官師有別，師之所詔，並非官之所守也。……吾鄉章實齋作《文史通義》，創為六經皆史之說，以為六經皆先王政典，守在王官，古無私家著述之例。……以吏為師，秦之弊法，章氏必為迴護，以為三代之遺，是誠何心？……曾謂三王之治世而有統制思想之事耶？

章氏認為六經是先王之政典，學出於王官。馬浮不以為然，云官與師不同，官守是書吏抱持檔案，師卻非王轄下的官，是「以道得民」的人，為諸侯之師保。而且三王不同禮、五帝不同樂，政典歷代不同，故與其說史官保存政典，不如留意孔子如何刪定，求其用心。他在〈通治群經必讀書目舉要〉中，劈頭就說：「六藝皆孔氏之遺書」，又在論如何讀《春秋》時說：「學者且直熟玩《公》《穀》《胡傳》，須使義精仁熟，乃有以得聖人之用心」，便是此意。對於史學性質較濃的《左傳》，並不強調。

這是駁「吾鄉章實齋」。可是馬一浮生於成都，六歲才返紹興，居上虞，其鄉人既可以是章實齋，亦可以是另一章：章太炎。

案：顧頡剛《浪口村隨筆》卷五〈王守仁五經皆史〉謂：「近數十年間，康常素、皮鹿門等，擁戴孔子為教主，過神其說。章太炎、劉申叔重伸章龔（自珍）之論以折之。六經皆史之說，遂又騰播一時學者之口」。可見太炎正是實齋六經皆史說在民初最重要的提倡者。

太炎先生自己說經，首先去除其神聖性，云：「經之訓常，乃後起之義。……其意殆如後之目錄，並無常義。……今所謂線裝書矣」。接著就用章學誠的說法：「周代詩書禮樂皆官書。春秋，史官所掌；易藏太卜，亦官書」，然後又說：「史部本與六經同類」「緯與經本應分類，史與經本不應分，此乃治經之樞紐，不可不知者也」「史部入經，乃古文家之主張；緯書入經，乃今文家之主張也」。

經史不分，一方面是把史拉入經，一方面也是把經夷為史。六經原只是史料，孔子為古之良史云云，皆與實齋六經皆史說恰如桴鼓之應。而馬先生對之，輒不以為然。

再者，章先生論國學國故國粹，深意在於強化集體記憶與民族認同，所以重其史學意義。他早在《訄書》中就有〈尊史〉之說，爾後更是感覺到在時代的大變動下，唯有強化民族共同擁有的歷史，才能使個體因與這個歷史相結合而不致於在變動的世界中迷失。章先生不太講抽象的民族精神，也不發揚什麼具體的古代觀念或倫理道德，可是，通過對國學國故的擁有，人也就擁有了歷史以及感情，如此即能「昌大國性」，與其他國族並立於世界上而無悔無懼。馬先生講國學，則在這個方向及歸趨上也與章先生不同。

章先生講經時，首先消解了經的常道意義；講國學與歷史，突顯的也是民族的獨特性，家史國族史，正是人不能與他人共享的東西。馬先生雖然也常有此類言語，例如：「一旦打開自己寶藏，運出自己家珍，方知其道不可勝用也」（〈讀書法〉）「今人以吾國固有學術名為國學，意思是別於外國學術之謂」（〈楷定國學名義〉）等等，但其宗趣頗為異樣。〈論西來學術亦統於六藝〉云：

> 六藝不惟統攝中土一切學術，亦可統攝現在西來一切學術。……故今日欲弘六藝之道，並不是狹義的保存國粹，單獨的發揮自己民族精神而止，是要使此種文化普遍的及於全人類，革新全人類習氣上的流失，而復其本性之善、全其性德之真。（〈泰和會語〉）

章太炎及其他民國初葉之文化保守主義者，在他看來都只是保存國粹、護持種性而已。他自己當然也是由此種性、由此特殊的文化為出發點，但他覺得這個特殊文化是具有普遍性的。在舊世界及其規範已被西方壓倒、崩潰之際，他仍認為六藝之道是永恆而普遍的價值與規範，不僅中國人該知道，外國人也必循守此道：

> 今人捨棄自己無上之家珍，而拾人之土苴餘緒以為寶，自居於下劣，而奉西洋人為神聖，豈非至愚而可哀？……須知今日所名為頭等國者，在文化上實是疑問。須是進於六藝之教，而後始為有道之邦也，不獨望吾國人興起，亦望全人類興起，相與坐進此道。

外國也需要有六藝之教，並不是說他們也得讀我們的經書，而是說六藝所提示的方是人類正常合理之生活。人類未來文明發展，必趨於如此，故「若使西方有聖人出，行出來的也是這個六藝之道，但是名言不同而已」（同上）。此說，在批判西方現代文明及向西方開立中國古代聖人之道這味藥方方面，類似辜鴻銘。辜氏《春秋大義》導言第一段便說：

> 現在的大戰，引起了全世界的注意。我想這場戰爭定會使有思想的人轉而注意文化的大問題。……我們要承認：現代的歐洲文化在制服自然方面已取得成效，是其他文化沒有做到的。但是在這個世界上，還有一種比自然界物質力量更可怕的力量，即藏在人心裡的情欲。……這情欲，如果不能得到適當的調理和節制，那就不要說文化，便是人類之生存也將不可能了。

謂現代歐洲文明只重治物不重治心，故有大戰這樣的後果，因此向西人推薦孔子，大談《春秋》。馬一浮批評西方現代文明「在文化上實是疑問」，認為當時棄國故而騖西學者為「至愚而可哀」，相信未來世界必然仍應走且將走聖人所示的六藝之途。均與辜氏相似。

二先生治學原本就有一個極有趣的相似點：皆精通西學。辜先生不用說了，西學根柢大勝其中學。馬一浮則十九歲就在上海創辦《二十世紀翻譯雜誌》，大力紹介西方文化。二十一歲留美，並游歐洲，習德文日文，曾以英文譯《日耳曼之社會主義》《露西亞之虛無主義史》《法國革命黨史》及俄國托爾斯泰《藝術論》、西班牙名著《唐吉訶德傳》等，以日文翻譯義大利人的《政治罪惡論》等，馬克思的《資本論》也由他引進中國。其西學之精，自不在話下。因此二君此等言論，並不能視為昧於世界大勢者的民族自大心理表現。他們對西方現代文明的不滿，如今看來，恰好是當今學界展開「現代性批判」之先驅。而這一部份，便是章太炎所少有的。

但馬先生與辜先生也有不同。辜氏採取的是避敵之鋒、蹈敵之虛的論述策略，謂歐洲治物而不治心。馬先生認為西方現代文明頗成問題，卻採取了以子之矛攻子之盾的方法。

歐洲在啟蒙運動以後，形成了普遍理性的觀念，整個形上學及神學世界之瓦解，被解釋為理性「除魅」的結果。在理性不斷發展之下，科學理性也構造了工業化新世界，於是整體人類的歷史，亦將是此一理性不斷發展之歷史。發展，成為進步的同義詞，推動著一個普遍的歷史目的論。在此論述底下，歐洲現代文明乃因此成為東方也必須接受的。歐洲除魅、現代化、工業化、科學化之進程，遂也是世界各民族均應經歷的。相對於這樣的論述，反對者大多採取章太炎這樣的文化相對立場，強調國族文化之特殊性，以資抵抗。馬先生反是。他採取的，是與普遍論一樣的論式。說人既都是人，人心就都是一樣的。人心既同，此理便同，中國古代聖人所說的六藝之教，自為西方所必循之路。

在這個與西方現代文明論述相同的論式中，馬先生與之不同的，是西方以理性為其內核，馬先生以心，說六藝只是一心之表顯。這個心，可以說是仁，可以說是仁和義，也可以說是知仁勇，或仁義禮智，或五常六德。不管是東方西方，人都應該革除習氣之流失，恢復本然的仁心善性。因此復性之道，不只中國要講，西方也該講，因為這才是人道之正途（詳見〈論六藝統攝於一心〉）。

由六藝講到心，說六藝統攝於一心，這又與章太炎不同了。

章先生論經學，嚴古今之別、漢宋之分。宋學剔出，只在〈諸子略說〉中講講，談經學只就漢學說。漢學中又剔出今文，故曰：「清人治經，以漢學為名，其實漢學有古文今文之別，信今文則非，守古文即是」（〈經學略說〉）。這是清人觀念中的經學，亦是老子所說「為學日益」之「學」。馬浮所講的，則是「經術義理之學」（〈復性書院講錄・卷一・開講示諸生〉），謂「六藝之教，總為德教；六藝之道，總為性道」（卷三，〈孝經大義二〉）。此種經術，用老子的語言說，乃是「為道日損」，故可總攝於一心。以漢宋來分，章先生是漢學，馬先生則是講經學的宋明理學家。❶

宋明理學家，依章先生看，乃陰襲佛教或由禪宗改頭換面而來，黃侃序《國故論衡》云：「宋世高材，獨欲修補儒術，周氏始作，猶近巫師，為彼土苴，非足珍腆。二程廓爾，取資禪錄」，即指其事，評價並不甚高。但章黃亦因此而於宋明理學無所得，爾有所述，多見疏誤。

如章先生謂張載《正蒙》近於回教，又近於景教；云朱延平默坐澄心體認天理為佛法之止觀；又稱梨洲服膺陽明而不以蕺山為

❶ 章先生《國故論衡》完全不談宋明理學，偶有幾處則語帶譏諷，如〈明見〉：「自漢任陰陽之術，治易者與之糅。中間黃巾祭酒之書，寖以成典。迄於宋世，儒者之書盈篋，而言不能捨理氣，適得土苴焉」「尚考（先秦）諸家之見，旁皇周浹，足以望先覺，與宋世鞅掌之言異矣，然不能企無生」。

然，蓋有鄉土之見等等，俱皆可商。相較之下，馬先生塗轍迥異。《復性書院講錄》載書院學規，以朱子〈白鹿洞學規〉、劉蕺山〈證人社約〉為模範。以四事教生徒，一曰主敬為涵養之要、二曰窮理為致知之要、三曰博文為立事之要、四曰篤行為進德之要。明顯是由諸子主敬窮理、格物致知轉來，但不依程朱的語言說，而溯求於《論語》《孟子》及六經。與宋明理學家相比，經學意味重了許多，與講經學的漢學家相比，卻又談心說性，說理之氣息甚深。

三、馬一浮援佛論儒之風格

由這個「經學」與「經術義理之學」的區分，我們可以再進而觀察馬先生章先生與佛教的關係有何不同。因為上文已說過：章先生認為宋明理學家乃陰襲佛教或改頭換面而來，馬先生既是講經學的理學家，是否亦有陰襲佛教之處呢？

馬先生精研佛學，在教界及居士界皆有盛名。曾親送李叔同赴靈隱寺受戒、為印光法師文鈔作序，1924 年且組織般若會於杭州，其他〈楞嚴開蒙小引〉〈重修祥峰禪師塔銘〉等相關佛教著述甚多。在《泰和宜山會語》《爾雅臺答問》《復性書院講錄》中更是隨處可見他引用佛書、佛法、佛家名相術語來作表述，情況比章先生更甚。章先生只在論諸子學或講玄理哲學時才用佛家義理以助說明，馬先生則隨處都是。自來經學家固然無人似此風格，就是宋明理學家也沒有人像他這麼樣大量資借佛說的。同時代熊十力略近於此。但熊先生對佛教的資借，大抵根於唯識學，馬先生則是泛濫經藏，不拘一宗。若論採摭佛義之廣，佛理與他經術義理之學的關係之密，確乎罕見其匹。

不過，我認為馬先生對佛法佛學僅是資借，歸宗卻在儒不在佛。這一點恰好也與章先生相反。章先生看起來像是只資借佛法供做說明，實則所宗卻在佛不在儒，推尊孔顏老莊，亦只因他們合乎佛法而已。

試看《復性書院講錄》便知：某些時候，馬先生是完全不涉及佛法的，例如《論語大義》的春秋教上中下，〈洪範約義〉也很少。因此我們可以說那些佛家名義及義理均是先生有意識地引用。什麼情況下他會引用，又為何要引用呢？他說：

1. 儒者說經，往往不及義學家之精密。以其於教相，或欠分明，如鄭氏〈六藝論〉〈孝經序〉則儼然其判教規模。故謂儒者治經，亦須兼明義學，較易通悟也。
2. 六離合釋，是義家釋經常用之名詞。一名之中，有能有所，亦是一種析義之方法，使人易喻。……依主者，謂所依為主。如言眼識，眼是所依，如臣依主，是眼之識，故名依主。持業，謂任持業用，如言藏識，識是本體，藏是業用，體持業用。……三曰有財釋，從他得名。四曰相違識，如言眼耳體性各別。五帶數釋，及舉法數，如五蘊等，六鄰近釋，如念與慧，慧是揀擇照了，念是明記不忘。……中土玄名，類此者亦少。（卷三，〈孝經大義二〉）
3. 五孝之義，當假佛氏依、正二報釋之。佛氏以眾生隨其染淨，業報所感，而受此五陰之身，名為正報。此身所居世界國土，淨穢苦樂不同，亦隨業轉，名為依報。依正不

二，即身土不二。此義諦實。以儒家言之，即謂禍福無不自求之者。（卷三，〈孝經大義三〉）

4. 將釋此文，約義分四科：一、總顯君德；二、別示德相；三、明德用；四、嘆德化。（卷四，〈孔子閑居釋義〉）

5. 今別釋其義，就經文分三：一、標名數；二、辨體性；三、寄味明功。（卷五，〈洪範約義二〉）

6. 凡說經義，需會遮表二法。遮是遣非蕩執，如言不常、不斷、不一、不異等。表乃顯德正名，如中正、化義、聖賢等。二氏意存破相，多用遮詮。六經唯是顯性，多用表詮。設卦觀象，皆表詮也。……又易言無方、無體、無思、無為，亦是遮詮。（卷六，〈觀象卮言七〉）❷

第一則，總說了他之所以利用佛學來說經的原因。第二則，可以示例說明他如何借佛家分析名相的方法來釋義。第三則，卻是用佛家義來輔助說明，以佛義喻說。第四則、第五則，用的是佛教說經時的一種辦法，移用於解儒經上。第六則，以佛家釋義時遮表的詮說方式來解說。

馬浮深於於西學，因此他說經特別重視分析性，邏輯感很強，

---

❷ 〈觀象卮言六〉：「佛氏言諸法不自生、不他生、不共生、不無因生，是故說緣生。緣生之法，生則有滅。生為緣生，滅為緣滅，故彼之言生乃仗緣托境，無自性體。《易》之言生則唯是實理，故不可以生為幻，此與佛氏顯然不同。……佛氏實能見性，然其說生多是遮詮，故不可盡用，《易》教唯用表詮，不用遮詮。學者當知：遮則以生為過咎，表則顯其唯是一真也」，以遮詮表詮來解釋儒佛之異，可以參看。

可是他並不強調這是西學，只說是參考佛學而來的。可是像他講國學，先楷定國學名義，楷定時又對自己這一行為再做一界定，說：「楷定，是義家釋經用字。每下一義，須有法式，謂之楷定。楷即法式之意，猶今哲學家所言範疇，亦可說為領域。故楷定即是自己定出一個範圍，使所言之義不致凌雜無序或枝蔓離宗」云云，仍可看出與西方哲學的關係。其他人講國學，均不及他嚴謹。只是這種嚴謹可能屬於學養上的，並非他有意識地運用；有意識地運用，則在佛學。佛家因明分析之術，本來就較吾國言語渾淪者精細，因此馬浮這種做法，頗有方法學上的意義，一方面講經之義理，一方面教人如何讀經、如何釋經。

考梁啟超〈佛家經錄在中國目錄學之位置〉曾說佛家經錄所用方法遠勝於我國一般目錄學，分類極複雜而周備，「吾試一讀僧祐、法經、長房、道宣諸作，不能不嘆劉略班志荀簿阮錄之太簡單太樸素」（收入《佛學研究十八篇》），又在〈翻譯文學與佛典〉一文中說佛經大量翻譯，才使得中國出現了組織的、剖解的文體，尤其是佛經的科判之學十分發達，「其著名諸大經論，恆經數家或數十家之科判，分章分節分段，備極精密。……」，又謂：「隋唐義疏之學，實與佛典疏鈔之學同時發生，吾不敢逕指此為翻譯文學之產物，然最少必有彼此相互之影響，則可斷言也」。為什麼佛家說經、編目都如此精密呢？梁先生說：「良由經論本身本為科學組織的著述，我國學者亦以科學的方法研究之，故條理愈剖而愈精」。所謂科學，在梁先生那一輩人的理解中，就是指它較具分析性、邏輯性、系統性。印度之思惟本具有這方面的特色，且曾影響過我國六朝隋唐之經學義疏，則馬一浮解經，參用其法，不是十分合理

嗎？❸

梁啟超所說的科判，基本上是分出章節段落，如道安講經均分三部分：一、序分；二、正宗分；三、流通分。馬一浮釋〈孔子閒居〉分四科，釋〈洪範〉分三科，即採用其法，也就是如上文所引第四、五則。第二則說的六離合釋，也是一種釋經法，但不是就結構說，而是分析名相。其他運用佛家義學較重要者，還有判教之法：

> 判教之定，實同義學。不明統類，則疑於專己。……判教之名，實始於佛氏之義學。（卷二，〈群經大義總說〉，一、判教與分科之別）

佛教天台宗判四教，華嚴宗判五教。馬浮所謂六藝之學，亦是判教，判為六教，如溫柔敦厚為詩之教、屬詞比事為春秋教等。又，四悉檀：

---

❸ 但馬一浮並不認為佛家釋義乃科學方法，他認為義學高於科學方法：「天台家釋經，立五重玄義，一釋名、二辨體、三明宗、四論用、五判教相。華嚴家用十門釋經，謂之懸談。一教起因緣、二藏教所攝、三義理分齊、四教所被機、五教體淺深、六宗趣通局、七部類品會、八傳譯感通、九總釋經題、十別解文義。其方法，又較天台為密。儒者說經，尚未及此，意當來或可略師其意，不可盡用其法。如此說經，條理易得，豈時人所言『科學整理』所能夢見？」

△孔門問仁者最多，孔子一一隨機答之，咸具四種悉檀，此是詩教妙義。四悉檀者，出天台教義，悉言遍，檀言施，華梵兼舉也。一、世界悉檀。世界為隔別分限之義。人之根器，各有所限，隨宜分別，次第為說，名世界悉檀。二為人悉檀，即謂因材施教，專為此一類機說，各其得入，名為人悉檀。三、對治悉檀，謂應病與藥，對治其人病痛而說。四、第一義悉檀，即稱理而說也。（卷二，〈論語大義一〉）

△論政亦具四悉檀，如既庶矣，富之；既富矣，教之。……世界悉檀也。……答葉公問政曰：近者悅，遠者來。……為人悉檀也。……君君臣臣父父子子，對治悉檀也。答子張問政曰：居之無倦，行之以忠。……第一義悉檀也。……又一一悉檀，皆歸第一義悉檀，學者當知。（〈論語大義二〉）

△以四悉檀配之，答孟懿子曰無違，世界悉檀也……。（〈論語大義四〉）

悉檀，依陳寅恪〈大乘義章書後〉一文考證，乃梵語音譯，意指成就。乃佛陀化導，成就眾生之四種方式。天台南嶽及智者兩位望文生義，誤解為遍施，謂佛以四法遍施眾生，使之契理（收入《金明館叢稿二編》）。其實悉檀到底是遍施還是成就，無關宏旨。天台將它發展成解釋經義、消解經論異說的通則，並未違背原意。馬浮所用四悉檀說，亦逕採天台，用以說明孔子教人的不同言說各各屬於什

麼性質。❹

以上各種引用佛義的狀況，都明顯是從分析、詮說方法上去資借佛學。另外則是以佛說借喻，如前引文以佛家正報依報來解喻儒者所說的孝，便是一例。這種情況在馬先生講錄中極常見，如「佛說《華嚴》，聲聞在座，如聾如啞，五百退席。此便是無感覺，便可謂之不仁」（〈論語大義一〉）「聖人顯示性德，普攝群機，故說《孝經》以為總持，猶佛氏之有陀羅尼門」（〈孝經大義二〉）「若依義學定標宗趣，則德本為宗，教生為趣。行孝為宗，立身為趣。又可德教為宗，順天下為趣」（同上）「五等之稱，亦略如佛氏之五位。士當資糧位、卿大夫當加行、見道二位、諸侯當修習位、天子即究竟位、庶人當十信」（〈孝經大義三〉）「致唯證量，行則有境，境智不二也。行主心行而言，非指事相之著，境非緣物不起，故名為無，猶佛氏所謂無緣慈，同體大悲也」（〈孔子閒居釋義〉）「佛言菩薩視眾生如一子地，即詩：愷愷君子，民之父母之謂也」（〈洪範約義六〉）……簡直不勝枚舉，佛家各宗，如天台、華嚴、禪、淨土，咸所資取。

馬先生自己對此種釋義方法是有自覺地使用，他不止一次引用禪家典故，說自己不惜眉毛，如「禪師家每云：長安雖鬧，我國宴然。彼乃深證中和位育，實得力於念用也。此先儒所不肯說，今不惜眉毛，特為拈出。若等閒聽過，吾亦不奈何」（〈洪範約義九〉）。這顯示此法乃彼有意為之，且亦以此自負能盡經義之幽

❹ 另詳周廣榮〈悉檀，成就也？遍施也？——天台諸祖的言語文字觀及其對梵字的傳習〉，《天問》丙戌卷，2006年，江蘇人民出版社。

微。

四、馬氏國學的宗儒旨趣

這就顯然不是陰襲，乃明用；也不必改頭換面；更不必排擊佛法，態度與宋明理學家殊為不同。然而，我要特別指出：這些方法、名相、典故、說理方式之借用，其實都不涉及價值判斷，或者說基本上是以佛合儒的，佛家之善，在於它符合六藝之道。故他往往會說儒含佛理或禪家知道且能通於儒理。❺

以為儒家所說能包含佛理的，如《論語大義七》：「《涅槃》之常樂我淨四德，亦如乾之元亨利貞也。……有人問圓悟：勤如何是諸佛出身處？答曰：薰風自南來，殿閣生微涼。大慧杲即於此句下得悟。此卻得四時行百物生之旨」「易教實攝佛氏圓頓教義。……生滅即變易義；言不生不滅者，即不易義；若不變隨緣，隨緣不變，即簡易義也。川上一語，可抵大乘經論數部。聖人言語簡妙親切如此」；〈觀象卮言四〉：「二氏之學，實能於費中見隱，故當為易教所攝。……大抵老莊皆深於易而不能無失，潔靜精微，則佛氏圓頓之教實有之，非其必出於易之書也」；〈觀象卮言六〉：「南泉未必學易，若問『六位時成，時乘六龍以御天』，意旨若何，卻是南泉善會參。」以上這些，都是講佛家雖未必能讀儒書，但會得的理，正與儒者相符。

❺ 我覺得他把復性書院辦在樂山烏尤寺，本身就是最形象的說明。看起來有佛家義學之框架，也有其名相術語，但底裡畢竟是儒不是佛。

這是拉佛入儒者六藝之教中，為六藝所攝。還有一種，是以儒理去解釋佛說，以見彼此若合符契。如「〈洪範〉言福極，猶佛氏言佛土淨穢也」「保合大和，乃利貞。禪家於大徹後，每曰善自保任，蓋長養滋身，尤要潛行密用。故聖人分上，仍是日新其德，豈曰無事？洞山禪以無為無事人猶是金鎖難是也」（〈洪範約義十〉）等都是。

這些言論，鉤合儒佛，頗見其同。但馬先生在許多地方仍不免要對儒佛之異做些分判，此類分判，便愈見先生宗趣在儒而不在佛了：

△禪病既除，儒宗乃顯。（卷二，〈題識〉）

△聖人以天地萬物為一身。明身無可外，則無老氏之失；明身非是幻，則無佛氏之失。（〈孝經大義序說〉）

△佛有四聖六凡，儒家只明二道，但簡賢智之過實無異。為二氏預計，釋氏彈偏斥小、嘆大褒圓，知以大揀小、以圓揀偏，未知圓大之中亦有過者，此孔子所以嘆中庸之德也。（卷三，〈孝經大義三〉）❻

△《楞嚴》……言世界安立生起次第，亦略如易象先有風雷，後有水火，後有山澤。但彼言妄明生所，則世界為幻。此言一氣成化，則萬物全真。此為儒佛不同處，《正

❻ 〈觀象巵言〉五：「佛氏之教，有小大偏圓。中土聖人六藝之教，唯大無小，唯圓無偏。教相本大，機則有小。以大教被小機則成為小，故簡小嘆大亦是權說」。

蒙》闢此最力，學者當知。（〈孝經大義四〉）

△《論語》顏淵問仁章，《燈錄》波羅提答異見王問性一段公案，與〈洪範〉五事對勘，便見釋氏疏處，不及儒者之密。（卷五，〈洪範約義三〉）

△佛氏立種性差別，儒家謂之氣類。種性字不妥，不若氣類字用得恰當。（卷六，〈觀象巵言三〉）

△二氏之失，只是執有勝義諦，禪家謂之聖見猶存。在儒者言之，則猶不免於私小。（〈觀象巵言四〉）

△治經，乃窮理盡性至命之學。儒者不明性命之理，決不能通六藝。而二氏之徒，乃盛談性命。末流滋失。於是治經者乃相戒不談性命。棄金擔麻、買櫝還珠，莊子所謂倒置之民也。（〈觀象巵言五〉）

主張治經應談性命，不能因佛家談了所以就不談。談時又要明白：在說義方法上，佛家較精細，但義理卻是儒家較周密。佛家所見雖高，但非中庸之道。而且佛家以世界為無明妄起，所謂萬法唯識；認為我身是幻，所謂諸法無我。馬一浮也均不贊成。

馬一浮云六藝攝於一心，又云「一心具眾理，即事即理，即理即心」。這種心學立場，乃綜合程朱與陸王而說，故心兼性情理氣。其理論構造及其與程朱陸王之關係，當另文處理，此不具論。茲所欲言者，為此一心學立場與佛家說萬法一心實頗相似。馬浮對此，亦詳乎言之，曰：「佛氏亦言：當知法界性，一切唯心造。心生法生，心滅法滅，萬行不離一心，一心不違萬行」（〈學規〉）。三界唯心，此心，「以佛義言之，則曰真如、曰佛性、曰法身、曰一真法界、曰如來藏心、曰圓覺，並是顯此一理」（〈洪範約義六〉）。

但這只是說三界唯心，卻不是萬法唯識。馬一浮反對唯識宗的講法，認為唯識宗不能真正了解心，他們所講的心，只是識，故能造作種種虛妄，那個心不是真心，萬法也均是虛妄，故與儒家不同：「彼以色為心所現影，二俱是妄。此以器為道之流形，唯是一真。……張載《正蒙》所簡，正此義也。……故賢首判相宗為始教。……今言唯心唯物者，詳其分齊，彼所言心者皆是器攝，以唯是識心虛妄計度，又較佛氏相宗之為言粗也」（〈觀象卮言八〉。這是說相宗以世界為識心所變現，故說是空；儒家以世界乃道體之流行，一心之發用，故說為真實心。❼相宗以識說心，依他看，只說著妄心，未說及真心。真常心系所說如來藏、佛性、真如才指真心。因此判相宗為始教，並用《大乘起信論》一心開二門之架構，講：「妄心即當人心，真心即當道心，然非有二心也，只是一心迷悟之別，因立此二名耳」（〈觀象卮言二〉）。

相較之下，章太炎說心，便以相宗唯識為主，故《國故論衡·辨性下》云：「太上有唯識論，其次有唯物論」，又說：「人心者，如大海，兩白虹嬰之，我見我痴是也。兩白蛟嬰之，我愛我慢是也」，唯有斷了意根，才能無我。這乃是轉識成智之路，「心者，兼阿修羅耶與意識，性者為末那」（〈明見篇〉），並不是馬浮所說的真常心。不過，真常心如來藏這個講法，章太炎仍是承認

---

❼ 這個分判，與熊十力《新唯識論》取徑正同，無怪熊氏著作初成，即請馬氏作序。

的，他也引《大乘起信論》說：「心真如相，示大乘體；心生滅相，示大乘自體相用」（〈明見〉）。但他的理論是這樣的：

> 人有八識，其宗曰如來藏。以如來藏無所對，奄乎不自知，視若胡越，則炫有萬物。物各有其分職，是之謂阿羅耶。阿羅耶者，藏萬有，既分以起末那。末那者，此言意根。意根常執阿羅耶以為我。二者若束蘆，相偕以立。……意根斷，則阿羅耶不自執以我，復如來藏之本。（〈辨性上〉）

如來藏在八識之外，為其宗或本，但它不起作用，只是奄忽不自知的。既如此，則斷意根的力量從何而來？從前攝論宗有一支就立第九識，名阿摩羅識，或稱真如覺性，靠著這種覺性，才能轉阿賴耶識得法身。章先生說的如來藏，很像第九識，在八識之外，但它並不代表覺性。它也與《成唯識論》不同。成論以阿賴耶為染淨同依，捨阿賴耶時唯捨染分、不捨淨分，故不另立如來藏。章先生此處殆是混用真常心系與唯識系之說法，所以析理未瑩。而且不論如何，如來藏心在章先生理論體系中是沒什麼地位的，章先生所強調的是斷性、斷煩惱，以證無生。馬先生則以心性為真為常，以心為六藝之原，二者迥異，觀者不可不察。

第五章　國學的教育：清華國學院

一、

二〇〇五年是清華大學開辦研究院國學門八十週年，該校頗有紀念活動。五月二十二日歷史系舉辦國學院的紀念會，上午由何丙棣、何茲全、張豈之諸先生講話，下午，因我恰好正在北京清華擔任客座教授，故也要我談一談。我即略說了以下幾點意思：

我認為清華國學院在近代學術史上已成為一則傳奇，後起者艷稱其事，固然應該，但夷考其實：國學院為時甚短，1925 年設立，次年八月陳寅恪才到職，也就是人事才到齊；可是隔年王國維就自殺了，下一年梁啟超亦因病離去，然後次年就逝世了，國學院也便結束。前後僅四年，有一半以上時間還人丁不全。趙元任、李濟又常在外考古或調查方言。整個院，事實上陳寅恪獨木難支，全靠吳宓之調護。在此情形下，其教學與研究，成果必然都是有限的。

四位導師中，梁、王之學，早成於國學院成立以前。王國維在清華時期大概只做了〈古史新證〉等，因此不能把他們的所有成就，都計為國學院之光芒。陳寅恪、趙元任則那時都還是初出茅廬的小伙子。陳那時才三十七歲，婚都還沒結，也沒有任何著作；趙亦甫於 1924 年譯出高本漢的《中國語音研究》而已。陳氏在當時開的課，也只集中在六朝及佛教，如「梵文文法」「佛經翻譯文學」「西人東方學之目錄學」之類。他的《隋唐制度淵源略論稿》成於 1939 年，亦即十年以後。故亦不能將陳趙，乃至李濟後來之事功統計到清華國學院的頭上，以夸大其學術表現。

再說，清華國學院之學風亦非無可議之處。梁啟超、吳宓之學，看來無甚影響。陳寅恪似乎影響最大。可是清華國學院畢業諸生，其實治梵文、佛教史、西北史地、中古史者甚少，教學效果實屬可疑。

其次，導師與學生大抵皆只採用一種實證史學之方法，無論王國維之說「二重證據」或陳寅恪，乃至學生如王力、高亨、劉盼遂、姚名達、姜亮夫、謝國楨等，均只是語言學加上考證罷了。其考證，以「材料」為「證據」、以繁瑣為精密，能創通大義者，其實並不甚多。也就是普遍缺乏理論之興趣，因此當學者固有餘，卻無甚思想上的開創性，缺少思想家。

再者，既名為「研究院國學門」，簡稱為「國學院」，而根本沒有辭章與義理的課程和教育，只有考據，國學云乎哉？老實說，其學反而與西方或日本之所謂「漢學」較為接近。

第四，當時以清華的背景，特聘趙陳由海外來任教，自有融鑄東西的雄心，可是這亦只是形式上的。真要鎔鑄東西，談何容易？國學院沒有比較文化的研究方向，連趙元任陳寅恪，對西方文化也並不深知，何況其他？國學院在這方面亦乏表現。

雖然如此，清華國學院仍是值得回味的一頁傳奇。此次清華所辦會議，名稱是「清華國學院與 21 世紀中國學術」。21 世紀學術如何不可知，就 20 世紀看，整個學術發展正是國學院之背反。例如，當時辦的是國學院，後來則不再有這種統包性的學科，均採西式學術分科方式，國學分化為中文、歷史、哲學等系所。又如當時所聘，除趙元任、李濟較接近專業學者外，梁啟超、王國維、陳寅恪均係通人。擇聘師資之標準，本來也就要求他們能夠對中國文化「全體」有所研究。可是大家都曉得：後來整個學術界所要求或所培養的，都不是通人而是專家。

此外，國學院之教育目標，是要「培養以著述為畢生事業之國學專才」。用韋伯的話說，就是要培養以學術為志業的人。這樣的目標，爾後亦罕嗣響。因為大學之目標，已變成了培養從事某種職業的人，或根本就是養成以政治及利祿為志業者的溫床。

還有，國學院強調導師，遠採牛津劍橋之制，近挹中國書院之風；開學日即由梁任公主講書院之精神；希望導師帶學生。後來之教育也恰好不是如此的，所謂好教授，只是會寫書做研究而已，升等考評，皆不重導師功能。凡此等等，回頭再看國學院，不是令人起無限幽思遐想嗎？其足以針砭當世者，豈淺鮮哉！

二、

我在清華大學所辦「清華國學院八十周年紀念會」上所講，大意略如上文。然其中所述各點，其實均可補充，今茲分述如下。

一是陳寅恪所代表的學風問題。

陳寅恪出身世家，但十三歲就東渡日本。二年後返南京。旋以考取官費留日，乃又赴日本就學。一年後，因病返國，才考入吳淞復旦公學讀書。1909 年畢業後，又赴德國柏林大學留學。繼而遊學於瑞士。民國二年，入巴黎大學。同年返國，民七年再出國，入美國哈佛大學主修梵文及其他學問。三年後，又轉往柏林大學研究院，研究梵文及東方古文學等。在哈佛之同學友人，有湯用彤、梅光迪、吳宓等；在柏林之同學友人為傅斯年、俞大維、毛子水等。❶

陳氏在歐美所學，轉歷多師，但基本上以語言研究為主。在哈佛時，隨藍門（Lanman）習梵文巴利文。在柏林，隨魯斗（Henrich Lüeders）繼續讀梵文、巴利文。陳氏較精熟之外文，事實上也僅以此為主，故他〈與羅香林書〉曾說：「外國文字，弟皆不能動筆作文」，可見他對其餘外文，均只求識讀，非能精通。

陳氏友人及學生常豔稱他的外文能力，說他懂二三十種外文。實則吉爾吉斯語、高加索語、吐火羅語、堅昆語……等。陳先生之所謂「懂」，大概只是略識而已。既不能動筆寫文，亦罕能用在其研究中。真在其研究中起作用的，既非英文、德文、法文、日文，也不是中亞諸國文字，仍只是梵文、藏文、巴利文。

這些語文的研究，正是彼時歐美東方學（包括漢學、印度學）之一種風氣。當時歐洲著名的漢學家高本漢、沙畹、伯希和、馬樂

---

❶ 對陳寅恪生平資料之敘述，我主要參考汪榮祖《史家陳寅恪傳》，2005 年，北大出版社。轉引該書之資料，皆不另注。

伯、衛禮賢，都擅長用這種通過語文考證以研究蒙古、西藏、中亞，乃至中國史地民俗之方法。陳寅恪無疑深受其影響。戴密微甚至說：陳寅恪在巴黎時很可能去聽過伯希和講授的各種課程。這個推測，未必便是。但戴密微之所以如此說，豈不是因為看出陳寅恪治學的門徑與伯希和相近嗎？

因此，當年清華國學院的主要學風，乃是由傳統經史學曲折轉向歐美漢學式之研究。另一位導師趙元任，同樣也是這種語言研究路數。他本修習數理與音樂，乃哈佛物理博士，赴歐與高本漢論學，譯其《中國語音學研究》後，便一直以語音學及方言調查為主，可說既沿續著歐洲漢學注重語言的特徵，又結合了他自己的科學背景，更進一步地科學化了。

名為「國學」的研究院，使用的，或盛行的乃是一套這種西方人看東方中國之「漢學」方法，當然是種弔詭，落入東方主義而不自知。但當時陳寅恪並未發覺這有什麼不對，他在寫給妹妹的信中反而說：「如以西洋語言科學之法，為中藏文化比較之學，則成效當較乾嘉諸老更上一層」。此雖針對中文與藏文而說，但在其他領域，大抵也可適用，可代表彼時諸君之主要抱負和觀點。

陳寅恪後來的研究，並不局限於此一觀點和方法。可是他初返國門，任教於清華時，可說基本狀況即是如此。此一時期，上課主要就是講梵文和西方的「東方學」，研究也以中古佛教史為範圍。對中古佛教史之考證，則集中於語文方法之應用。

蔣天樞《陳寅恪先生編年事輯》嘗云陳氏在 1927 至 1935 年間，於佛經用力最勤，於有關典籍「時用密點圈識以識其要，書眉、行間，批注幾滿，細字密行。……行間書眉所注者，間雜有巴利文、藏文、梵文等，以參證古代譯語」。此即其治學之基本狀況。

具體的研究，如〈大乘義章書後〉，批評天台宗智者大師把「悉檀」之檀，跟「檀施」之檀混為一談，不知悉檀乃 Siddhanta 之音譯，意譯為理或宗；檀施則為 Dana 之譯，二者毫無關係。〈三國志曹沖華陀傳與佛教故事〉，則謂華陀二字，古音與印度 Gada（神藥）音近，「當時民間比附印度神話故事，因稱為華陀，實以神藥目之」。又、〈魏書司馬芝傳跋〉考曹洪與臨汾公主侍者共事之「無澗神」，乃無間神之訛。無間，乃梵文 Avici 之音譯，意譯為阿鼻地獄。〈西遊記玄奘弟子故事之演變〉一文，又考證孫悟空大鬧天宮是兩個原本不相干的印度民間故事：鬧天宮，本於印度〈頂生王升天因緣〉，孫悟空則來自印度記事詩中巧猿 Nala 造橋渡海，直抵楞伽之故事。至於豬八戒在高老莊招親，陳寅恪也疑心那是從牛臥苾芻而驚犯宮女的故事衍變來。凡此等等，都是利用他對梵文和印度故事的熟悉知識，以破昔賢之妄、以辨中印影響之跡。❷

當時國人對於此等語文知識，極為陌生，故於他所言，不免驚其河漢，為之低首下心。藍文徵回憶道：「上課時，我們常常聽不懂。他一寫，哦！才知道那是德文、那是俄文、那是梵文，但要叩其音、叩其義，方始完全了解。」（陳哲三《陳寅恪先生軼事及其著作》引述）。

此，大概就是當時人們讀陳寅恪此類文章之感受。對印度史

---

❷ 以上各文皆收在《金明館叢稿二編》中。

事、文獻及語文缺乏相應之知識，亦根本無從判斷他說得對不對。

但是，穿過語文障礙後，這些考證的價值其實頗為可疑。華陀的古音是否真與 Gada 相近，就值得討論。縱令相近，又何以證明華陀不是他本來之姓名，而是民間比附印度神話故事，取神藥之名以稱其人？何況，這個考證，是假設當時社會上已廣泛流行著印度神藥的故事，深中人心，故才會將華陀比附於這個故事。這個假設，在文中非但缺乏論證，甚且更將假設變成結論。如其考證曹洪侍奉無間神那樣，想藉以證明：「釋迦之教頗流行於曹魏宮禁婦女間」。在方法上是完全不能成立的。

曹洪所拜的無澗神，經他考證，說是無間神，看起來很有道理。可是無間神是什麼神呢？若云乃阿鼻地獄之神，則釋迦之教，阿鼻地獄固無神也。若云即是民間所說的泰山府君、十殿閻羅之類，世人拜之者多矣，又何至於僅因拜這類神，就要繫獄？

再說，孫悟空、豬八戒的故事，與印度故事只是相似而已，陳寅恪卻以其相似而說影響。彷彿是某甲吃飯，我也吃飯，陳先生便出來考證道：原來某甲之吃飯，乃是受我影響使然。有這個道理嗎？更不要說那些故事跟《西遊記》其實還真不太像了。明明是孫悟空大鬧天宮，偏說是兩個本不相干且又與西遊故事並不像的兩個印度故事之拼湊。明明是豬八戒招親，偏說是牛臥苾芻之變貌。這不是考證，只是一肚皮印度知識無處張皇，故於史冊小說中去捕風捉影罷了。

在這些考證中，陳先生也沒告訴我們：何以中國人就一定想不出孫悟空大鬧天宮、豬八戒招親這樣的故事，必須受啟發於印度。印度那〈頂生王升天姻緣〉和巧猿造橋故事、牛苾芻驚擾宮女故事，又在什麼時候普傳於中國民間，以致文人涉筆，可以取法於斯？

陳先生這個時期的考證，在方法跟實際上，往往站不住腳，可說是十分明顯的。可是，前文已說過，時人驚於其語文知識和記問之博，對此機關，大抵均未覷破。

看不破這一層，事實上就僅能停留在語文知識跟史料排比上，對於「歷史解釋」這個部分，或無法著力；或僅能如陳先生那般，胡亂解釋以說其淵源影響。陳先生或清華國學院所培養的學者，不少人就表現了這個現象。我怕得罪人，就恕我不再一一舉例了。

造成這種現象，或許也不是陳寅恪或他那個時代學人的過失，而是時世風氣使然。

當時德國史學流行的是歷史語言考證學派，蘭克所說「如實重建」（wie es eigentich gewesen），及倪不爾（Barthold Georg Niebuhr）所主張的：把神話和不實的記載排除在史著之外，讓隱晦的真相重新建立起來，而建立之方法，即是語文考證云云，乃是風靡一時之法。傅斯年當時在德國，學的也同樣是這套方法，因此返國以後便致力於建設歷史語言研究所，提倡重建史實，且希望把歷史學建設成為像生物學地質學那樣的科學。

歷史研究機構，而特標名為「歷史語言研究所」，就顯示了語文考證方法在其中的重要性。要把歷史學建設成為一門科學的雄心，更表現了那一代史學家企圖客觀重建歷史事實的理想。這個理想及其考證方法，透過清華國學院以降諸史學教育機構，一代傳一代，影響迄於今。

但蘭克代表的，其實是十九世紀的史學。「重建過去如當時發生一般」的客觀史學路數，到廿世紀早已迭遭批判。史家逐漸發現：客觀的歷史事實固然曾發生於過往的時空中，但那是已經消逝之物。今人當時既不在場，如何認知這已消逝之物，就構成了認識論上的難題。客觀史家相信只要依憑證據（文獻或物質的），即可不涉主觀地重建過去。如今看來真是天真可哂。因為那些「證據」其實只是「材料」。材料需要解讀，並放入歷史脈絡（經重構後的脈絡）中，才能視為證據。同一文獻，或一磚一木等物質性材料，不同的人就會有不同的解釋，因而也顯示出不同的證據力。

其次，歷史既已消逝，則今人之說歷史如何如何，說的其實就都是今人對過去的理解與認識。換言之，客觀的那個歷史非但只存在於那個過去的時空，亦非今人所能把搦；凡今人所講的歷史，都是當下人對過去的思惟、想像、解釋。克羅齊所謂：「一切歷史都是當代史」或柯林烏德所說：「一切歷史都是思想史」，就是這個意思。就這個意義來說，客觀歷史實不可求，求也無意義。❸

蘭克以後，批判的歷史哲學，經李凱爾特（Heinrich Rickert）、韋伯（Max Weber）、齊美爾（G. Simmel）、胡塞爾（Edmund Husserl）、海德格（Martin Heidegger）、雅斯培（Karl Jaspers）、伽達瑪（Haus Georg Gradagger）及法蘭克福學派之推動，在德國頗有發展。在法國則有薩特（Jean-Paul Satre）、雷蒙·阿宏（Raymond Aron）、里科（Paul Ricoeur）等人之提倡，亦早已蔚為巨流。不但沒有人相信史實可以重建，更直指史家號稱可以「排除自我主觀」只是虛妄。歷史事實

❸ 詳韓震主編《二十世紀西方歷史哲學》，2003，北師大出版社，第一章〈對當代西方歷史哲學之綜述〉。

和材料本身不會說話，必須靠人去解釋它。正因為如此，所以歷史學不同於科學，或者說它不同於自然科學，而應該是精神科學或人文科學或什麼。

這些討論，非陳寅恪那一代人所能知，他們也沒有想過這些問題。因此，從現在的歷史認識來說，或許陳先生的考證，並不只是在枝節上或方法上出現了我上文所指出的各種錯誤或疑難，更是令人惋惜其空擲氣力，為了一個虛誕不可達成的理想，透過語文考證，編織了許多「戲論」。

這些戲論，若以現今歷史敘述學派之見觀之，固然皆可視為陳先生自己對歷史的敘述，在講一個他自己編造的故事，自抒其情（晚年陳先生的史考，尤可以由此一角度去把握），因而別具意義。但從陳先生初返國倡行科學實證考史之風，後又隨傅斯年創辦中研院史語所的角度看，便是從根本上、整體地出了問題，令人深感遺憾。

三、

第二個值得探討的，是陳寅恪與吳宓之間學術價值取向的問題。

吳宓在哈佛留學時就極佩服陳寅恪。《文集》載：「宓於民國八年在美國哈佛大學得識陳寅恪。當時即驚其博學，而服其卓識。馳書國內諸友謂古今中西新舊各種學問而統論之，吾必以寅恪為全中國最博學之人。……寅恪雖係吾友而實吾師，即以詩一道，歷年所以啟迪余者良多」。其餘此類言論甚多，世所稔知，不必贅錄。向清華校長曹祥雲推薦並邀聘陳寅恪的，也是吳宓。待陳抵清華應聘，吳宓有詩贈之，云：「經年瀛海盼音塵，握手猶思異國春，獨步羨君成絕學，低頭愧我逐庸人。沖天逸鶴依雲表，墮溷殘英怨水濱。燦燦池荷開正好，名園合與寄吟身」，抑己崇人，倍申綢繆之情，允為學林佳話。❹

學林傳述這樣的佳話久矣，但誰也未曾由此產生疑問：吳宓為什麼會如此傾仰陳寅恪呢？

看來這不應是個問題，而其實大有蹊蹺。因為吳宓會傾心陳寅恪，真是件太奇怪太奇怪的事了！

為什麼這麼說？吳宓在哈佛時，受教於新人文主義大師白璧德（Irving Babitt, 1865-1933），便服膺其說。返國後，即於 1922 年 1 月創辦《學衡》雜誌，大申白璧德之教。《學衡》創辦時，吳宓在東南大學，因此學術史上常以《學衡》代表南京之學風。可是雜誌主編是吳宓，吳氏旋與東南大學諸友為編務起齬齟，不少人退出編務，不再與聞。該刊遂隨吳宓轉至東北大學、清華大學任教而亦轉到北方。且基本上是吳宓一人主持，該刊之觀點也最能反映吳宓的學術取向與文化關懷。而亦因這個原因，外界看清華，頗不乏將之視為新保守主義之陣地者。因為隨後梁實秋由清華畢業，赴哈佛，

---

❹ 吳宓講的「名園」自是指清華園。但他對此園之歷史有點誤解。他有詩說：「水木千年長清華，云是先朝故侯家；武清列郡椒房寵，天香種出上苑花」，乃是以清華園為「先朝故侯」的園子。這個先朝，並非指清朝，而是明朝；故侯則武清侯也。武清侯之園林，名為清華園，因此吳宓說現在這個清華「云是先朝故侯家」。其實不然。武清侯的清華園，在勺園附近。現在的清華，卻是康熙所建熙春園。此園於道光間分為東西兩園，東仍名熙春，西園取名近春，分給四皇子奕寧，東給五皇子奕誴。咸豐時再改名為清華。內中工字殿，後來就成了王國維、梁啟超他們工作的工字廳。

再返清華，也是服膺白璧德而推闡其說的。

可是，白璧德的新人文主義，主要特徵，或其立說之主要目的，恰好就是要反對當時流行的德國式「嚴格的科學研究方法」（sterng wissenschaftliche methode）。陳寅恪呢，則剛剛好便是德國這一學風在中國的第一代提倡者或示範者。吳宓既醉心於白璧德之說，何以又傾服陳寅恪之學？兩者冰炭，何以竟融於一冶歟？

白璧德所主張的人文主義，強調的是人如何完善的問題。素樸的人，通過人文教養之教育，逐步提高，故與浪漫主義著重自我之申張，塗轍迥異。既講究人文教養，因此閱讀經典便是必須之事。經由閱讀經典，特別是文學經典，人才能學到標準與紀律。人文主義又常被稱為古典主義，道理正在於此。

但白璧德所主張的「新人文主義」，並不同於在歐洲文藝復興以後發展起來的人文主義。他認為舊的人文主義頗有流弊，因為人文主義者強調研讀經典，其弊乃導致人文主義學者以鑽故紙堆為高，流於玩物之自鳴得意，摩挲古典以為樂，以此優遊歲月。對此，他主張研究古典亦須與現代相聯結。如何聯結？他提出比較與歷史方法。比較古今，吾人所研習之古，乃能對現代具有比較及啟發之意義；歷史方法，則是觀察中古發展至今之軌跡。因此，白璧德並非古典主義者，他所謂的新人文主義，重點實在「中和」。例如古與今之中和，不執古之道以御今之所有，亦不站在科學進步觀的角度，貴今賤古。

讓我援引一些白璧德的言論來說明以上這些觀念吧。在他1908 年出版的第一本著作《文學與美國的大學》中，白璧德言道：

△舊人文主義……在某些方面已過時且不足以適應時代之需。……它會導致超美學的（ultra-aesthetic）享樂主義的生活態度。即退回到自己的象牙塔中，在古典文學中尋求精緻慰藉的那種傾向。……未能以更廣闊、有機的方式將它們與當代生活聯繫起來。因此，古典文學注入新生命和興趣，不可能指望藉由重振舊人文主義來達成，而是要在研究古典文學時更廣泛地應用比較和歷史的方法。……這些方法必須為觀念所滲透，且通過絕對價值感（a sense of absolute values）而得到加強。……每個作者的作品，……應把它們當作古代與現代世界一脈相承的發展鏈條上的環節而予以研究。（第六章〈合理的古典研究〉）

△現在不妨總結一下我們尋求人文主義定義的成果。我們發現人文主義者在極度的同情與極度的紀律及選擇間游移，並根據他調節這兩個極端的情況，而相應地變得更加人文。……正像有人告訴我們的那樣，聖弗朗西斯融合了他身上老鷹與鴿子的品質：他是個溫順的老鷹。……就最實用的目的而言，適度，乃是人生最高的法則。（第一章〈什麼是人文主義？〉）❺

第一段就是區分新舊人文主義，強調古今應聯繫貫通起來，「古典人文研究，將通過日益密切地接觸現代人而獲益匪淺；同時，就崇

❺ 見白璧德《文學與美國的大學》，2004，北京大學出版社。張沛、張源譯。我在譯文方面有些改動。

今者來說，他們也只有徹底承認古人的前導之功，才能廁身人文學科的行列。古典以現代為前景，就不會有枯燥呆滯之弊；現代以古典為依託，則能免於淺薄和印象主義之弊」（第七章〈古與今〉）「一名古典教師應履行的最高任務，就是運用想像力，去將過去的東西重新闡釋為今天的東西。……我們既缺乏對現代有充分觀察的古典教師，又缺乏具有足夠古典背景的現代文學教師，這是實現人文方法復興的主要障礙」（第四章〈文學與大學〉）。

既要古又要今，就是第二段所說的中和原則。他認為人文主義最核心的精神，在於人不走向極端，能夠「叩其兩端」「取兩用中」。其修養工夫所在，即在其藉平衡調適兩端，而讓自己得到較高的品質，讓一切極端均能中和。在人身上體現出適宜適度適當的性質。因此他說：「再沒有比走向極端的多元論（pluralism）更不具人文或人文主義特性的了。只有那種同樣走向極端的一元論（monism）才可與之相比」（第一章）。

中和的原則，不僅表現在古與今方面，也表現在傳統與創新、個人與歷史、自由與限制、理性與感情、民主與貴族、人與自然等各項對立極端之中和。用白璧德的話說，此即人之律（Law for man），在一與多之間保持平衡。而其所以能平衡者，則由於人內心「高上意志」與「卑下意志」之對峙中，人對自己內在的制約（inner-check）力量（見其《民治與領袖》*Democracy and Leadership*, 1924。吳宓的譯介見《學衡》32 期，1924 年 8 月）。❻

❻ 吳宓之譯介，張沛、張源認為他用「理欲關係」來解釋高上意志跟卑下意志，乃是誤讀。見注❺所引書，附錄。

人文主義一詞，自其拉丁文辭源觀之，最初之詞意就是「信條與紀律」，因此它原本確實是貴族而非平民的，重理性而非如浪漫主義那麼感性。但白璧德所主張的新人文主義，講究的卻是「正確的平衡」。此即他與歐洲舊人文主義大不相同之處。

順著這個區分，白璧德非但不滿於舊人文主義之「在古典文學中尋求精緻慰藉」這種享樂主義生活態度，更不滿當時流行的德國式古典研究方法。他說：

> △在中世紀那個極端時期，人類精神（the human spirit）……沈迷於超自然的夢幻中。現在，它又走向另一個極端，力圖使自己和現象界合為一體。這種科學實證主義傳播甚廣，它使人與自然日趨同化，特別是對教育影響鉅大，某些教育機構正成為科學大工廠。（第四章）
>
> △就語言受制於「事之律」而言，它是文獻學；若它表達了「人之律」，則它是文學。……今天，我們所知道的文獻學家，並不會因為有了「促進人類進步」這個培根主義的捧場，就與他們的原型：（古羅馬）亞歷山大語法學家有何不同。……跟出色的老式語法或考證（textual criticism）相比，大量時下流行的 Quellenforschung（德文：來源研究）實處於較低水平。……今天的學生，往往把一切都當成文獻考據，把文學、歷史和宗教本身都變成「一串故事」。沒完沒了的收集資料，可是面對這些材料卻無法從中提煉出恆久的人類價值。……我們的大學亦因而陷入了文獻學的獨裁統治之下，現行學位制度，對好學深思之士毫無促進

> 作用，只鼓勵在研究工作中展示出嫻熟技術的人。……古代經典研究的德國化，不僅對經典本身是毀滅性的打擊，就整個高等文化說，亦是一大災難。（第五章〈大學與博士學位〉）

依他看，德國化的學風「鼓勵人放棄一切自發的思考，僅在某一小塊知識領域當別人觀點的紀錄或倉庫」「情願把自己的心靈降低到純粹機械功能」（第六章）。其毛病，一在只重視材料，運用考證去達成知識之累積。二在專業分工，造成切割，且又服膺「事物法則」。

這些批評，至今看來，仍是非常準確的，今日學風仍有此弊。但我並不想借題發揮，且仍回到它與吳宓、陳寅恪的關係上看。——陳寅恪入哈佛就學前，就擬赴柏林大學就讀，因故不果，乃轉至哈佛。去哈佛後，仍又至柏林讀書，可見他所傾心學習的，正是德國式的學風。就是在哈佛期間，彼似亦未聞白璧德之教，用力所在，端在梵文、印度學等。其入手徑路，恰好就是白璧德所批評的，非文學與思想之路，而是文獻學式的語文考證。

吳宓為白璧德學說之主要傳述者，卻對白璧德反對德國式科學研究方法這一點未予措意，而欽服於陳寅恪之博學，不是異常奇怪嗎？

四、

接著這個問題往下談，就涉及第三個值得注意的問題：知識份子內在的矛盾性。

像吳宓這樣，既服膺白璧德之新人文主義，又佩服陳寅恪的文獻考證之學，兩者皆出於赤忱，渾不覺其為矛盾，其實並非一特例。在吳宓身上還可以發現同時存在許多這樣的矛盾。

例如吳宓既講新人文主義，自然是強調理性與感性應予中和的。他闡述白璧德高上意志與卑下意志之「內在制約」觀念，援用了宋明理學家的術語：以理治欲，亦可見吳宓比白璧德更重視理性之作用。可是衡諸事實，吳宓本人的生活，卻是情勝於理的。不唯其詩詞足以體現這種人格特質；他苦戀毛彥文引起的風波，也證明了他長期處在情理交衝之中，徘徊往復，理不勝情。

如此行不踐其言、理不勝其情，講人文主義之學說，而表現為浪漫主義的態度，出現深刻的內在矛盾，恐怕正是吳宓這個人最富悲劇性的所在。就像他既講人文主義又佩服文獻考證之學那樣。

但這真的只是吳宓個人的問題嗎？看來又未必。清華國學院另一位導師王國維早就表現出這種情況了。

王國維早歲治詩詞，又治哲學，天才超卓，具臻上流。但在編《靜安文集》時卻慨乎言之，曰：「哲學上之說，大都可愛者不可信、可信者不可愛。余知真理，而余又愛其謬誤。」治哲學，本是要求真理，但王國維卻深刻感覺到「治哲學的人」並不只是個理性的存在。在理性上，人固然能認同某種哲學，承認它是真理，可是人的感情未必就能喜歡它、接受它。也就是說：治哲學的人，本身是複雜乃至矛盾的，故信與愛未必可以合一。

更糟的，是哲學中某些說法又挑激著你的感性，你雖明知它非真理、明知它是謬誤，卻仍免不了要喜愛它。這種愛，是沒辦法的，就如吳宓喜歡上毛彥文般，「愛上了不該愛的人」，難道不知它不應該嗎？當然知道。知道了還止不住去愛，正是因那可愛者藏有絕大之魅惑，而去愛的感性欲念，又非理性所能抑扼。這才是人生之悲劇，無可奈何。

通常人治哲學，即是要解決此類困惑，使人神智清明，可朝真理之塗邁進。但王國維卻在研究哲學時更深刻的發現了這個矛盾。而這個矛盾又是不可解的。因此，他已想遁離哲學。在上文所舉那段話後面，他接著就說：「詩歌乎？哲學乎？他日以何者終吾身？所不敢知，抑在二者之間乎？」在哲學中無法獲得安頓的靈魂，想要到詩歌中去尋求庇護了。但是，內在的悲劇性，讓他立刻也明白了：詩歌恐怕也與哲學相似，均無法使他得到安頓。徘徊於矛盾中的王國維，因此才想到也許可以站在兩者之間。

「詩歌與哲學之間」的這個「之間」是什麼意思呢？情理之間，可能是均衡得中，亦即兼有兩端而得到白璧德所說的「正確的平衡」；亦可能是既不情也不理，不取兩端而得中，如莊子所謂：處乎材與不材之間。王國維到底要選擇哪一種？

在編《靜安文集》時已陷於苦惱的王國維，當時可能還是想兼善得中的，但隨後他的行為，卻已讓我們看到了：他實際上採取了雙遣得中的方式。詩歌與哲學，兩皆不治，轉而從事一種「不哭，不笑，只是理解」的考史工作，治西北史地與上古史，游心於遼遠絕世之處。

到清華國學院時期的王國維，就屬於這一狀況，才情頓斂，淵然穆然，繁華落盡。文學哲學皆已不講，唯事文獻考證而已。可是，這內在的矛盾或悲劇性，真能用此等遣盪棄去之法逃掉嗎？

恐怕是不行的。在文獻考古中不著聲情、不見悲喜的王國維，示人的，或許只是表相；在他內心，那種徬徨矛盾之感，「他日以何者終吾身」的人生大問題，不會如此就消失了。他後來選擇了投水自盡，舉世震驚，各界解讀不一。陳寅恪以文化擔當之懷解之，謂其不忍於文化淪胥，故舉以身殉云云，只是其中一說而已。縱令王國維投水之頃、觸機之發，有此文化擔當，也不能說他暮年就已完全解決或擺脫了那種情理交衝，以致矛盾無從的生命困境。那種內在的畸裂，正是他人生悲劇性的根源，與其自戕，不會毫無關係。

同樣地，陳寅恪的學問雖顯學究相，表現出白璧德所批評的一切德國文獻學者科學研究方法的特徵，可是他與其同時及後輩講文獻考證的學者有個絕大的不同，那就是他本質上乃是個詩人。

「文獻的」與「文學的」，在白璧德的區分中截然涇渭。陳寅恪的研究，也表現著文獻考證的性質。他從不教文學課，也不論文學，後來箋證韋莊詩，亦聲明「若有以說詩專主考證，以致佳詩盡成死句見責者，所不敢辭罪也」（《韋莊秦婦吟校箋》）。亦即：雖論文學，所談的也是考證文句與史事部分，並不論其文學性。可是，陳寅恪本人卻是懂詩且能作詩的人。他在學術研究活動中，顯然壓抑著他自己的文學感性，操作著語文知識與科學化方法去進行考證；而在作詩時，才盡情去表現感性的一面，兩者是分開的。

這也同樣屬於一種矛盾。饒於詩情者，偏要從事非文學性的文獻考證，非矛盾而何？及至暮年，遭逢時變，「高樓冥想獨徘徊，歌哭無端紙一堆」（《柳如是別傳》，上冊，頁 5），論《再生緣》、論柳如是，藉事抒情，才融詩情與史考為一。但在篤守史事考證矩矱的學界，對此卻不無微詞。

如汪榮祖《史家陳寅恪傳》北大版〈弁言〉就說：「陳寅恪晚年所寫的《論再生緣》與《柳如是別傳》乃是時空劇變後的產物，頗多逾越學術規範的情緒與傷感參雜其中。……當代史家何炳棣以及過世的著名學者嚴耕望與錢鍾書諸先生都不能理解，何以陳氏晚年窮『驚天動地』的心力寫此兩本並無甚高學術價值的書？」因此汪先生就認為陳先生畢生學術貢獻主要仍在中古史部分。

如此評價，自是已習慣於「學術規範」的史學界人士一般之意見。而亦由此可見陳寅恪一類人的悲哀。因他必須理與情分，才能從事所謂的學術研究，一旦他不再安於此種畸裂的生涯，想要兼攝兩端時，很可能就會遭到兩端同時的反對，不再承認他是我輩中人，於是兼得者竟兼失之。陳先生導倡開啟了民國後的史學考證學風，這個學風後來走得比陳先生還要窄、還要專、還要強調客觀與科學方法的情理歧分，以致最終陳先生情與理合的作品竟不能獲得考史者的認同，這不令人哭笑不得嗎？

生命的矛盾，也可在胡適身上發現。胡適倡發文學改革，形成五四新文化運動，主張以科學方法整理國故等等。其主張，基本上是個西化派，所用的說詞，如全盤西化、全心全意地現代化、充分世界化，都是主張改造中國的。其文化態度及社會形象，無疑是激進的。當時吳宓、梅光迪、胡先驌、柳詒徵等人之所以要創辦《學衡》以相抗衡，就是為了反對胡適或胡所代表的學風。《學衡》被視為文化保守主義之代表刊物，亦因係相對於胡適的「激進」而說。

可是，清華大學辦國學院，主要推動者卻是胡適。吳宓〈清華開辦研究院之旨趣及經過〉詳述了胡適在清華由留美預備學校擴充改制為大學之際，熱心奔走，向清華師生宣傳「中國辦大學，國學是最主要的」；而辦研究院，須先辦好國學一門（見《清華周刊》351期）。

其後吳宓於 1925 年擔任研究院籌備委員會主任委員，制訂章程，即決定設立國學門。國學門成立後，胡適又奔走推薦王國維來任導師。王本不願就，後來經溥儀之勸才應聘。溥儀之「諭旨命就」，或許也與胡適有關。在北大倡言革命，以反傳統著稱的胡適，在清華卻以辦國學院為務。辦《學衡》以與胡適所代表之學風相抗衡的吳宓，則在清華與胡適聯袂創籌國學院，這不也是甚顯怪異之事嗎？

由此，亦可見胡適的文化觀其實是矛盾的，看來激進，實則有文化保守主義的一面。一方面說全盤西化，打倒傳統，一方面充滿了古典主義的精神。不但藉「科學方法整理國故」之名鑽入故紙堆中；他對文學與思想的評述，也顯示著他仍然非常注重標準與紀律，而其審美的標準或人性的典範，則均來自古典。他的古代研究，非常像白璧德所說的比較與歷史之法：說明那些古代著作如何「表明了古代思想是通過何種方式過渡為中世紀思想與現代思想的」。他所倡導的五四運動，非常像白璧德所描述的浪漫主義狂飆，反傳統、反權威、追求個體自由、申張自我；可是胡適自己卻往往只視之為中國的文藝復興。白話文及科學方法所造成的革命，他也將之溯源於古已有之的白話文學傳統和宋明理學格物致知之傳統。五四的「文藝復興」，更是古已有之，接續著禪宗與宋代理學

的兩次文藝復興而來，並非新創的東西。❼

這是胡適在學術或文化觀方面的情況。觀乎此，便知他為國人開立「必讀書目」這類舉動，原非無故而然。他重視閱讀經典，殊不下於人文主義者。至於他立身為人處世之近於白璧德所說的平衡與克制，那就更為明顯了。他從來不是個感情的自然主義或浪漫派，因此不曾如吳宓般燃燒起情焰，炙傷了自己與家人。

他像白璧德所形容的新人文主義者，一切講求適度。胡適的「適」，雖取名於適者生存之意；但縱觀其一生，並不採優勝劣敗的叢林自然法則，毋寧更近乎「適當」之意，故「他警惕過度自由，也防範過度的限制，他採取一種有限制的自由和有同情的選擇」（白璧德《文學與美國的大學》，第二章）。這樣的人，與他申言易卜生主義、推崇明代公安派「獨抒性靈，不拘格套」、倡導起浪漫主義運動的那一面，豈非矛盾並存乎？

以上這些矛盾，性質非一，然均可見其生命的畸裂或雜揉。當時知識份子普遍具此內在矛盾的人格生命，實為值得探討之問題。

五、

最後要談的，是清華國學院涉及的大學體制問題。

清華初擴充為大學時，大學部僅十一系。另立研究院，研究院僅設國學一門。研究院與系並不相隸屬，其體制則兼採中西之長，

---

❼ 詳胡適英文專著 *The Chinese Renaissance: The Haskell Lectures 1933* (Chicago: The University of Chicago Press, 1934)。

中是中國古代的書院制，西是英國牛津、劍橋的書院制。因此有所謂導師。學生開學入學時必須行拜師禮。這都不是美式的系所制度，強調的是導師對學生學問及人格整體的照顧及導引。教育之目的，是「培養以著述為畢生事業」之國學人才，學科內容則包括中國歷史、哲學、文學語言、文字、音樂及東方語言。故其專業分工並不細緻，仍保持傳統「國學」一詞所具有的統包性質，跟國學院結束後分化了的中文系、歷史系相比，自顯其異。

當時清華國學院之所以採此制度，我想必與籌備主任吳宓有關，也必與白璧德思想有關。因為白璧德恰好最關心大學教育，其新人文主義就意在力矯彼時美國教育之弊。清華為留美預備學校，所用又為美國的庚子獲賠款，吳宓乃至陳寅恪、趙元任又都歸自美國，依常理，創辦研究院必會援用美國制度。乃竟不然者，厥因新人文主義對美國之大學教育已有一批判之反省，故吳宓才會改弦更張，想由中國與英國書院制度來構建一所具有人文精神的現代書院。

依白璧德之見，美國的大學中，人文精神已遭遇到功利主義自下而上的威脅，專業化由上而下的威脅，以及幾乎無法阻擋的商業化和工業化之威脅。特別是數量化的時代，白璧德認為大學更應認識「質」的重要，培養有品質的人。

因此，在他的想法中，更關注的乃是專門性大學（college）而非綜合大學。他《文學與美國大學》一書所指的大學，就是college。這個字一般都稱為學院，但白璧德之所以用 college 稱大學，而不用 university，正所以表明他心目中實施人文教育之場所，乃是 college 而非綜合大學。College 在時代洪流中應當格外捍衛人文主義的傳統與標準。他所期望於這些小學院的，乃是「在自由文化精神的激發與指導下，教授為數有限的幾門標準課程」（上引書，第四章）。他說：

> 這些小學院若能認識到自身的優勢，不陷入自然主義之謬誤，而把人文意義上的發展和單是擴大規模相混殽；又不讓自己被規模和數量所震懾，那麼這些小學院就幸運了。儘管全世界都醉心於量化的生活，大學卻必須牢記自己的任務，是讓自己的畢業生成為高品質的人……力求在老舊的世襲貴族和新興的金錢貴族之外，培養我們社會所需的性格與智力貴族，以資抗衡。

大學假如不培養金錢貴族，自然就不會以職業出路為教育目標。觀乎此，便知清華國學院為什麼會要辦成個小型的書院，又為什麼不以學生就業，或配合社會工商軍事之需為教學宗旨，只希望培養一批能好好讀書做學問的人。

清華國學院之書院體制，採摭英國牛津、劍橋，也與白璧德學說有關。白璧德反對專業化，也反對讀書只為了某個特殊的功利目的。故若一名學生未廣泛閱讀，只一心專注於他的論文，以求寫了畢業，獲得學位，最令其鄙視。他所強調的「學術的閒暇」或「高雅的業餘者」（elegant amateur），類似中國古代所謂：「君子不器」或「游於藝」之類，多識前言往行以自畜其德，悠遊澡浴於學問之海，並不自限於某一知識領域，也不把自己當成一名處理知識問題的職業技工（詳見其書第九章）。而這種理想，他以為已不可見於德國的學術研究風氣，亦不可見於美國之新型大學，只可求諸英國劍橋、牛津等校：

> △也許只有在英國，那種高雅的業餘者之理想，才得以倖存且延續至今。（第四章）
>
> △……這種學術閒暇的傳統和舊式的人文主義，在英國的大學中尚有一定的保留。但即使在牛津與劍橋，人文主義者和閒暇者也正受到專門的科學家和忙碌的人道主義者的排斥；在我們美國的大學教師中，這種情況就更多了。（第九章）

吳宓等人規劃清華國學院時，不以美國大學為模型，而取法於牛津、劍橋，顯然就與白璧德這類評價有關。只不過，白璧德理想中的大學教育，其實較注重的是大學部本科教育，清華國學院則因其體制原本就屬研究機構，故德國式研究氣味，又較白璧德所嚮往的廣閱泛覽以獲文化薰陶之「學術之閒暇」有所不同耳。

白璧德的想法，當然有他的時代背景。人文主義者通常溯源於文藝復興；但文藝復興固然提倡了人文精神，其人文精神卻主要是建立在理性上的。理性的弘揚，漸漸就促進了科學的發展，並使人越來越重視科學、相信科學，而形成了科學主義。要求人文學、社會學都得效法科學，或成為科學。教育上，也就出現了科學主義的大學觀。代表人物，就是白璧德所大力抨擊的培根。

培根認為社會之發展需要科學，科學人才之培養必須以科學教育為內容，大學則為承擔此一工作內涵及使命之地。其所謂科學，又專以通過歸納法獲得的知識為準。因此大學就成為教導學生使用科學方法去掌握知識，以貢獻於社會之機構。十九世紀初，英國就開始為大學到底應維持古典人文教養教育，抑或發展科學教育而產生了論戰，斯賓塞（Herbert Spencer）、赫胥黎（Thomas Henry Huxley）等都主張科學主義教育，以致一批重視科學技術教育、旨在培養各種實用科技人才的新型大學在各主要工商城市湧現，老牌的古典大學，如牛津、劍橋，也增設了自然科學系科，開始培養科學人才。此風於十九世紀後期傳入美國，與其功利主義思想結合，迅即蔚為洪流。自然科學與技術實用學科地位日高，人文教育備受冷落，白璧德之感嘆，即為此而發。

不過，白璧德並非孤軍奮戰。在他之前，十九世紀有托馬斯·阿諾德（Thomas Amold）、梅修·阿諾德（Mathew Amold）、紐曼等人，主張大學教育旨在培養紳士。二十世紀，白璧德稍後則有薩頓（George Sarton）、赫欽斯（Robert Maynard Hutchins）等人依然倡導推動人文教育，且影響深遠。

薩頓乃科學史家，其說亦號稱新人文主義，但目的在實現科學的人文化。認為科學固然重要，但我人應注重科學的人文意涵，讓科學重新與人文聯繫在一起，從而建立一種建立在人性化科學上的新文化。他稱此為新人文主義。

赫欽斯主持芝加哥大學，則主張發展理性、培養人性，是教育永恆不變的目標，大學就是針對此一目標，促使學生理性及道德能力充分發展健全而設的。為達此教育之永恆目標，赫欽斯建議設立一套永恆學科。謂此學科「紬譯出我們人性的共同因素，因為它使人與人聯繫起來，使我們和人類曾經想過的最美好事物聯繫起來，並因為它對於任何進一步的研究，和對世界的任何理解都是重要的」。此學科由兩大類科目構成，一是與古典語言和文學有關的學科，學習之途徑就是閱讀古典著作；另一類，可稱為「智性課程」，主要包括文法、修辭、邏輯、數學等具有永恆性內容的學科。這些學科，不但配合永恆的教育目標，也與那些因時代需要而設的應世諧俗學科不同。那些學科常隨時代需要而枯榮，當令時，至為熱門；過時了，就毫無價值。❽

這些人的主張，均顯示白璧德這類思想其實涉及了近代大學教育性質的大爭論。

中國在晚清開始改制，建立學堂以來，其實走的就是日本德國之路，以富國強兵為務。五四運動引入德先生與賽先生，繼而是科學玄學論戰。一時之間，科學主義大盛。不但把自然科學知識看作文化中最有價值的東西、把科學方法視為唯一正確的方法，科學也是一切知識的標準與範例。這種科學主義（scientism）的倡行大將，正是胡適之。可是他推動清華國學院成立時，北大已先期設立研究所國學門，因此他推動清華再設國學院時，或許有不同的想法。但更重要的是吳宓直接主持籌備工作，故清華國學院之設置，竟可關聯於那場在歐美激烈爭論了百年來的上述大問題。清華國學院也因而在整個中國科學化大學運動中，自成一處異樣的風景，獨申其人文主義大學之風格。

據藍文徵〈清華大學國學研究所始末〉載，當時清華的學生，

---

❽ 另參劉寶存〈科學主義與人文主義大學理念的衝突與融合〉，2005 年第 1 期，《學術界》總 110 期。

感覺到的這個風格是：

> 各位先生傳業態度的莊嚴懇摯，諸同學問道心志的誠敬殷切，穆然有鵝湖、鹿洞遺風。每當春秋佳日，隨侍諸師，徜徉湖山，俯仰吟嘯，無限春風舞雩之樂。院中都以學問道義相期。故師弟之間，恩若骨肉；同門之誼，親如手足。

這樣的描述，充分顯示了當年清華國學院的人文精神或人文化氣息。只不過，中國式的人文大學，重點更在人的精神相容相即，與白璧德、赫欽斯等美國式的思考，注重課程架構者不同。陳寅恪有首詩也談到這個「人」的問題，他說：「天賦迂儒自聖狂，讀書不肯為人忙。平生所學寧堪贈？獨此區區是藥方。」（北大學院己巳級史學系畢業生贈言，1929）。詩是寫給北大學生的，料想此亦是他平日在清華勗勉其生徒之語。讀書治學，乃為己之學，非功利之途。以此為教，亦顯然具有人文精神。

但問題是：一、清華大學在後來的發展中，自己切斷了人文主義大學的這條路。先是將國學院結束，師資併入中文系、歷史系，一切均依現代分科專業化的方式做。那個仿效牛津、劍橋和中國古代「鵝湖、鹿洞」的體制和風格，遂戛然中止了。繼而在五十年代院系大調整時，又把人文及社會學科移出清華，清華遂成為一所工科學校，以自然科學著稱，轉而成了科學主義式的大學代表。國學院這一段歷史，放在清華的變遷史上看，更強烈顯現出這兩種大學路向的盛衰與差異。

二是清華國學院雖然在體制上效法牛津、劍橋乃至中國古代書院，人員相處，也有古代師弟相從、優遊論道之樂，然而其學問卻是科學化的。非是論道，只是治學。其學風深受當時德國科學方法之影響，已如前述。如此畸裂，乃是極為可惜的。

為什麼人文化的教育並不宜採用科學化的方法呢？

讓我舉個例子。古代中醫的教育，多是父子師徒式的個別性傳授，不同於現代大學的普傳性質。而傳授時，讓徒弟看醫書或方錄，亦不提供現代醫學教育那種系統性理論性的說解，只做一些要點的詮釋或指點。徒弟大抵只靠背誦文獻、觀摩師父視疾用藥，和本身具體的治療實踐，綜合其經驗，才能逐漸悟出個道理。在整個教學中，教者與學者，都不可能擁有客觀中立的知識，只是在每一個個別經驗中開發每個人不同的領悟程度而已。現代大學的中醫教育就不同了。教與學的關係，不再由師徒間雙方自己決定，而是通過行政程序，將學生分派到某一課程規劃中。古代醫方醫案醫經，那些在古代文本中密切結合的部分（哲學、診斷、治療）也被析解開來，分別放入不同的名目之下，操作著一種「系統化」的意識，把知識裝配到一個新的整體中去，並儘量讓它邏輯化。治療或醫方，則盡量使它具有非個人化、可量化、可操作實驗之性質。如此如此，終於把整個中醫教學變成是一種獨立於良師之外，自明的、知識導向日益增強的獨立化過程。

這種知識傳承方式，迥異於古代的教學。試問：孔子與其弟子，或在宋明書院如鵝湖、鹿洞之教學，是採前一方抑或後一法？當然，孔門教學或書院論道，也會有類似現代大學普傳、系統、理論化、客觀知識性的講授，但它主要是前一種，大量語錄便是證明。特別是對學生道德修養、文化品味、感性生活、群己關係方面之教育，亦即涉及學生人生觀價值觀審美能力之部分，尤其仰賴該方法。現代大學教育也明顯地在這些地方難以著力，只能偏重在知識教育部分。而人文教育者所重視的，恰好也就在這些地方。就算僅就知識說，現代科學化、系統化的知識教育，也是有問題的。一如上面所舉中醫教學之例，總讓人感覺不對味兒。

正因如此，雖然現代大學體制廣泛採用了科學化的知識傳授辦法，但人文主義者仍在努力設法平衡或矯正之，也發展出了不少教法。

例如拉康（Jacques Lacon）的精神分析，就是在深有體會現代大學體制與精神分析具有不相容之性質後，再試圖發展出一種迴異於用一套理論知識去分析的教學法。1964 年拉康創立的巴黎佛洛依德學院，就一反過去分析學家分析病人的方式，另採病人自主講述與分析之形式。故其所獲得之知識，並不是一種中性的、普遍的、客觀化的東西，他是由每個主體自己進行的個別行為。它不可重複，也不可普遍化。但在整個治療過程中，病人及參與討論對話的教師，都發生了實際的內在變化，獲得了新的認知。因此有些人將他的教學法與禪宗的教學相比較。❾

舉拉康為例，並非以之為榜樣，而是說在思考科學化大學教育與知識之關係時，有不少人士是走得比清華國學院諸君更遠的。在大學中開創一種人文知識的教育方式，亦多已有人嘗試，可惜當時清華國學院對此未遑注意！

---

❾ 相關問題，請參考杜瑞樂〈儒家經驗與哲學話語：對當代新儒學諸疑難的反思〉，2003 年 2 期《中國學術》，商務印書館，總十四輯。

國家圖書館出版品預行編目資料

國學入門

龔鵬程著. – 初版. – 臺北市：臺灣學生，2007[民 96]
面；公分

ISBN 978-957-15-1355-3 (平裝)

1. 漢學

030 96007682

國學入門

著作者 龔鵬程
出版者 臺灣學生書局有限公司
發行人 楊雲龍
發行所 臺灣學生書局有限公司
地址 臺北市和平東路一段 75 巷 11 號
劃撥帳號 00024668
電話 (02)23928185
傳真 (02)23928105
E-mail student.book@msa.hinet.net
網址 www.studentbook.com.tw
登記證字號 行政院新聞局局版北市業字第玖捌壹號
定價 新臺幣四〇〇元
出版日期 二〇〇七年六月初版
ISBN 978-957-15-1355-3

03012